Collection QA **compact**

# Anne au Domaine des Peupliers

**De la même auteure chez Québec Amérique**

**Anne... La série (10)**

1) Anne... La Maison aux pignons verts
2) Anne d'Avonlea
3) Anne quitte son île
4) Anne au Domaine des Peupliers
5) Anne dans sa maison de rêve
6) Anne d'Ingleside
7) La Vallée Arc-en-ciel
8) Rilla d'Ingleside
9) Chroniques d'Avonlea I
10) Chroniques d'Avonlea II

**Anne... La suite (5)**

11) Le Monde merveilleux de Marigold
12) Kilmeny du vieux verger
13) La Conteuse
14) La Route enchantée
15) L'Héritage de tante Becky

**Les nouvelles (4)**

1) Sur le rivage
2) Histoires d'orphelins
3) Au-delà des ténèbres
4) Longtemps après

Lucy Maud Montgomery

# Anne au Domaine des Peupliers

roman

traduit de l'anglais par
Hélène Rioux

QUÉBEC AMÉRIQUE

**Catalogage avant publication de Bibliothèque et Archives nationales du Québec et Bibliothèque et Archives Canada**

Montgomery, L. M. (Lucy Maud), 1874-1942
[Anne of Windy Poplars. Français]
Anne au Domaine des peupliers
Nouv. éd.
(Collection QA compact)
Traduction de : Anne of Windy Poplars.
Suite de : Anne quitte son île.
Publ. à l'origine dans la coll.: Collection Littérature d'Amérique. Traduction. 1989?.
ISBN : 978-2-7644-0432-4
I. Rioux, Hélène, 1949- . II. Titre. III. Titre : Anne of Windy Poplars. Français.
PS8526.O55A6614 2005 C813'.52 C2005-940439-6
PS9526.O55A6614 2005

Nous reconnaissons l'aide financière du gouvernement du Canada par l'entremise du Programme d'aide au développement de l'industrie de l'édition (PADIÉ) pour nos activités d'édition.

Gouvernement du Québec – Programme de crédit d'impôt pour l'édition de livres – Gestion SODEC.

Les Éditions Québec Amérique bénéficient du programme de subvention globale du Conseil des Arts du Canada. Elles tiennent également à remercier la SODEC pour son appui financier.

Québec Amérique
329, rue de la Commune Ouest, 3e étage
Montréal (Québec) Canada H2Y 2E1
Téléphone : 514 499-3000, télécopieur : 514 499-3010

Dépôt légal : 2e trimestre 2005
Bibliothèque nationale du Québec
Bibliothèque nationale du Canada
Mise en pages : Andréa Joseph
Conception graphique : Isabelle Lépine
Réimpression : octobre 2008



Imprimé au Canada

# *La première année*

# 1

*(Lettre d'Anne Shirley, licenciée, Directrice de l'École secondaire de Summerside, à Gilbert Blythe, étudiant en médecine à l'Université de Redmond, Kingsport.)*

Le Domaine des Peupliers,
Chemin du Revenant,
S'side, Î.-P.-É.
Lundi, le 12 septembre

Mon chéri,

Pour une adresse, c'en est toute une, qu'est-ce que tu en penses? As-tu déjà entendu rien de plus ravissant? Le Domaine des Peupliers, c'est le nom de ma nouvelle demeure et j'en raffole. J'aime également Chemin du Revenant, qui n'a pas d'existence légale. Son nom devrait être rue Trent, mais personne ne le lui donne jamais, sauf à quelques rares occasions lorsqu'on la mentionne dans le *Courrier hebdomadaire*... et alors les gens se regardent en se demandant où dans le monde cela peut-il bien se trouver. C'est le Chemin du Revenant... bien que je ne puisse absolument pas te dire pour quelle raison ce l'est. J'ai déjà interrogé Rebecca Dew à ce sujet, mais tout ce qu'elle a pu m'apprendre, c'est que le Chemin a toujours été du Revenant et qu'il y a très longtemps il était hanté. Mais *elle* n'y avait jamais rien vu de plus terrifiant qu'elle-même.

Je ne dois pourtant pas aller plus vite que mon histoire. Tu ne connais pas encore Rebecca Dew. Mais tu la connaîtras, de ça tu peux être sûr. Je prévois que Rebecca Dew jouera un rôle de premier plan dans ma correspondance à venir.

C'est le crépuscule, mon chéri. (En passant, crépuscule n'est-il pas un mot adorable? Je le préfère à demi-jour. Cela sonne si velouté, et plein d'ombres et... et... crépusculaire.) À la lumière du jour, j'appartiens au monde... pendant la nuit, au sommeil et à l'éternité. Mais au crépuscule, je n'appartiens qu'à moi-même... et à toi. C'est pourquoi je compte consacrer cette heure à t'écrire. Cette lettre ne sera toutefois pas une lettre d'amour. Ma plume grince et il m'est impossible d'écrire une lettre d'amour avec une plume grincheuse... ou au bec trop effilé... ou trop épais. Tu ne recevras donc ce genre de lettre de moi que lorsque j'aurai exactement la plume qui convient. En attendant, je t'entretiendrai sur mon nouveau domicile et ses habitants. Ce sont des amours, Gilbert.

Je suis arrivée hier à la recherche d'une pension. Mme Rachel Lynde m'accompagnait, supposément pour effectuer quelques emplettes, mais je savais qu'en réalité elle voulait m'aider à choisir ma pension. En dépit de mes études et de mon diplôme, Mme Lynde me considère toujours comme une petite jeune fille inexpérimentée devant être guidée, dirigée et supervisée.

Nous avons pris le train et oh! Gilbert, j'ai vécu l'aventure la plus cocasse. Tu sais qu'il m'arrive toujours des incidents imprévus. On dirait que je les attire.

Cela s'est passé au moment précis où le train entrait en gare. Je me suis levée et, me penchant pour prendre la valise de Mme Lynde (elle prévoyait passer la journée du dimanche avec une amie à Summerside), j'ai appuyé mes jointures lourdement sur ce que je croyais être le bras luisant d'un siège. Une seconde plus tard, elles recevaient un coup violent qui me fit presque hurler. Gilbert, ce que j'avais pris pour le bras d'un siège, c'était le crâne chauve d'un homme.

Il me dévisageait férocement et il était évident qu'il venait tout juste de se réveiller. Je lui fis de piteuses excuses et sortis du train aussi vite que possible. La dernière chose que j'ai vue de lui, c'est qu'il continuait à me fixer d'un regard toujours aussi furieux. Mme Lynde était horrifiée et mes jointures me font encore mal.

Je ne m'attendais pas à éprouver de grandes difficultés à trouver une pension, car une certaine Mme Tom Pringle avait hébergé les différents directeurs de l'école pendant les quinze dernières années. Mais, pour quelque raison inconnue, elle en a tout à coup eu assez de «se faire ennuyer» et a décidé de ne pas me prendre. À plusieurs autres endroits désirables, on m'a servi des excuses polies alors que les autres endroits n'étaient tout simplement pas désirables. Après avoir fait le tour de la ville tout l'après-midi, nous étions en nage, nous nous sentions fatiguées et maussades et avions mal à la tête... c'est du moins comment *moi* je me sentais. J'étais près de renoncer tant j'avais perdu espoir... et c'est alors que le Chemin du Revenant a fait son apparition.

Nous étions allées rendre visite à Mme Braddock, une vieille copine de Mme Lynde. Et Mme Braddock a dit qu'elle pensait que les «veuves» pourraient peut-être m'offrir un gîte.

«J'ai entendu dire qu'elles cherchaient un pensionnaire pour payer les gages de Rebecca Dew. Elles ne peuvent plus se permettre de garder Rebecca à moins de réaliser un petit revenu supplémentaire. Et si Rebecca s'en va, qui traira la vieille vache rousse?»

Mme Braddock me jeta un regard sévère comme si elle pensait que c'était à moi que cette tâche incombait mais que, même si je jurais être capable de traire la vache rousse, elle ne me croirait pas.

«De quelles veuves parlez-vous?» interrogea Mme Lynde.

«Eh bien! Tante Kate et Tante Chatty», répondit Mme Braddock, comme si tout le monde, et même une ignorante diplômée d'université, devait savoir cela. «Tante Kate est Mme Amasa MacComber (elle est la veuve du capitaine) et Tante Chatty est Mme Lincoln MacLean, une simple veuve.

Mais tout le monde ici les appelle "ma tante". Elles habitent au bout du Chemin du Revenant.»

Le Chemin du Revenant! Voilà qui réglait la question! Je savais que je devais loger chez les veuves.

«Allons les voir tout de suite», implorai-je M$^{me}$ Lynde. J'avais l'impression que si nous perdions une minute, ce chemin hanté s'évanouirait pour retourner au pays des fées.

«Vous pouvez les voir, mais en réalité c'est Rebecca qui va prendre la décision. Je peux vous assurer que c'est elle qui mène la barque au Domaine des Peupliers.»

Le Domaine des Peupliers! Cela ne pouvait être vrai... non, c'était impossible, je devais rêver. Et M$^{me}$ Lynde était justement en train de dire que c'était un drôle de nom pour une maison.

«Oh! C'est le capitaine MacComber qui l'a appelée comme ça. C'était sa maison, vous savez. C'est lui qui a planté tous les peupliers qui l'entourent et il n'en était pas peu fier, même s'il n'était pas souvent chez lui et ne restait jamais bien longtemps. Tante Kate avait coutume de dire que c'était inconvenant, mais nous n'avons jamais réussi à savoir si elle parlait du fait qu'il restait si peu de temps ou du fait qu'il revenait. Eh bien! M$^{lle}$ Shirley, j'espère que cela fonctionnera. Rebecca Dew est une bonne cuisinière et elle fait preuve de génie quand il s'agit de préparer les pommes de terre froides. Si elle se met dans l'idée que c'est vous, vous serez comme un coq en pâte. Dans le cas contraire... eh bien! ce sera le contraire, voilà tout. J'ai entendu dire qu'il y a un nouveau banquier en ville qui cherche une pension. Elle le préférera peut-être. C'est plutôt bizarre que M$^{me}$ Tom Pringle ne vous ait pas prise. Summerside est rempli de Pringle et de demi-Pringle. On les appelle la "Famille Royale" et vous devez être de leur côté, M$^{lle}$ Shirley, sinon vous n'arriverez à rien à l'école de Summerside. Ils ont toujours imposé leur loi ici... et il y a même une rue qui porte le nom du vieux capitaine Abraham Pringle. Ils forment un véritable clan, mais ce sont les deux vieilles dames de Maplehurst qui mènent la tribu. On m'a dit qu'elles ne vous portent pas dans leur cœur.»

«Mais pourquoi? me suis-je exclamée. Je leur suis totalement étrangère.»

«Bien, un de leurs cousins au troisième degré avait posé sa candidature au poste de directeur de l'école et toute la famille a cru que cela lui revenait de droit. Lorsque c'est votre demande qui a été acceptée, toute la bande a rejeté la tête en arrière et s'est mise à jeter les hauts cris. Les gens sont comme ça, vous savez. Il faut les prendre comme ils sont. Ils se montreront doux comme de la crème avec vous, mais vous joueront dans le dos chaque fois que ce sera possible. Ce n'est pas que je cherche à vous décourager, mais une femme avertie en vaut deux. J'espère que vous réussirez, ne serait-ce que pour les contrarier. Si les veuves vous acceptent, cela ne vous dérangera pas de manger avec Rebecca Dew, n'est-ce pas? Elle n'est pas une *servante*, vous savez. Elle est une cousine éloignée du capitaine. Elle ne mange pas à la table quand il y a de la visite... elle connaît sa place dans ces moments-là... mais si vous devenez pensionnaire, elle ne vous considérera évidemment pas comme une étrangère.»

J'ai certifié à l'anxieuse M^me^ Braddock que j'adorerais manger avec Rebecca Dew et j'ai entraîné M^me^ Lynde. Il fallait que j'arrive avant le banquier.

M^me^ Braddock nous a accompagnées à la porte.

«Et prenez garde à ne pas blesser la sensibilité de Tante Chatty. Elle est si facilement blessée, si sensible, la pauvre. Elle n'a pas tout à fait autant d'argent que Tante Kate, voyez-vous... bien que Tante Kate n'en ait pas des masses elle non plus. Et puis, Tante Kate aimait vraiment beaucoup son mari... le sien, je veux dire... alors que Tante Chatty ne l'aimait pas... enfin n'aimait pas le sien, je veux dire. Pas étonnant! Lincoln MacLean était un vieil escogriffe... mais elle croit que les gens lui en tiennent rigueur. Une chance que c'est samedi. Si c'était vendredi, Tante Chatty ne voudrait même pas songer à vous prendre. On serait porté à croire que la superstitieuse est Tante Kate, n'est-ce pas? Les marins ont plutôt tendance à l'être. Mais c'est Tante Chatty... même si elle était mariée avec un menuisier. Elle était très jolie dans son temps, la pauvre.»

J'ai assuré à Mme Braddock que la sensibilité de Tante Chatty serait sacrée pour moi, mais elle nous a suivies sur le chemin.

«Kate et Chatty ne fouilleront pas dans vos effets personnels pendant votre absence. Elles sont très consciencieuses. Rebecca le fera peut-être, mais elle ne bavardera pas à votre sujet. Et si j'étais vous, je ne passerais pas par la porte d'en avant. Elles ne s'en servent que pour les événements très importants. Je ne crois pas qu'on l'ait ouverte depuis les funérailles d'Amasa. Essayez plutôt la porte de côté. La clef se trouve sous le pot de fleurs sur le rebord de la fenêtre, alors, s'il n'y a personne, débarrez la porte, entrez et attendez. Et en toutes circonstances, ne dites jamais de bien du chat parce que Rebecca ne l'aime pas.»

Je promis de ne pas faire l'éloge du chat et nous réussîmes à nous éloigner. En peu de temps, nous nous sommes retrouvées sur le Chemin du Revenant. Il s'agit d'une minuscule rue débouchant sur la campagne; au loin, une colline bleue lui fait un magnifique arrière-plan. D'un côté de la rue, il n'y a aucune maison et le terrain en pente descend jusqu'au port. De l'autre côté, il n'y en a que trois. La première n'est qu'une simple maison... rien de plus à dire à son sujet. La suivante est un gros manoir imposant et lugubre en pierre taillée de couleur rouge brique, surmonté d'un toit mansardé couvert de bosses, avec des lucarnes, une rampe de fer autour de l'avant-toit et entouré de tellement d'épinettes et de sapins que c'est à peine si on peut apercevoir la maison. Il doit faire affreusement sombre à l'intérieur. La troisième et dernière est le Domaine des Peupliers, juste au coin, avec la pelouse en face et un véritable chemin de campagne, merveilleusement ombragé par les arbres, derrière.

J'en ai été immédiatement conquise. Tu sais, certaines maisons impressionnent au premier coup d'œil sans qu'on puisse arriver à vraiment l'expliquer. C'est le cas du Domaine des Peupliers. Je peux te la décrire comme une maison de bois blanche... très blanche... avec des volets verts... très verts... avec une «tour» au coin et une lucarne de chaque côté, un muret de pierre la séparant de la rue, avec des peupliers faux-trembles dispersés tout autour, et un grand jardin derrière où fleurs et légumes forment un fouillis délicieux... mais tout ceci ne peut te transmettre le charme qui en émane. Bref, c'est une maison qui possède une merveilleuse personnalité et quelque chose qui la rapproche de Green Gables.

«C'est un endroit fait pour moi... c'était prévu», me suis-je écriée avec ravissement.

Mme Lynde avait l'air de quelqu'un ne faisant pas très confiance à la prédestination.

«C'est une longue marche jusqu'à l'école», risqua-t-elle d'un air perplexe.

«Cela ne me dérange pas. Ce sera un bon exercice. Oh! regardez cet adorable bosquet de bouleaux et d'érables de l'autre côté de la rue.»

Mme Lynde regarda mais ne trouva rien d'autre à répondre que:

«J'espère que tu ne seras pas infestée par les moustiques.»

«Je l'espère aussi. J'ai horreur des moustiques. Un seul maringouin m'empêche davantage de dormir qu'une mauvaise conscience.»

J'étais contente que nous n'ayons pas à passer par la grande porte. Elle semblait si sévère... un gros machin à double battant, en bois naturel, flanquée de panneaux de vitre rouge ornée de fleurs. La petite porte verte de côté, que nous atteignîmes en empruntant un adorable chemin fait de minces galets plats disposés dans l'herbe à intervalles réguliers, semblait beaucoup plus amicale et invitante. Le sentier était bordé d'oreilles de lièvre, de cœurs saignants et de lis tigrés, d'œillets de poète et de citronnelle, de bouquets blancs et de pâquerettes rouges et blanches et de ce que Mme Lynde appelle «pins nains». Les fleurs n'étaient évidemment pas toutes épanouies en cette saison, mais on pouvait voir qu'elles l'avaient été au moment propice, et qu'elles l'avaient été superbement. Il y avait un massif de roses dans un coin éloigné et entre le Domaine des Peupliers et la maison triste, un mur de brique couvert de lierre, avec un treillis en arc surmontant une porte d'un vert délavé au milieu. Une vigne courait à travers, prouvant qu'on ne l'avait pas ouverte depuis longtemps. Ce n'est en réalité qu'une demi-porte, car sa moitié supérieure est simplement une ouverture oblongue par laquelle on peut jeter un coup d'œil sur la jungle de l'autre côté.

Au moment où nous franchissions la grille du jardin du Domaine des Peupliers, j'ai aperçu une petite touffe de trèfles à côté du sentier. Une impulsion m'a incitée à me pencher et à l'examiner. Me croiras-tu, Gilbert? Là, juste devant mes yeux, j'ai trouvé *trois* trèfles à quatre feuilles. Quand on parle de présages! Même les Pringle ne peuvent lutter contre cela. J'ai été convaincue que le banquier n'avait pas la moindre chance.

La porte de côté était ouverte; c'était donc évident qu'il se trouvait quelqu'un à l'intérieur et que nous n'aurions pas à regarder sous le pot de fleurs. Nous avons frappé et Rebecca Dew est venue à la porte. Nous savions qu'il s'agissait de Rebecca Dew parce que ce ne pouvait être personne d'autre au monde. Et elle ne pouvait tout simplement pas porter un autre nom.

Rebecca Dew est une femme dans la quarantaine et, si une tomate pouvait avoir des cheveux noirs courant derrière son front, de petits yeux noirs pétillants, un petit nez terminé par une bosse et une bouche mince, elle lui ressemblerait trait pour trait. Tout en elle est un petit peu trop court... ses bras et ses jambes, son cou et son nez... tout à l'exception de son sourire. Il est suffisamment long pour s'étirer d'une oreille à l'autre.

Mais nous n'avons pas vu son sourire à ce moment-là. Elle parut très rébarbative quand je lui demandai si je pouvais voir Mme MacComber.

«Vous voulez dire Mme *Capitaine* MacComber?» corrigea-t-elle de mauvaise grâce, comme s'il y avait au moins une douzaine de Mme MacComber dans la maison.

«Oui», répondis-je humblement. Et nous fûmes aussitôt introduites dans le salon et plantées là. C'était une petite pièce plutôt agréable, un peu encombrée d'appuie-tête, mais j'aimai l'atmosphère calme et amicale qui s'en dégageait. Au moindre meuble était assignée une place particulière qu'il devait occuper depuis des années. Comme le mobilier brillait! Aucun produit de polissage vendu sur le marché n'aurait jamais produit un tel éclat. Je devinai que c'était l'huile de bras de Rebecca. Mme Lynde se trouva fort intéressée par un navire tout équipé dans une bouteille. Elle n'arrivait pas à comprendre comment on avait pu l'y introduire mais elle déclara que cela donnait à la pièce un «air nautique».

Les «veuves» firent leur entrée. Je les aimai dès que je les vis. Tante Kate était grande, maigre et grise, un tantinet austère... tout à fait le type de Marilla; et Tante Chatty était courte, maigre et grise, un petit peu mélancolique. Elle avait sûrement été très jolie à une certaine époque mais rien ne subsistait de sa beauté, sauf ses yeux. Ses yeux sont superbes... d'immenses yeux bruns très doux.

J'expliquai le but de ma visite et les deux veuves se regardèrent.

«Nous devons consulter Rebecca Dew», prononça Tante Chatty.

«Indubitablement», acquiesça Tante Kate.

Rebecca Dew fut par conséquent convoquée. Elle arriva de la cuisine, suivie du chat... un gros Maltais duveteux, la poitrine et le cou blanc. J'aurais aimé le prendre mais, me souvenant de l'avertissement de Mme Braddock, je l'ignorai.

Rebecca me dévisagea sans esquisser l'ombre d'un sourire.

«Rebecca», commença Tante Kate laquelle, je venais de m'en apercevoir, ne gaspillait pas sa salive en paroles inutiles, «Mlle Shirley souhaite prendre pension ici. Je ne crois pas que cela soit possible.»

«Pourquoi pas?» demanda Rebecca Dew.

«J'ai peur que cela ne vous cause trop de travail», dit Tante Chatty.

«J'ai assez l'habitude de travailler», rétorqua Rebecca Dew. Il est impossible de dissocier ces deux noms, Gilbert, absolument impossible... même si les veuves le font. Elles disent Rebecca lorsqu'elles s'adressent à elle. Je me demande comment elles y parviennent.

«Nous sommes trop âgées pour vivre avec des jeunes personnes qui entrent et sortent», insista Tante Chatty.

«Parlez pour vous, répliqua Rebecca Dew. Je n'ai que quarante-cinq ans et j'ai encore l'usage de mes facultés. Et à mon avis, ce serait une bonne chose d'avoir une jeune personne dormant dans la maison. Et je préfère cent fois une fille à un garçon. Il fumerait nuit et jour... et nous ferait passer au feu pendant notre sommeil. Si vous devez prendre un pensionnaire, je vous conseille de la prendre, elle. Mais bien entendu, vous êtes chez vous.»

Ainsi parla-t-elle puis elle disparut... selon l'expression chère à Homère. Je savais que l'affaire était dans le sac, mais Tante Chatty voulut que je monte voir si la chambre me convenait.

«Nous vous donnerons la chambre de la tour, ma chère. Elle n'est pas aussi grande que la chambre d'ami, mais comme elle contient un orifice pour un tuyau de poêle, on peut la chauffer en hiver et la vue est beaucoup plus jolie. On peut voir le vieux cimetière de la chambre.»

Je savais que j'aimerais la chambre... même son nom, «chambre de la tour», me donnait des frissons. J'avais l'impression de vivre dans la vieille mélodie que nous chantions à l'école d'Avonlea où il y avait une jeune fille logeant dans une haute tour près de la mer grise. La pièce se révéla absolument charmante. Nous y parvenions par un petit escalier dérobé montant à partir du palier. De dimensions plutôt réduites... mais jamais autant que l'affreuse chambre donnant dans le corridor où je logeais pendant ma première année à Redmond. Elle avait deux fenêtres, une lucarne donnant à l'ouest et un pignon donnant au nord, et dans le coin formé par la tour, une autre fenêtre à trois côtés dont les croisées ouvraient vers l'extérieur et des étagères dessous pour poser mes livres. Le sol était couvert de tapis nattés ronds, il y avait un grand lit à baldaquin recouvert d'un édredon à motif d'oies sauvages; il avait l'air si parfaitement moelleux et lisse que c'était une honte de le gâter en se couchant dedans. De plus, Gilbert, il est si haut que je dois y grimper à l'aide d'un petit escabeau qui est rangé dessous pendant la journée. Il paraît que le Capitaine MacComber avait acheté tout le machin dans quelque pays étranger et l'avait rapporté à la maison.

Il y avait une petite étagère de coin tout à fait mignonne avec des tablettes garnies de papier blanc festonné et des bouquets peints sur sa porte. Il y avait un coussin rond de couleur bleue sur le fauteuil près de la fenêtre... un coussin avec un bouton enfoncé au centre, lui donnant l'aspect d'un beignet bleu et grassouillet. Et il y avait une jolie armoire de toilette avec deux tablettes... celle du dessus juste assez grande pour la bassine et le pot d'un bleu œuf d'hirondelle et celle du dessous pour le savonnier et le pichet à eau chaude. Elle avait un petit tiroir à poignée de bronze rempli de serviettes et sur une étagère au-dessus, une dame de porcelaine blanche était assise, portant des souliers roses et une ceinture dorée et une rose de porcelaine rouge dans ses cheveux de porcelaine blond doré.

Toute la pièce baignait dans la lumière ambre tamisée par les rideaux maïs, et les murs blancs sur lesquels se dessinait l'ombre des trembles dehors étaient couverts du papier peint le plus exquis... les murs semblaient vivants, ne cessant de se transformer et de frissonner. D'une certaine façon, cette chambre paraissait si heureuse. J'avais l'impression d'être la fille la plus riche du monde.

«Si tu veux mon avis, tu seras en sécurité ici», déclara Mme Lynde au moment où nous sortions.

«J'imagine que je vais trouver certaines choses un peu contraignantes après la liberté que j'ai connue chez *Patty*», fis-je pour la taquiner.

«Liberté! Mme Lynde renifla. Liberté! Tu parles comme une Américaine, Anne.»

Je suis arrivée aujourd'hui, avec armes et bagages. Bien sûr, j'avais le cœur brisé de quitter Green Gables. Peu importe la fréquence et la longueur de mes absences, dès qu'arrive le moment des vacances, j'en fais de nouveau partie comme si je ne l'avais jamais quitté. Cela me déchirait le cœur de m'en aller. Mais je sais que je me plairai ici. Je le sais toujours si une maison m'aime ou non.

J'ai une vue charmante de ma fenêtre... même le vieux cimetière, cerné d'une rangée de sapins sombres et auquel on accède par une allée sinueuse, bordée d'un fossé. De ma fenêtre ouest, j'ai une vue d'ensemble du port jusqu'aux plages dans la brume, au loin, et les chers petits voiliers que j'aime tant et les navires en route vers des «ports inconnus»... quelle expression fascinante. Il y a là tellement de place à l'imaginaire! De la fenêtre nord, j'aperçois le petit bois de bouleaux et d'érables de l'autre côté de la route. Tu sais quelle vénération j'ai toujours ressentie envers les arbres. Lorsque nous étudiions Tennyson dans notre cours d'anglais à Redmond, je faisais toujours tristement cœur avec la pauvre Enone se lamentant sur la perte de ses pins.

Dépassé le bosquet et le cimetière, se trouve une adorable vallée traversée par le ruban rouge clair d'un chemin y serpentant et des maisons blanches éparpillées le long de celui-ci. Certaines vallées sont adorables... impossible de savoir pourquoi. Le seul fait de les regarder est un plaisir. Et au-delà se dresse ma colline bleue. Je l'ai nommée Roi Tempête, ma passion du moment, etc.

Je peux être si seule en cet endroit quand je le désire. Tu sais, c'est agréable d'être seul de temps en temps. Les vents seront mes amis. Ils gémiront et soupireront et chantonneront autour de ma tour... vents de l'hiver, si blancs... vents printaniers, si verts... vents bleus de l'été... vents automnaux, écarlates... et vents sauvages de toutes les saisons... «vent de tempête tenant parole». Ce verset de la Bible m'a toujours tellement émue... comme si chaque vent avait un message pour moi. J'ai toujours envié le garçon qui s'envolait avec le vent du nord dans ce charmant vieux conte de George MacDonald. Une nuit, Gilbert, j'ouvrirai la fenêtre de la tour et sauterai dans les bras du vent... et Rebecca Dew ne saura jamais pourquoi mon lit n'aura pas été défait cette nuit-là.

J'espère que lorsque nous trouverons la maison de nos rêves, mon chéri, elle sera entourée de vents. Je me demande où elle se trouve... cette maison inconnue. Est-ce que je l'aimerai mieux au clair de lune ou à l'aube? Cette maison de l'avenir où nous connaîtrons l'amour, l'amitié et le travail... et quelques aventures amusantes pour égayer nos vieux jours. Nos vieux jours! Est-ce possible que nous devenions vieux un jour, Gilbert? Cela semble impossible.

De la fenêtre à gauche de la tour, je peux voir les toits de la ville... ce lieu où je vivrai au moins une année. Des gens vivent dans ces maisons et ils deviendront mes amis, même si je ne les connais pas encore. Et peut-être mes ennemis. En effet, on retrouve partout l'essence des Pye, sous toutes sortes de noms, et, d'après ce que je comprends, elle n'est pas étrangère aux Pringle. L'école commence demain. Je devrai enseigner la géométrie! Ce ne peut être pire que de l'apprendre. Je prie le ciel qu'il n'y ait pas de génie en mathématiques parmi les Pringle.

Je ne suis ici que depuis une journée et j'ai déjà l'impression de connaître les veuves et Rebecca Dew depuis toujours. Elles m'ont déjà demandé de les appeler «tantes» et je leur ai demandé de m'appeler Anne. J'ai une fois appelé Rebecca Dew «Mlle Dew».

«Mlle Quoi?» s'étrangla-t-elle.

«Dew, répondis-je humblement. N'est-ce pas votre nom?»

«Eh bien! oui, ce l'est, mais il y a si longtemps qu'on ne m'a appelée Mlle Dew que cela m'a donné un choc. Vous feriez mieux de ne pas recommencer, Mlle Shirley, parce que je n'y suis pas habituée.»

«Je m'en souviendrai, Rebecca... Dew», lui dis-je en m'efforçant sans succès de laisser tomber le Dew.

Mme Braddock avait parfaitement raison de dire que Tante Chatty était très sensible. J'en ai eu la preuve au souper. Tante Kate avait mentionné quelque chose au sujet du soixante-sixième anniversaire de Tante Chatty. Levant les yeux vers elle, je vis qu'elle avait... non, elle n'avait pas éclaté en sanglots. Éclater serait un terme beaucoup trop violent pour décrire son attitude. Elle a simplement débordé. Les larmes ont monté dans ses grands yeux bruns et se sont mises à couler, sans effort et en silence.

«Que se passe-t-il à présent, Chatty?» demanda Tante Kate d'un ton plutôt dur.

«Ce... ce n'était que mon soixante-cinquième anniversaire», bredouilla Tante Chatty.

«Je te demande pardon, Charlotte», dit Tante Kate... et le soleil brilla de nouveau.

Le chat est un adorable gros matou aux yeux mordorés, à l'élégant pelage cendré, irréprochable. Tante Kate et Tante Chatty l'appellent Dusty Miller parce que c'est son nom, et Rebecca Dew l'appelle Ce Chat parce qu'elle lui en veut, surtout parce qu'elle doit lui servir un morceau de foie cru matin et soir, enlever, à l'aide d'une vieille brosse à dents, ses poils sur le fauteuil du salon chaque fois qu'il est entré dans la pièce et partir à sa recherche lorsqu'il n'est pas encore rentré à la fin de la soirée.

«Rebecca Dew a toujours détesté les chats, m'a confié Tante Chatty, et elle déteste particulièrement Dusty. Le chien de la vieille M^me^ Campbell... elle avait alors un chien... l'a apporté ici dans sa gueule il y a deux ans. Je suppose qu'il a considéré inutile de l'apporter à Mme Campbell. C'était un pauvre misérable chaton, tout froid et mouillé, avec de pauvres petits os pratiquement sortis de la peau. Même un cœur de pierre n'aurait pu lui refuser un abri. Kate et moi l'avons donc adopté, mais Rebecca Dew ne nous l'a jamais réellement pardonné. Nous n'avons pas usé de diplomatie ce jour-là. Nous aurions dû refuser de le prendre. Je ne sais pas si vous avez remarqué...» Tante Chatty jeta un coup d'œil prudent vers la porte séparant la salle à manger de la cuisine... «comment nous nous y prenons avec Rebecca Dew.»

Je l'avais remarqué... et cela valait la peine d'être remarqué. Tout Summerside et Rebecca Dew peuvent penser qu'elle les mène par le bout du nez, mais les veuves savent bien que ce n'est pas le cas.

«Nous ne voulions pas prendre le banquier... un jeune homme aurait été si dérangeant et nous aurions été si troublées s'il n'avait pas fréquenté l'église régulièrement. Mais nous avons fait semblant d'avoir fixé notre choix sur lui et Rebecca n'a tout simplement plus voulu en entendre parler. Je suis si contente que ce soit vous, ma chère. Je suis certaine que ce sera très plaisant de faire la cuisine pour vous. J'espère que vous nous aimerez toutes. Rebecca a quelques belles qualités. Elle n'était pas aussi méticuleuse qu'aujourd'hui lorsqu'elle est arrivée ici il y a quinze ans. Une fois, Kate a dû écrire son nom... "Rebecca Dew"... au milieu du miroir du salon pour montrer la poussière. Mais elle n'a jamais eu à le refaire. Rebecca Dew sait comprendre à demi-mot. J'espère que vous trouverez votre chambre confortable, ma chère. Vous pouvez garder votre fenêtre ouverte la nuit. Kate n'approuve pas cette habitude, mais elle sait que les pensionnaires doivent jouir de certains privilèges. Comme nous dormons ensemble elle et moi, nous nous sommes entendues pour que la fenêtre reste fermée une nuit et soit ouverte le lendemain pour moi. Il est toujours possible de régler ce genre de petits problèmes, qu'en pensez-vous? Quand on veut, on peut. Ne vous inquiétez pas si vous entendez Rebecca Dew rôder pendant la nuit. Elle entend toujours des bruits et se lève pour chercher d'où ils proviennent. Je crois que c'est pour cette raison qu'elle ne voulait pas du banquier. Elle avait peur de tomber sur lui en chemise de nuit. J'espère que le fait que Kate ne parle pas beaucoup ne vous dérangera pas. Elle est comme ça. Et elle doit avoir tant de choses à raconter... elle a parcouru le monde avec Amasa MacComber durant ses jeunes années. Si seulement j'avais ses sujets de conversation, mais je n'ai jamais quitté l'Île-du-Prince-Édouard. Je me suis souvent demandé pourquoi les choses étaient ainsi faites... moi qui adore parler et qui n'ai rien à dire, alors que Kate a tout à raconter et déteste ouvrir la bouche. Mais j'imagine que la Providence a ses raisons.»

Bien que Tante Chatty ait la langue bien pendue, elle n'a

pas débité tout cela d'un seul trait. J'ai émis quelques remarques à intervalles convenables, mais elles étaient sans importance.

Elles possèdent une vache qui broute chez M. James Hamilton en haut du chemin et Rebecca se rend là pour la traire. Nous avons toute la crème qu'il nous faut et je sais que, matin et soir, Rebecca Dew passe un verre de lait frais à travers l'ouverture pratiquée dans le mur de la barrière à la «Femme» de Mme Campbell. Ce lait est destiné à la «Petite Elizabeth» qui doit en boire sur ordre du médecin. Il me reste encore à découvrir qui sont cette Femme et cette petite Elizabeth. Quant à Mme Campbell, elle vit dans la forteresse à côté, dont elle est la propriétaire et qui porte le nom d'Evergreens.

Je ne m'attends pas à dormir cette nuit... je ne peux jamais dormir la première nuit que je passe dans un lit étranger et celui-ci est le lit le plus étranger que j'aie jamais vu. Mais cela m'est égal. J'ai toujours aimé la nuit et cela me plaît de rester étendue, éveillée, en songeant aux choses de la vie, du passé, du présent et à venir. Surtout à venir.

Voilà une épître impitoyable, Gilbert. Je ne t'en infligerai plus jamais d'aussi longue. Mais je tenais à tout te raconter afin que tu puisses m'imaginer dans mon nouvel environnement. Elle est maintenant arrivée à son terme car au loin, dans le port, la lune «baigne dans le pays de l'ombre». Je dois encore écrire à Marilla. Ma lettre arrivera à Green Gables après-demain et Davy l'apportera à la maison du bureau de poste, et lui et Dora se presseront autour de Marilla pendant qu'elle l'ouvrira et Mme Lynde aura les deux oreilles ouvertes. Oh...h...h! Ceci me rend nostalgique. Bonne nuit, bien-aimé, de celle qui est maintenant et sera toujours

Tendrement à toi,<br>
Anne Shirley

# 2

(*Extraits de différentes lettres de la même au même.*)

Le 26 septembre

Sais-tu où je me réfugie pour lire tes lettres? Dans le petit bois, de l'autre côté de la route. Il y a là un petit vallon où les fougères se laissent tacheter par le soleil. Un ruisseau y serpente; je m'assieds sur une souche tordue et moussue, devant la plus merveilleuse rangée de jeunes sœurs bouleaux. Après cela, lorsque je fais un certain genre de rêve... un rêve vert et doré, veiné de rouge... le rêve des rêves... je fais plaisir à mon imagination en me convainquant qu'il est venu de mon secret vallon de bouleaux, issu de quelque union mystique entre la plus élancée, la plus aérienne des sœurs et le ruisseau fredonnant. J'adore m'asseoir ici et écouter le silence du bosquet. As-tu déjà remarqué combien de silences différents il y a, Gilbert? Le silence de la forêt... de la plage... des prairies... de la nuit... de l'après-midi, en été. Tous différents parce que toutes les nuances qui les composent sont différentes. Je suis sûre que, même si j'étais totalement aveugle et insensible à la chaleur et au froid, je pourrais deviner facilement où nous sommes à la seule qualité du silence m'entourant.

L'école est commencée depuis deux semaines déjà et j'ai plutôt bien organisé les choses. Mais M$^{me}$ Braddock avait raison... les Pringle me causent des problèmes. Et je ne vois pas encore exactement comment je vais les résoudre malgré mes trèfles porte-bonheur. Comme le dit Mme Braddock, ils sont aussi doux que la crème... et aussi glissants.

Les Pringle forment une sorte de clan; ils se surveillent les uns les autres et se chamaillent passablement entre eux mais se serrent les coudes devant tout étranger. Je dois en arriver à la conclusion qu'il n'existe que deux types de personnes à Summerside... les Pringle et les autres.

Ma classe est pleine de Pringle et dans les veines d'un grand nombre d'autres élèves portant un autre nom coule du sang Pringle. Le chef de file semble être Jen Pringle, une jeune fille aux yeux verts qui ressemble à ce que *Becky Sharp*[1] devait avoir l'air à quatorze ans. Je crois qu'elle est délibérément en train d'organiser une subtile campagne d'insubordination et d'irrespect avec laquelle il me sera difficile de composer. Elle a le don de faire des grimaces irrésistiblement comiques et, lorsque j'entends une cascade de rires étouffés dans mon dos, je sais parfaitement bien ce qui en est la cause, même si je n'ai jamais réussi à la prendre sur le fait. Elle est douée aussi... la petite peste!... elle peut écrire des compositions cousines au quatrième degré de la littérature et se révèle plutôt brillante en mathématiques... pauvre de moi! Il y a un certain éclat dans tout ce qu'elle dit ou fait et elle a un sens des situations cocasses qui pourrait nous rapprocher si elle n'avait pas commencé par me haïr. Dans la situation actuelle, cela prendra, j'en ai bien peur, du temps avant que Jen et moi ne puissions rire *ensemble* de quelque chose.

Myra Pringle, la cousine de Jen, est la beauté de l'école... et apparemment stupide. Elle commet des bourdes amusantes... comme lorsqu'elle a déclaré aujourd'hui, pendant le cours d'histoire, que les Indiens croyaient que Champlain et ses hommes étaient des dieux ou «quelque chose d'inhumain».

Au point de vue social, les Pringle sont ce que Rebecca Dew nomme l'«élite» de Summerside. J'ai déjà été invitée à

---

1. Héroïne de *Vanity Fair* de Thackeray.

souper dans deux foyers Pringle... parce qu'il est convenable d'inviter la nouvelle institutrice à souper et que les Pringle ne sont pas gens à faire fi des convenances. Hier soir, j'étais chez les James Pringle... le père de la Jen susmentionnée. Bien qu'il ait l'air d'un professeur d'université, il est en réalité sot et ignorant. Il a beaucoup parlé de «discipline», en frappant la nappe avec un doigt dont l'ongle n'était pas tout à fait impeccable et en faisant à l'occasion de terribles fautes de grammaire. L'école secondaire de Summerside a toujours eu besoin d'une main ferme... un professeur expérimenté, mâle de préférence. Il craignait que je ne sois un petit peu trop jeune... «une erreur que le temps corrige toujours trop vite», ajouta-t-il d'un air sombre. Je n'ai rien dit parce que si j'avais dit quelque chose, ç'aurait peut-être été quelque chose de trop. Je me suis donc montrée aussi douce et crémeuse que n'importe lequel de ces Pringle aurait pu l'être, et me suis soulagée en le regardant limpidement tout en me disant: «Toi, espèce de vieil acariâtre bourré de préjugés!»

Jen tient sans doute son intelligence de sa mère... qui m'a beaucoup plu. En présence de ses parents, Jen était un modèle de bonne tenue. Mais bien que ses paroles aient été polies, son ton était arrogant. Chaque fois qu'elle prononçait «Mlle Shirley», elle s'y prenait de telle façon que cela ressemblait à une insulte. Et chaque fois qu'elle regardait mes cheveux, j'avais l'impression qu'ils étaient rouge carotte. Jamais aucun Pringle, j'en suis convaincue, n'admettrait qu'ils sont auburn.

J'ai de loin préféré les Morton Pringle... bien que Morton Pringle n'écoute jamais vraiment un mot de ce que tu lui dis. Il t'adresse la parole et, pendant que tu lui réponds, il est occupé à réfléchir à sa remarque suivante.

Mme Stephen Pringle... la Veuve Pringle... Summerside regorge de veuves... m'a écrit une lettre hier... une belle lettre polie et empoisonnée. Millie a trop de travail... Millie est une enfant délicate qui ne doit pas être surchargée. M. Bell ne lui donnait jamais de devoirs. C'est une enfant sensible qui doit être *comprise*. M. Bell la comprenait si bien!

M^me^ Stephen est sûre que j'y arriverai moi aussi, si j'essaie.

M^me^ Stephen, je n'en doute pas, pense que c'est moi qui ai fait saigner le nez d'Adam Pringle et qui l'ai renvoyé à la maison aujourd'hui. Et je me suis réveillée la nuit dernière sans pouvoir me rendormir parce que je me suis rappelé n'avoir pas mis de point sur un *i* dans une question que j'avais écrite au tableau. J'ai la certitude que Jen Pringle s'en est aperçue et que tout le clan en fera des gorges chaudes.

Rebecca Dew affirme que tous les Pringle, à l'exception des vieilles dames de Maplehurst, m'inviteront à souper, après quoi ils m'ignoreront pour toujours. Comme ils constituent l'«élite», il se peut que je devienne *persona non grata* à Summerside. Eh bien! on verra. La bataille est engagée mais elle n'est encore ni perdue ni gagnée. Tout cela me chagrine pourtant. On ne peut raisonner avec les préjugés. Je suis toujours telle que j'étais dans mon enfance... je ne peux supporter que des gens ne m'aiment pas. Il n'est pas agréable de penser que les familles de la moitié de mes élèves me haïssent. Et sans que cela soit de ma faute. C'est l'*injustice* qui m'horripile. Encore des mots en italique. Mais les mots en italique apportent un véritable soulagement.

À part les Pringle, j'aime beaucoup mes élèves. Certains, intelligents, ambitieux, travailleurs, sont réellement intéressés à leurs études. Lewis Allen paie sa pension en faisant le ménage là où il loge et il n'en éprouve aucune honte. Et Sophy Sinclair chevauche à cru la vieille jument grise de son père, six milles à l'aller et six milles au retour tous les jours. Quel courage! Si je peux aider une fille comme elle, pourquoi m'en ferais-je avec les Pringle?

Le problème, c'est que... si je n'arrive pas à gagner l'estime des Pringle, je n'aurai pas grand-chance d'aider qui que ce soit.

Mais j'adore le Domaine des Peupliers. Ce n'est pas une pension... c'est un foyer! Et tout le monde m'aime là-bas... même Dusty Miller, bien qu'il me désapprouve parfois et me le fasse sentir lorsqu'il s'assoit en me tournant délibérément le dos, risquant de temps en temps un œil d'or par-dessus son épaule pour voir comment je prends la chose. Je ne le caresse pas beaucoup lorsque Rebecca Dew se trouve dans les parages parce que cela l'irrite vraiment. Si, pendant la journée, c'est un animal pantouflard, douillet et méditatif, il devient la nuit une bête résolument sauvage. Selon Rebecca, c'est parce qu'il n'est jamais autorisé à rester dehors le soir tombé. Elle a horreur d'aller l'appeler dans la cour. Elle dit que tous les voisins doivent se moquer d'elle. Elle l'appelle d'une voix de stentor si féroce qu'on peut vraiment l'entendre à travers toute la ville dans la nuit calme hurler «Minou... *minou...* MINOU!» Les veuves en feraient une crise si Dusty Miller n'était pas rentré lorsqu'elles vont se coucher. «Personne ne se doute de ce à travers quoi je suis passée à cause de Ce Chat... *personne* », m'a assuré Rebecca.

Les veuves résisteront bien à l'usage. Je les aime chaque jour davantage. Tante Kate ne pense rien de bon du fait de lire des romans, mais elle m'a informée qu'elle n'a pas l'intention de censurer mes lectures. Tante Chatty, au contraire, adore les romans. Elle a une cachette où elle les garde... elle les apporte clandestinement de la bibliothèque municipale... avec un paquet de cartes pour ses jeux de patience et tous les objets qu'elle veut tenir hors de la vue de Tante Kate. Cette cachette se trouve dans un fauteuil et personne d'autre qu'elle ne se doute que ce siège a une autre utilité. Elle a partagé son secret avec moi parce que, je le soupçonne fortement, elle souhaite que je l'aide et la soutienne dans la contrebande susmentionnée. On ne devrait pas avoir vraiment besoin de cachettes au Domaine des Peupliers, car je n'ai jamais vu une maison possédant autant d'étagères mystérieuses. Bien qu'évidemment Rebecca Dew ne leur laisse pas leur mystère. Elle ne cesse de les nettoyer avec acharnement. «Une maison ne peut se garder propre toute seule», rétorque-t-elle mélancoliquement lorsqu'une des veuves émet une protestation. Je suis sûre qu'un roman ou un paquet de cartes ne feraient pas long feu si elle tombait dessus. Les deux choses font horreur à son âme orthodoxe. Rebecca Dew dit que les cartes sont le livre de Satan et que les romans sont pires encore. Les chroniques mondaines du *Guardian* de Montréal constituent, en dehors de la Bible, les seules lectures de Rebecca. Elle adore méditer sur les résidences, les meubles et les faits et gestes des millionnaires.

«Imaginez seulement que vous trempez dans une baignoire en or, Mlle Shirley», me dit-elle tristement.

Mais elle est vraiment un chou. Ayant déniché je ne sais où un confortable vieux fauteuil à oreillettes de brocart fané qui convient parfaitement à ma fantaisie, elle a déclaré : «C'est *votre* fauteuil.» Et elle ne laissera pas Dusty Miller y dormir, car j'aurais des poils sur la jupe que je porte pour l'école, ce qui donnerait aux Pringle l'occasion de commérer à mon sujet.

Toutes trois sont fortement intéressées par mon anneau de perles... et ce qu'il signifie. Tante Kate m'a montré sa bague de fiançailles sertie de turquoises (elle ne peut plus la porter car elle est devenue trop petite). Mais Tante Chatty m'a avoué, les larmes aux yeux, qu'elle n'avait jamais eu de bague de fiançailles... son mari ayant décrété qu'il s'agissait là d'une «dépense inutile». Elle se trouvait alors dans ma chambre en train de se donner un bain facial au lait de beurre. Elle le fait chaque soir pour protéger son teint et m'a fait jurer de ne pas trahir son secret, car elle ne veut pas que Tante Kate l'apprenne.

«Elle trouverait que c'est une marque ridicule de vanité pour une femme de mon âge. Et je suis convaincue que Rebecca Dew pense qu'aucune chrétienne digne de ce nom ne devrait s'efforcer d'être belle. J'avais coutume de me glisser dans la cuisine pour le faire lorsque Kate était endormie, mais j'avais toujours peur que Rebecca Dew descende. Elle a une ouïe de chat même quand elle dort. Si je pouvais seulement me faufiler ici chaque soir... oh! merci, ma chère.»

J'ai découvert quelques petits renseignements concernant nos voisines d'Evergreens. Mme Campbell (née Pringle!) est âgée de quatre-vingts ans. Je ne l'ai jamais vue, mais d'après ce que j'ai entendu dire, c'est une vieille dame peu commode. Elle a une bonne, Martha Monkland, à peu près aussi vieille et revêche qu'elle-même, et habituellement désignée sous le nom de la «Femme de Mme Campbell». Et son arrière-petite-fille, Elizabeth Grayson, vit avec elle. Elizabeth... que je ne suis jamais arrivée à apercevoir bien que je séjourne ici depuis deux semaines... a huit ans et se rend à l'école publique par la route en arrière... empruntant un raccourci par les cours... et c'est pourquoi je ne l'ai jamais croisée ni à l'aller ni au retour. Sa mère, qui est décédée, était la petite-fille de Mme Campbell qui l'a également élevée... car elle avait perdu ses propres parents elle aussi. Elle a épousé un certain Pierce Grayson, un «Yankee» comme dirait Mme Lynde. Elle est morte en donnant le jour à Elizabeth et, Pierce Grayson ayant dû quitter l'Amérique aussitôt pour prendre charge d'une succursale de sa compagnie à Paris, le bébé a été confié à la vieille Mme Campbell. On raconte qu'il «ne pouvait supporter la vue de l'enfant» qui avait coûté la vie à sa mère et qu'il n'en a jamais pris aucune nouvelle. Ce n'est évidemment peut-être qu'un pur ragot, car ni Mme Campbell ni la Femme n'ont jamais desserré les lèvres à ce sujet.

Selon Rebecca Dew, elles sont beaucoup trop sévères avec la petite Elizabeth, qui n'est pas très heureuse avec elles.

«Elle ne ressemble pas aux autres enfants... elle est beaucoup trop mûre pour ses huit ans. Si vous entendiez ses propos parfois! "Rebecca", qu'elle me dit un jour, "supposez que juste au moment d'aller au lit vous sentiez qu'on *agrippe* votre cheville?" Aucun doute qu'elle a peur d'aller se coucher dans le noir. Et elles l'obligent à le faire. Elles la surveillent comme deux chats guettant une souris et lui dictent ses moindres faits et gestes. Si par malheur elle fait l'ombre d'un bruit, elles trépassent pratiquement. C'est "chut, chut" tout le temps. Je vous assure qu'on fait taire cette enfant à mort. Et qu'est-ce qu'on peut y faire?»

En effet, y peut-on quelque chose?

J'ai l'impression que j'aimerais la connaître. Son cas me paraît un peu pathétique. Selon Tante Kate, on prend bien soin d'elle du point de vue physique... ce que Tante Kate a vraiment dit c'est: «Elles la nourrissent et l'habillent convenablement»... mais un enfant a besoin de plus que cela. Je n'oublierai jamais ce qu'était ma propre existence avant mon arrivée à Green Gables.

Je retourne à la maison vendredi soir prochain pour passer deux belles journées à Avonlea. La seule ombre au tableau, c'est que tous les gens que je rencontrerai me demanderont comment j'aime enseigner à Summerside.

Mais songe à Green Gables maintenant, Gilbert... le Lac aux Miroirs nimbé d'une brume bleue... les érables de l'autre côté du ruisseau commençant à rougir... les fougères brun doré dans la Forêt Hantée... et les ombres au soleil couchant dans le Chemin des Amoureux, ce coin adorable. Mon cœur me dit que j'aimerais m'y trouver maintenant avec... avec... devine avec qui?

Sais-tu, Gilbert, qu'il m'arrive de soupçonner fortement que je t'aime!

Le Domaine des Peupliers<br>Chemin du Revenant<br>S'side<br>Le 10 octobre

HONORÉ ET RESPECTÉ MONSIEUR,

C'est par ces mots que débutait une lettre d'amour de la grand-mère de Tante Chatty. N'est-ce pas délicieux? Quel sentiment de supériorité cela devait donner au grand-père! Préférerais-tu cela à «Gilbert, mon chéri, etc.»? Mais tout compte fait, je crois que je suis contente que tu ne sois pas le grand-père... ou *un* grand-père. N'est-ce pas formidable de penser que nous sommes jeunes et avons toute la vie devant nous... à vivre *ensemble*...

(*Plusieurs pages omises, la plume d'Anne n'ayant été, c'est clair, ni trop aiguisée, ni trop épaisse, ni rouillée.*)

Je suis assise dans le fauteuil près de la fenêtre de la tour à regarder les arbres onduler contre un ciel couleur d'ambre, et le port au loin. Hier soir, j'ai fait une si jolie promenade seule avec moi-même. Il fallait vraiment que j'aille quelque part parce que l'atmosphère était un tantinet lugubre aux Peupliers. Tante Chatty pleurait dans le boudoir parce que sa sensibilité avait été blessée, Tante Kate pleurait dans sa chambre parce que c'était l'anniversaire du décès du Capitaine Amasa, et Rebecca Dew pleurait dans la cuisine pour une raison que je ne suis pas parvenue à découvrir. C'était la première fois que je voyais pleurer Rebecca Dew. Mais quand, usant de tact, j'ai essayé de savoir ce qui n'allait pas, elle m'a demandé avec mauvaise humeur si quelqu'un pouvait pleurer en paix lorsqu'il en avait envie. J'ai donc plié bagages et me suis éclipsée, la laissant jouir de ses larmes en paix.

Je suis sortie et j'ai emprunté la route du port. L'air sentait bon le givre et octobre, mêlés à la délicieuse odeur des champs fraîchement fauchés. J'ai marché et marché jusqu'à ce que le crépuscule se transforme en une nuit d'automne éclairée par la lune. J'étais seule mais non esseulée. Je tenais une série de conversations imaginaires avec des compagnons imaginaires et je pensais à tant d'épigrammes que j'en étais moi-même agréablement étonnée. Je ne pouvais m'empêcher de m'amuser en dépit des soucis que me causent les Pringle.

Cet état d'esprit m'amène à maugréer un peu contre les Pringle. J'ai horreur de l'admettre, mais les choses ne vont pas très bien à l'école secondaire de Summerside. Il ne fait aucun doute qu'une cabale a été montée contre moi.

Tout d'abord, aucun des Pringle ou des demi-Pringle ne fait jamais ses devoirs. Et il ne sert à rien de solliciter la coopération des parents. Ils se montrent suaves, polis et évasifs. Je sais que tous les élèves qui ne sont pas des Pringle m'aiment bien, mais le virus de désobéissance Pringle est en train de miner le moral de toute la classe. Un matin, j'ai trouvé mon pupitre renversé. Bien entendu, personne ne savait qui avait fait cela. Et personne ne pouvait ou ne voulait dire qui, une autre fois, y avait déposé une boîte d'où jaillit un serpent artificiel lorsque je l'ouvris. Mais tous les

Pringle de l'école pouffèrent de rire en voyant ma mine. J'imagine que j'avais l'air passablement effarouchée.

Jen Pringle arrive en retard une fois sur deux, toujours avec une excuse parfaitement inattaquable qu'elle me débite poliment avec un rictus insolent au coin de la bouche. Elle passe des billets en classe sous mon nez. J'ai trouvé un oignon épluché dans ma poche en endossant mon manteau aujourd'hui. J'aimerais enfermer cette fille et la laisser au pain sec et à l'eau jusqu'à ce qu'elle apprenne à se conduire.

La pire chose jusqu'à présent a été ma propre caricature que j'ai trouvée au tableau un matin... dessinée à la craie blanche avec des cheveux *écarlates*. Tout le monde a nié en être l'auteur, Jen comme les autres, mais je savais qu'elle était la seule élève de la classe à pouvoir dessiner comme ça. Mon nez... lequel, comme tu le sais, a toujours été mon unique sujet de fierté et de joie... était bossu et ma bouche était celle d'une vieille fille amère ayant enseigné à des Pringle trente années durant. Mais c'était bien *moi*... Je me suis réveillée à trois heures du matin cette nuit-là et j'ai frémi à ce souvenir. N'est-ce pas étrange que les choses qui me font frémir la nuit sont rarement des choses méchantes, mais seulement des choses humiliantes?

On colporte toutes sortes de ragots. On m'accuse de mal noter les examens de Hattie Pringle juste parce que c'est une Pringle. On prétend que je «ris lorsque les élèves commettent des fautes». (C'est vrai que j'ai ri quand Fred Pringle a défini un centurion comme «un homme ayant vécu cent ans». Je n'ai pas pu m'en empêcher.)

James Pringle affirme qu'«il n'y a pas de discipline dans l'école... pas la moindre discipline». Et on fait circuler un rapport disant que je suis une «enfant trouvée».

Je commence à être confrontée à l'antagonisme des Pringle dans d'autres domaines. Socialement aussi bien qu'éducationnellement, Summerside semble sous la gouverne des Pringle. Pas étonnant qu'on les appelle la «Famille Royale». Je n'ai pas été invitée à l'excursion d'Alice Pringle vendredi dernier. Et lorsque M^me^ Frank Pringle a organisé un thé pour venir en aide à un projet paroissial (Rebecca Dew m'a informée que les dames allaient «bâtir» le nouveau clocher!), j'étais la seule fille de toute l'église presbytérienne à qui l'on n'a pas demandé de s'occuper d'une table. J'ai entendu dire que la femme du pasteur, nouvellement arrivé à Summerside, ayant suggéré qu'on me demande de chanter dans la chorale, a été informée que tous les Pringle s'en iraient si elle s'avisait de le faire. Cela laisserait un tel vide que la chorale ne pourrait simplement plus continuer.

Bien sûr, je ne suis pas la seule à avoir des problèmes avec les élèves. Lorsque les autres professeurs m'envoient les leurs pour que je les «discipline»... comme j'exècre ce mot!... la moitié d'entre eux sont des Pringle. Mais d'*eux*, on ne se plaint jamais.

Avant-hier soir, j'ai gardé Jen après la classe pour lui faire faire quelques devoirs qu'elle avait volontairement omis. Dix minutes plus tard, le carosse de Maplehurst s'arrêtait devant l'école et Mlle Ellen était à la porte... une vieille dame magnifiquement vêtue, au gentil sourire et au nez aquilin, portant d'élégantes mitaines de dentelle noire, et qui avait l'air de sortir tout juste d'un carton à chapeau des années 1840. Elle était vraiment désolée, mais Jen pouvait-elle venir? Elle se rendait chez des amis à Lowvale et avait promis de la prendre en passant. Jen fit une sortie triomphale et je pris une nouvelle fois conscience des forces déployées contre moi.

Je suis d'humeur pessimiste. Je crois que les Pringle sont un mélange de Sloane et de Pye. Mais je sais que c'est faux. J'ai l'impression que je pourrais les aimer s'ils n'étaient pas mes ennemis. Ils forment, pour la plupart, un groupe franc, joyeux et loyal. Je pourrais même aimer Mlle Ellen. Je n'ai jamais rencontré Mlle Sarah. Mlle Sarah n'est pas sortie de Maplehurst depuis dix ans.

«Trop délicate... du moins c'est ce qu'elle croit, dit Rebecca en reniflant. Mais pour ce qui est de la fierté, elle n'a aucun problème. Tous les Pringle sont orgueilleux, mais ces deux filles dépassent tout. Vous devriez les entendre parler de leurs ancêtres. Ma foi, leur vieux père, le Capitaine Abraham Pringle, *était* un chic type. Son frère Myrom ne l'était pas autant, mais les Pringle n'en parlent pas beaucoup. J'ai désespérément peur que ces gens ne vous mènent la vie dure. Quand ils se sont fait une idée sur quelque chose ou quelqu'un, on ne les a jamais vus en changer. Mais ne perdez pas courage, Mlle Shirley... ne perdez pas courage.»

«J'aimerais tant que Mlle Ellen me donne sa recette de quatre-quarts, soupira Tante Chatty. Elle me l'a promise à maintes reprises, mais je ne l'ai jamais eue. C'est une vieille recette de famille anglaise. Ils sont *si* exclusifs en ce qui concerne leurs recettes.»

Dans mes rêves les plus aberrants, je me vois contraignant Mlle Ellen à s'agenouiller devant Tante Chatty pour lui remettre sa recette, et obligeant Jen à faire attention à ce qu'elle fait. Ce qui me rend folle, c'est que je pourrais facilement arriver à mes fins avec Jen si le clan au complet ne la supportait pas dans sa malignité.

(*Deux pages omises* .)

Votre servante obéissante,
Anne Shirley

P.S. C'est ainsi que la grand-mère de Tante Chatty signait ses lettres d'amour.

Le 15 octobre

Nous avons appris aujourd'hui qu'il y a eu un cambriolage à l'autre extrémité de la ville la nuit dernière. On s'est introduit dans une maison et on y a volé de l'argent et une douzaine de cuillers en argent. Rebecca s'est donc rendue chez M. Hamilton pour voir si elle pouvait emprunter un chien. Elle va l'attacher à la véranda en arrière et elle m'a conseillée de mettre ma bague de fiançailles sous clef!

À propos, j'ai découvert pourquoi Rebecca Dew avait

pleuré. Il paraît qu'il s'est produit une convulsion d'ordre domestique. Dusty Miller s'était de nouveau «échappé» et Rebecca Dew a dit à Tante Kate qu'elle devait réellement faire quelque chose au sujet de Ce Chat. Il la faisait tourner en bourrique. C'était la troisième fois que cela se produisait en un an et elle savait qu'il le faisait exprès. Et Tante Kate a dit que si Rebecca Dew faisait toujours sortir le chat lorsqu'il miaulait, il n'y aurait aucun danger qu'il «s'échappe».

«Eh bien! ça *c'est* le bouquet!» s'est écriée Rebecca Dew.

D'où larmes!

La situation avec les Pringle s'envenime de jour en jour. Quelque chose de très impertinent a été écrit en travers d'un de mes livres hier et Homer Pringle a fait des pirouettes tout le long de l'allée en s'en allant de l'école. De plus, j'ai récemment reçu une lettre anonyme pleine d'insinuations méchantes. D'une certaine façon, je n'accuse Jen ni pour le livre, ni pour la lettre. Peste comme elle l'est, il y a quand même des choses auxquelles elle ne s'abaisserait pas. Rebecca Dew est furieuse et je frémis à la pensée de ce qu'elle ferait endurer aux Pringle si elle les avait en son pouvoir. Même les phantasmes de Néron ne peuvent s'y comparer. Je ne peux vraiment la blâmer, car parfois je sens que moi-même je n'hésiterais pas à tendre à un de ces Pringle quelque philtre concocté par les Borgia.

Je ne crois pas t'avoir beaucoup parlé des autres professeurs. Il y en a deux, tu sais... la vice-directrice, Katherine Brooke de la classe des plus jeunes, et George MacKay de la classe préparatoire. Je n'ai pas grand-chose à dire de George. C'est un jeune homme timide et gentil avec un léger et délicieux accent écossais évoquant des abris de bergers et des îles dans la brume... son grand-père était de l'île de Skye... et il s'en tire très bien avec sa classe. D'après ce que je connais de lui, il me plaît bien. J'aurai cependant, je le crains, de la difficulté à aimer Katherine Brooke.

Katherine est une fille d'à peu près, à mon avis, vingt-huit ans, bien qu'elle en paraisse trente-cinq. On m'a raconté qu'elle nourrissait l'espoir d'être promue au poste de directrice et je suppose qu'elle m'en veut de l'avoir obtenu, surtout quand on considère que je suis considérablement moins expérimentée qu'elle. Elle est une bonne institutrice... un peu portée sur le fouet... mais elle n'est populaire auprès de personne. Et elle s'en fout éperdument! Elle semble n'avoir ni amis ni connaissances et loge dans une pension sinistre située dans une petite rue décrépite, la rue Temple. Elle s'habille «comme la chienne à Jacques», ne fait jamais de sortie mondaine et on la dit «près de ses sous». Elle est très sarcastique et ses élèves craignent par-dessus tout ses remarques mordantes. On m'a confié que sa façon de lever ses épais sourcils noirs et de s'adresser à eux de sa voix traînante les anéantit littéralement. Il faudrait que j'essaie cette tactique avec les Pringle. Mais je n'aimerais vraiment pas gouverner par la peur comme elle le fait. Je veux que mes élèves m'aiment.

Bien qu'elle n'ait apparemment jamais aucun problème à les faire plier, elle est continuellement en train de m'en envoyer... et spécialement des Pringle. Je sais qu'elle le fait exprès et je me sens misérablement certaine qu'elle exulte en voyant les difficultés que j'éprouve et se réjouirait de les voir empirer.

Rebecca Dew dit que personne ne peut se lier d'amitié avec elle. Les veuves l'ont invitée à plusieurs reprises à leur souper du dimanche... les chers cœurs y invitent toujours les personnes seules et leur préparent toujours la plus délicieuse salade de poulet... mais elle n'est jamais venue. Elles ont fini par renoncer car, comme le dit Tante Kate, «il y a des limites».

Selon la rumeur, elle est très brillante et peut chanter et réciter... «déclamer» dirait Rebecca Dew... mais refuse de le faire. Tante Chatty lui a un jour demandé de réciter à un souper d'église.

«À notre avis, elle a refusé de façon très impolie», a commenté Tante Kate.

«A seulement grogné», a précisé Rebecca Dew.

Katherine a une voix de gorge profonde... pratiquement

une voix d'homme... qui ressemble vraiment à un grognement lorsqu'elle est de mauvaise humeur.

Elle n'est pas jolie mais elle pourrait tirer davantage profit de ses atouts. Elle est brune et basanée, avec une magnifique chevelure noire toujours tirée derrière son front haut et nouée sur la nuque en un chignon inélégant. Ses yeux ne vont pas avec ses cheveux, car ils sont de couleur ambre clair sous des sourcils noirs. Elle n'a pas à rougir de ses oreilles et a les plus belles mains que j'aie jamais vues. Elle a, en outre, une bouche bien dessinée. Mais elle porte des vêtements affreux. Elle semble avoir vraiment le génie de choisir les couleurs et les coupes qui ne lui conviennent pas. D'ennuyeux vert foncé et des gris ternes, alors qu'elle a le teint beaucoup trop jaune pour le vert et le gris, des rayures verticales qui font paraître sa haute et maigre silhouette plus haute et maigre encore. Et elle a toujours l'air d'avoir dormi dans ses vêtements.

Son aspect est très repoussant... comme dirait Rebecca Dew, elle a toujours une graine sur son épaule. Chaque fois que je la croise dans l'escalier, j'ai l'impression qu'elle est en train de ruminer des choses horribles à mon sujet. Chaque fois que je lui adresse la parole, elle me fait sentir que je n'ai pas dit ce qu'il fallait. Malgré tout, je la plains... tout en sachant qu'elle serait furieuse si elle savait que j'ai pitié d'elle. Et je ne peux rien faire pour l'aider, car elle refuse qu'on lui vienne en aide. Elle se montre vraiment très hargneuse avec moi. Un jour, comme je me trouvais avec les deux autres professeurs dans la salle des profs, j'ai fait quelque chose qui, semble-t-il, transgressait une des règles tacites de l'école, et Katherine m'a assené d'un ton tranchant: «Vous croyez peut-être que vous êtes au-dessus des lois, M^lle^ Shirley.» Une autre fois, comme je suggérais certains changements qui, selon moi, seraient bénéfiques à l'école, elle a déclaré avec un sourire méprisant: «Les contes de fées ne m'intéressent pas.» Une fois, alors que je la félicitais sur son travail et ses méthodes, elle a demandé: «Et qu'est-ce que sera la pilule que je devrai avaler avec toute cette confiture?»

Mais la chose qui m'a le plus ennuyée... eh bien! un jour, prenant par hasard un de ses livres dans la salle des professeurs, j'ai jeté un coup d'œil sur la page de garde et j'ai dit:

«Je suis heureuse que vous écriviez votre nom avec un K. Katherine est beaucoup plus séduisant que Catherine, tout comme le K est une lettre beaucoup plus exotique que le prétentieux C.»

Elle n'a rien répondu, mais la note suivante qu'elle m'a fait parvenir était signée «Catherine Brooke»!

J'ai reniflé tout le chemin jusqu'à la maison.

J'abandonnerais complètement l'idée de devenir son amie si je n'avais cet étrange et inexplicable sentiment que sous toute sa brusquerie et son air distant, elle meurt d'envie d'avoir des camarades.

Aux prises avec l'hostilité de Katherine et l'attitude des Pringle, je me demande ce que je deviendrais sans la chère Rebecca Dew et tes lettres... et la petite Elizabeth.

Parce que j'ai à présent fait la connaissance de la petite Elizabeth. Et elle est adorable.

Il y a trois soirs, j'ai apporté le verre de lait jusqu'à la porte du mur et la petite Elizabeth est venue le prendre à la place de la Femme; sa tête arrivait tout juste sur la partie solide de la porte de telle sorte que son visage était encadré par le lierre. Elle est menue, pâle, dorée et mélancolique. Ses yeux, me regardant à travers le crépuscule automnal, sont grands et de couleur noisette. Ses cheveux aux reflets d'argent et d'or étaient séparés par une raie au milieu, lissés tout simplement sur sa tête avec un peigne circulaire, et retombaient en vagues sur ses épaules. Elle portait une robe de calicot bleu pâle et son expression était celle d'une princesse du pays des elfes. Elle a ce que Rebecca Dew appelle un «air délicat» et m'a donné l'impression d'une enfant plus ou moins sous-alimentée... non physiquement mais moralement. Elle tient davantage du rayon de lune que du rayon de soleil.

«Et voici donc Elizabeth?» ai-je demandé.

«Pas ce soir, m'a-t-elle répondu d'un ton grave. C'est

mon soir pour être Betty parce que j'aime tout au monde ce soir. J'étais Elizabeth hier soir et demain je serai probablement Beth. Cela dépend de comment je me sens.»

Voilà une façon de penser qui nous rapprochait quelque peu. J'ai aussitôt réagi.

«Comme c'est bien de porter un nom qu'on peut si facilement transformer tout en continuant à sentir que c'est le sien.»

La petite Elizabeth hocha la tête.

«Je peux en faire tellement de noms différents. Elsie et Betty et Bess et Elisa et Lisbeth et Beth... mais pas Lizzie. Je ne pourrais jamais me sentir Lizzie.»

«Qui le pourrait?» ai-je demandé.

«Croyez-vous que ce soit idiot de ma part, Mlle Shirley? Grand-mère et la Femme le pensent.»

«Pas idiot du tout... très intelligent et tout à fait délicieux», l'ai-je rassurée.

Petite Elizabeth m'a regardée avec des yeux ronds comme des soucoupes par-dessus le bord de son verre et j'eus la sensation d'être pesée dans quelque balance spirituelle secrète; heureusement, j'ai compris que j'avais réussi le test. En effet, petite Elizabeth m'a demandé une faveur... et petite Elizabeth ne demande pas de faveurs aux gens qui ne lui plaisent pas.

«Auriez-vous l'obligeance de prendre le chat et de me laisser le flatter un peu?» me pria-t-elle timidement.

Dusty Miller était en train de se frotter contre mes jambes. Je l'ai soulevé et petite Elizabeth, sortant une main délicate, lui caressa la tête avec ravissement.

«Je préfère les chatons aux bébés», fit-elle en me lançant un étrange petit air de défi, comme si elle savait que je serais choquée mais qu'il lui fallait dire la vérité.

«J'imagine que tu n'as jamais été très en contact avec les bébés et que tu ne peux donc savoir combien ils sont mignons, répondis-je en souriant. As-tu un chaton à toi?»

«Oh! non; grand-mère n'aime pas les chats. Et la Femme les déteste. La Femme est sortie ce soir, c'est pourquoi je suis venue chercher le lait. J'adore venir pour le lait parce que Rebecca Dew est une personne si 'gréable.»

«Regrettes-tu qu'elle ne soit pas là ce soir?» fis-je en riant.

Petite Elizabeth secoua la tête.

«Non. Vous êtes très 'gréable vous aussi. Il y a longtemps que je voulais vous connaître, mais j'avais peur que cela ne se produise pas avant que Demain soit arrivé.»

Nous sommes restées là à bavarder pendant qu'Elizabeth buvait gentiment son lait et elle me raconta alors tout sur Demain. La Femme lui avait dit que Demain ne vient jamais, mais Elizabeth savait que c'était faux. Demain viendrait un jour. Un beau matin, elle se réveillerait tout simplement et découvrirait que c'est Demain. Pas Aujourd'hui, mais Demain. Et des choses se passeraient... des choses merveilleuses. Ce serait peut-être même une journée exactement comme elle le désire, avec personne pour la surveiller... quoique je pense qu'Elizabeth est d'avis que c'est trop beau pour arriver, même Demain. Peut-être encore pourrait-elle découvrir ce qui se trouve au bout de la route du port... cette route en méandres semblable à un beau serpent rouge et qui mène, selon Elizabeth, au bout du monde. Peut-être que l'île du Bonheur s'y trouve. Elizabeth est convaincue qu'il existe quelque part une île du Bonheur où sont ancrés tous les navires qui ne reviennent jamais et qu'elle la découvrira quand Demain viendra.

«Et quand ce sera Demain, poursuivit-elle, j'aurai un million de chiens et quarante-cinq chats. Je l'ai dit à grand-mère quand elle a refusé que j'aie un chaton, M^lle^ Shirley. Elle s'est fâchée et elle a dit: "Je n'ai pas l'habitude de me faire parler sur ce ton, M^lle^ Impertinence." J'ai été envoyée au lit sans souper... mais je ne voulais pas me montrer impertinente. Et je n'ai pas pu m'endormir, M^lle^ Shirley, parce que la Femme m'a dit qu'elle avait connu une petite fille qui était morte pendant son sommeil après avoir été impertinente.»

Quand Elizabeth eut terminé de boire son lait, on entendit cogner avec insistance à une invisible fenêtre cachée par les épinettes. Je crois que nous avions été surveillées tout le temps. Mon petit elfe s'enfuit en courant, ses cheveux d'or luisant dans l'allée sombre bordée d'épinettes jusqu'à ce qu'il eût disparu.

«C'est une petite créature pleine de fantaisie», commenta Rebecca Dew lorsque je lui narrai mon aventure... réellement, cela avait, d'une certaine façon, la qualité d'une aventure, Gilbert. «Un jour, elle m'a demandé: "Avez-vous peur des lions, Rebecca Dew?" "Comme je n'en ai jamais rencontré, je ne peux pas vous le dire", que je lui ai répondu. "Il y aura plein de lions quand ce sera Demain, qu'elle a ajouté, mais ils seront très gentils et sociables." "Fillette, tu vas être hypnotisée si tu continues à fixer comme ça", que je lui ai dit. Elle regardait directement à travers moi vers quelque chose qu'elle voyait dans son Demain. "J'ai des pensées profondes, Rebecca Dew", qu'elle a dit. Le problème avec cette enfant, c'est qu'elle ne rit pas assez.»

Je me suis souvenue qu'Elizabeth n'avait pas ri une seule fois au cours de notre conversation. J'ai l'impression qu'elle n'a pas appris comment faire. La grande maison est si immobile, si solitaire, si triste. Elle a l'air ennuyeuse et sombre même maintenant quand la terre a les couleurs flamboyantes de l'automne. Petite Elizabeth écoute trop de murmures perdus.

Je crois que l'une de mes missions à Summerside sera de lui apprendre à rire.

Votre amie la plus tendre et la plus fidèle,
Anne Shirley

P.S. Me voilà encore en train de citer la grand-mère de Tante Chatty!

# 3

Le Domaine des Peupliers,<br>Chemin du Revenant,<br>S'Side,<br>Le 25 octobre

Mon cher Gilbert,

Qu'est-ce que tu penses de ça? Je suis allée souper à Maplehurst!

C'est Mlle Ellen en personne qui m'a écrit l'invitation. Rebecca Dew était réellement excitée... elle n'aurait jamais cru qu'elles me témoigneraient un jour quelque intérêt. Et elle était convaincue qu'elles n'étaient pas poussées par un sentiment amical.

«Elles ont un motif sinistre, j'en suis sûre», s'est-elle écriée.

Je n'étais pas loin de penser la même chose.

«Soyez sur votre trente-six», m'ordonna Rebecca Dew.

J'ai donc revêtu ma jolie robe de foulard crème parsemée de violettes et coiffé mes cheveux en les faisant retomber sur le front. Cette nouvelle coiffure me va très bien.

Dans leur genre, les dames de Maplehurst sont absolument délicieuses, Gilbert. Je serais capable de les aimer si elles me le permettaient. Maplehurst est une maison fière et distinguée, entourée d'arbres et n'ayant rien en commun avec les maisons ordinaires. Dans le verger se trouve une grande figure de proue, une femme de bois blanche, relique du célèbre bateau du vieux Capitaine Abraham, le *Go and Ask Her*, et il y a près de l'escalier avant des volutes de citronnelle, apportée des vieux pays il y a une centaine d'années par le premier Pringle qui a émigré. Un autre de leurs ancêtres a combattu à la bataille de Minden et son épée est suspendue au mur du salon à côté du portrait du Capitaine Abraham. Celui-ci était leur père et cela crève les yeux qu'elles en sont indescriptiblement fières.

Sur les vieux manteaux de cheminée noirs cannelés sont posés de majestueux miroirs; j'ai admiré un coffret de verre abritant des fleurs de cire, des images célébrant la beauté des anciens vaisseaux, une guirlande de cheveux tressée avec des mèches de tous les Pringle connus, de grosses conques et une courtepointe dans la chambre d'ami faite de minuscules éventails.

Nous avons pris place au salon dans des fauteuils Sheraton en acajou. Les murs étaient tendus de papier peint à rayures argentées. De lourdes draperies de brocart aux fenêtres. Des tables à dessus de marbre et, sur l'une d'elles, un superbe modèle réduit d'un navire à la coque rouge et aux voiles blanc neige, le *Go and Ask Her*. Un énorme lustre aux pendeloques de verre pendait au plafond. Un miroir circulaire avec une horloge au centre... rapporté des pays étrangers par le Capitaine Abraham. Quel objet merveilleux. J'aimerais qu'il y en ait un semblable dans la maison de nos rêves.

Même les ombres étaient éloquentes et traditionnelles. Mlle Ellen m'a montré des millions... enfin, à peu près des millions... de photographies, dont un grand nombre de daguerréotypes dans des cadres de cuir. Un gros chat écaille de tortue est entré, a sauté sur mes genoux et Mlle Ellen l'a aussitôt rapporté à la cuisine. Elle s'est morfondue en excuses, mais j'ai l'impression qu'elle avait auparavant demandé pardon au chat dans la cuisine.

Mlle Ellen a fait presque tous les frais de la conversation. Mlle Sarah, une personne menue dans une robe de soie noire et un jupon empesé, aux cheveux de neige et aux yeux aussi noirs que sa robe, aux mains maigres et veinées émergeant de manchettes de dentelle fine et croisées sur ses genoux, triste, charmante, douce, a l'air presque trop fragile pour parler. Et pourtant, Gilbert, je ne pouvais m'empêcher de penser qu'elle menait au doigt et à l'œil tous les Pringle du clan, y compris Mlle Ellen elle-même.

Nous avons eu un souper succulent. L'eau était fraîche, le linge de table, splendide, la vaisselle et les verres, très fins. Nous avons été servies par une bonne presque aussi distante et aristocrate que les deux dames. Mais Mlle Sarah faisait semblant d'être un peu dure d'oreille lorsque je lui adressais la parole et j'avais l'impression que j'allais m'étouffer avec chaque bouchée que j'avalais. Tout mon courage m'avait abandonnée. Je ne me sentais rien de plus qu'un misérable insecte englué dans le papier tue-mouche. Jamais au grand jamais je n'arriverai à conquérir ou à gagner la Famille Royale, Gilbert. Je me vois déjà donner ma démission au nouvel an. Je n'ai aucune chance contre un tel clan.

Pourtant, je ne pouvais m'empêcher de ressentir une certaine compassion envers les vieilles dames lorsque je regardais leur maison. Une maison qui avait *vécu* autrefois, où des gens étaient nés... étaient morts... avaient été heureux... avaient connu le sommeil, le désespoir, la peur, la joie, l'amour, l'espoir, la haine. Et de tout cela il ne reste désormais plus que le souvenir qui les garde en vie... et dont elles tirent leur fierté.

Tante Chatty est très troublée parce que, lorsqu'elle a déplié des draps propres pour mon lit aujourd'hui, elle a trouvé un faux pli en forme de diamant au milieu. Elle est convaincue que c'est un présage de mort dans l'entourage. Ce genre de superstition dégoûte complètement Tante Kate. Pour ma part, j'aime assez les gens superstitieux. Ils apportent de la couleur à l'existence. La vie ne serait-elle pas plutôt terne si tout le monde était sage, sensé... et *bon*? Quels pourraient bien être nos sujets de conversation alors?

Nous avons vécu une catastrophe ici il y a deux nuits.

Dusty Miller a passé la nuit dehors bien que Rebecca Dew l'ait appelé de sa voix de stentor dans la cour. Et lorsqu'il s'est présenté le matin... oh! si tu avais vu sa mine! Il avait un œil complètement fermé et la mâchoire ornée d'une bosse grosse comme un œuf. Sa fourrure était raide de boue et il avait été mordu à une patte. Mais si tu avais vu la lueur de triomphe sans remords qui brillait dans son œil valide! Les veuves étaient horrifiées, mais Rebecca Dew a déclaré en exultant que «Ce Chat n'avait jamais eu une seule bonne bataille auparavant. Et je parie que les autres chats sont encore plus mal en point que lui!»

Un brouillard monte du port ce soir, masquant le chemin rouge que la petite Elizabeth veut explorer. On fait brûler les mauvaises herbes et les feuilles mortes dans tous les jardins de la ville et le mélange de brume et de fumée fait du Chemin du Revenant un lieu inquiétant, fascinant et ensorcelé. Il se fait tard et mon lit me dit : «J'ai du sommeil pour toi.» Je me suis habituée à grimper une volée de marches jusqu'à mon lit... et à les dégringoler. Oh! Gilbert, je n'ai jamais raconté cela à personne, mais c'est trop amusant pour le taire davantage. Quand je me suis réveillée au Domaine des Peupliers le premier matin, j'ai oublié l'escabeau et fait un joyeux saut du lit. J'ai atterri comme une tonne de briques, ainsi que le dirait Rebecca Dew. Grâce à Dieu, je ne me suis rien cassé, mais je suis restée noire et bleue pendant une semaine.

Petite Elizabeth et moi sommes devenues de très bonnes amies. Elle vient chercher son lait tous les soirs, car la Femme est aux prises avec ce que Rebecca Dew appelle une «bronconeumonie». Je la retrouve toujours qui m'attend au muret, ses grands yeux pleins de clair de lune. Nous bavardons, séparées par la barrière qui n'a jamais été ouverte depuis des années. Elizabeth sirote son verre de lait aussi lentement que possible de façon à étirer notre conversation. Immanquablement, dès la dernière goutte avalée, on entend tambouriner à la fenêtre.

J'ai découvert que, parmi les choses qui doivent se produire Demain, elle recevra une lettre de son père. Elle n'en a jamais eu. Je me demande à quoi cet homme peut bien penser.

«Vous savez, il ne pouvait supporter de me voir, M^lle^ Shirley, m'a-t-elle confié. Mais peut-être pourrait-il m'écrire.»

«Qui t'a dit qu'il ne pouvait supporter de te voir?» me suis-je écriée avec indignation.

«La Femme.» (Chaque fois qu'Elizabeth prononce «la Femme», je me la représente comme un grand «F» désapprobateur, toute en angles et en coins.) «Et c'est sûrement vrai, sinon il viendrait me voir quelquefois.»

Elle était Beth ce soir-là... c'est uniquement lorsqu'elle est Beth qu'elle parle de son père. Quand elle est Betty, elle fait des grimaces dans le dos de sa grand-mère et de la Femme; cependant, quand elle devient Elsie, elle le regrette et pense qu'elle devrait le confesser, mais elle a peur de le faire. Elle n'est Elizabeth que très rarement, et elle a alors le visage de quelqu'un qui entend la musique des fées et sait de quoi parlent les roses et le trèfle. C'est l'être le plus original, Gilbert... aussi vibrante qu'une feuille de tremble, et je l'aime. Cela m'enrage de savoir que ces deux terribles vieilles bonnes femmes l'envoient se coucher dans le noir.

«La Femme a dit que je suis assez grande pour dormir sans lumière. Mais je me sens si petite, M^lle^ Shirley, parce que la nuit est si grande et si affreuse. Et il y a un corbeau empaillé dans ma chambre qui me fait peur. La Femme dit qu'il viendra me picorer les yeux si je pleure. Je ne crois pas ça, bien sûr, M^lle^ Shirley, mais j'ai peur quand même. Les objets se chuchotent des choses durant la nuit. Mais quand ce sera Demain, je n'aurai plus peur de rien... pas même d'être kidnappée.»

«Tu ne cours aucun danger d'être kidnappée, Elizabeth.»

«La Femme dit que oui si je sors toute seule ou parle aux étrangers. Mais vous n'êtes pas une étrangère, n'est-ce pas, M^lle^ Shirley?»

«Bien sûr que non, ma chérie. Nous nous connaissons depuis Demain», ai-je répondu.

# 4

Le Domaine des Peupliers<br>
Chemin du Revenant<br>
S'side<br>
Le 10 novembre

Mon chéri,

La personne que je détestais le plus au monde avait coutume d'être celle qui gâchait le bec de ma plume. Mais il m'est impossible de haïr Rebecca Dew malgré sa fâcheuse habitude d'utiliser ma plume pour copier des recettes pendant que je suis à l'école. Elle l'a fait de nouveau et c'est pourquoi tu ne recevras une lettre ni longue ni amoureuse cette fois-ci. (Mon bien-aimé.)

Le criquet a chanté son dernier chant. Les soirées sont à présent si fraîches que j'ai un petit poêle à bois oblong et grassouillet dans ma chambre. C'est Rebecca Dew qui l'a installé... à cause de cela, je lui pardonne pour ma plume. Il n'y a rien à son épreuve; et, à mon retour de l'école, elle a toujours allumé un feu pour moi. C'est le poêle le plus minuscule... je pourrais le prendre dans mes mains. Il ressemble à un coquin petit chien noir sur ses quatre pattes de fer arquées. Mais quand on le bourre de bois dur, il devient d'un rouge rosé et répand une chaleur si bienfaisante que tu ne peux pas savoir comme il est douillet. Je suis à présent assise devant, les pieds posés sur son petit cœur, en train de te gribouiller une lettre sur mon genou.

Tout le monde à S'side... ou à peu près... s'est rendu au bal chez Hardy Pringle. *Je* n'ai pas été invitée. Et cela a mis Rebecca Dew dans une telle rage que je ne voudrais pas être à la place de Dusty Miller en ce moment. Mais quand je songe à la ravissante et sotte Myra, la fille de Hardy, essayant lors d'un examen de faire la preuve que les *anges* à la base d'un triangle isocèle sont égaux, je pardonne à tout le clan Pringle. Et la semaine dernière elle a très sérieusement inclus «potence» dans une énumération d'arbres! Mais pour être juste, il n'y a pas que les Pringle qui commettent des perles. Blake Fenton a récemment donné de l'alligator la définition suivante: «une sorte de gros insecte». Ce sont les grands moments de la vie d'une institutrice!

On dirait qu'il va neiger, ce soir. J'aime ces soirées où le temps est à la neige. Le vent souffle dans la tour et dans les arbres, ce qui fait paraître le confort de ma chambre encore plus douillet. Les trembles perdront cette nuit leurs dernières feuilles d'or.

Je crois que j'ai maintenant été invitée à souper partout... c'est-à-dire dans les familles de tous mes élèves, à la ville et à la campagne. Et si tu savais, Gilbert, mon chéri, combien je suis écœurée des conserves de citrouille! Jamais, au grand jamais, nous n'aurons de conserves de citrouille dans la maison de nos rêves.

Presque partout où je suis allée manger le mois dernier, on m'a servi des C.C. La première fois que j'y ai goûté, j'en ai raffolé... c'était si doré que j'avais l'impression de manger du soleil en conserve... et j'ai imprudemment fait l'éloge de ce mets. Mes propos ont été ébruités et tout le monde m'en a servi pour me faire plaisir. Hier soir, comme je me rendais chez les Hamilton, Rebecca Dew m'a assurée que je n'aurais pas à en manger parce que personne n'aimait les C.C. dans cette maison. Mais lorsque nous avons pris place à la table, l'inévitable bol de verre taillé plein de C.C. se trouvait sur la table de côté.

«Ce n'est pas moi qui ai préparé ces conserves de citrouille», m'a expliqué Mme Hamilton en m'en tendant une généreuse portion, «mais j'ai entendu dire que vous en raffoliez, alors je suis allée chez ma cousine à Lowvale dimanche dernier et je lui ai dit: "Je reçois M^lle^ Shirley à souper cette semaine et elle adore les conserves de citrouille. J'aimerais que tu m'en prêtes un pot pour elle." Elle a accepté et le voici. Vous pouvez apporter ce qui reste chez vous.»

Tu aurais dû voir la tête de Rebecca Dew quand je suis revenue de chez les Hamilton en portant un pot de verre rempli aux deux tiers de C.C! Comme personne n'aime cela ici, nous avons attendu qu'il fasse nuit noire pour aller l'enterrer dans le jardin.

«Vous n'écrirez pas cela dans une histoire, n'est-ce pas?» m'a-t-elle demandé d'un air anxieux. Depuis que Rebecca Dew a découvert qu'il m'arrivait de publier quelques nouvelles dans des revues, elle vit dans la terreur... ou l'espoir... je ne sais pas... que je raconte tout ce qui ce passe au Domaine des Peupliers. Elle veut que j'écrive sur les Pringle et les traite sans pitié. Mais hélas! ce sont les Pringle qui se montrent impitoyables et, entre eux et mon travail à l'école, je n'ai guère de temps pour écrire de la fiction.

Il ne reste plus que des feuilles givrées et des tiges gelées dans le jardin. Rebecca Dew a lié les rosiers en fagots et les a enveloppés de sacs de jute et, à la nuit tombée, ils ont tout à fait l'air d'un groupe de vieillards bossus courbés sur leurs cannes.

J'ai reçu une carte postale de Davy aujourd'hui sur laquelle il avait tracé dix baisers et une lettre de Priscilla écrite sur du papier que lui avait envoyé «un de ses amis au Japon»... du papier fin et soyeux orné de sombres cerisiers en fleurs semblables à des fantômes. Mais mon cadeau de la journée, ce fut ta grosse lettre violette. Je l'ai lue quatre fois pour en savourer chaque parcelle... comme un chien léchant une assiette! Ce n'est certes pas une comparaison romantique, mais c'est celle qui m'est venue à l'esprit. Pourtant les lettres, même les plus belles, ne sont pas *satisfaisantes*. Je veux *te* voir. Je suis heureuse qu'il ne reste plus que cinq semaines avant les vacances de Noël.

# 5

Anne, assise près de la fenêtre de la tour par un soir de novembre, la plume au coin de la bouche et des rêves plein la tête, jeta un coup d'œil dehors sur le monde au crépuscule et pensa tout à coup qu'elle avait envie de marcher dans le vieux cimetière. Elle ne l'avait encore jamais visité, préférant le petit bois d'érables et de bouleaux ou le chemin du port pour ses randonnées nocturnes. Mais il y avait toujours un moment en novembre, après la tombée des feuilles, où elle trouvait presque indécent de pénétrer dans la forêt... qui venait de perdre sa splendeur terrestre et n'avait pas encore sa splendeur céleste faite de spiritualité, de pureté et de blancheur. Anne décida donc d'aller plutôt au cimetière. Elle se sentait alors si déprimée et désespérée qu'à son avis un cimetière serait en comparaison un endroit jovial. De plus, il était, d'après Rebecca Dew, rempli de Pringle qui, le préférant au nouveau cimetière, s'y étaient fait enterrer depuis des générations, jusqu'à ce que plus un seul ne puisse s'y tasser. Anne avait le sentiment que cela lui remonterait le moral de constater le nombre de Pringle se trouvant en un lieu où ils ne pourraient plus nuire à personne.

À l'égard des Pringle, Anne se sentait au bout de son rouleau. La situation ressemblait de plus en plus à un cauchemar. La subtile campagne d'insubordination et d'irrespect organisée par Jen Pringle était finalement arrivée à son point culminant. Un jour de la semaine précédente, Anne avait demandé aux plus vieux de rédiger une composition dont le sujet était «L'événement le plus important de la semaine». Jen Pringle en avait écrit une brillante... elle *était* intelligente, la petite peste... dans laquelle elle avait inséré une insulte sournoise à son professeur... une insulte si directe qu'il était impossible de l'ignorer. Anne l'avait renvoyée chez elle en lui disant qu'elle devrait présenter des excuses avant d'être autorisée à revenir. L'huile était sur le feu. La guerre était maintenant ouverte entre elle et les Pringle. Et la pauvre Anne savait pertinemment de quel côté serait la victoire. Le conseil scolaire appuierait les Pringle et on lui donnerait le choix entre laisser Jen revenir ou offrir sa démission.

Elle se sentait très amère. Elle avait fait de son mieux et elle savait qu'elle aurait pu réussir si seulement elle avait eu la chance de faire ses preuves.

«Ce n'est pas ma faute, songeait-elle misérablement. Qui pourrait réussir contre un tel déploiement de forces et de stratégies?»

Mais la pensée de retourner vaincue à Green Gables! Supporter l'indignation de Mme Lynde et la jubilation des Pye! Même la sympathie de ses amis serait angoissante. Et comme la nouvelle de son échec à Summerside serait répandue partout, elle ne pourrait jamais se trouver un poste dans une autre école.

Mais, au moins, ils n'avaient pas eu le dessus sur elle en ce qui concernait la pièce. À ce souvenir, Anne rit un peu mesquinement, les yeux pétillants d'un ravissement espiègle.

Elle avait mis sur pied le Club d'art dramatique de l'école secondaire et avait mis en scène une petite pièce montée en hâte en vue de réunir des fonds pour un des projets qu'elle chérissait... acheter quelques bonnes gravures pour les salles de classe. Elle s'était résignée à demander de l'aide à Katherine Brooke parce que celle-ci semblait toujours être mise à l'écart de tout. Elle n'avait pu s'empêcher de le regretter à plusieurs reprises, car Katherine s'était montrée encore plus brusque et sarcastique que d'habitude. Elle avait rarement laissé passer une répétition sans émettre quelque commentaire corrosif et ses sourcils avaient travaillé plus qu'à l'accoutumée. Pis encore, c'était Katherine qui avait insisté pour confier à Jen Pringle le rôle de Marie reine d'Écosse.

«Aucune autre élève de l'école ne peut le jouer, avait-elle décrété avec impatience. Personne d'autre n'a la personnalité voulue.»

Anne n'était pas sûre de cela. Elle pensait plutôt que Sophy Sinclair, qui était grande, avait des yeux noisette et une opulente chevelure châtaine, ferait une reine Marie beaucoup plus convaincante que Jen. Mais Sophy ne faisait même pas partie du club et n'avait jamais joué dans aucune pièce.

«Nous ne voulons pas de blancs-becs. Je refuse d'être associée à un échec, avait-elle ajouté d'un ton revêche, et Anne avait cédé. Elle ne pouvait nier que Jen était très excellente dans ce rôle. Elle était dotée d'un flair naturel en tout ce qui concernait le jeu et elle s'y était apparemment jetée corps et âme. On répéta quatre soirs par semaine et, en surface, les choses allaient rondement. Jen paraissait si intéressée par son rôle qu'elle eut une bonne conduite, du moins dans tout ce qui touchait à la pièce. Anne ne s'en occupa pas, mais laissa Katherine la faire répéter. Une ou deux fois, elle surprit cependant chez Jen une certaine expression de triomphe dissimulé qui la laissa perplexe. Elle n'arrivait pas à déceler ce que cela signifiait.

Un après-midi, peu après le début des répétitions, elle trouva Sophy Sinclair en larmes dans un coin du vestiaire des filles. Elle commença par cligner vigoureusement ses yeux noisette et à nier... puis elle éclata.

«Je désirais tant jouer dans la pièce... être la reine Marie, sanglota-t-elle. Je n'ai jamais eu la chance... papa ne voulait pas que je fasse partie du club parce qu'il y a des frais à débourser et que chaque sou compte tellement. Et, bien entendu, je n'ai aucune expérience. J'ai toujours aimé la reine Marie... même son nom me fait frissonner de la tête aux pieds. Je ne crois pas... je refuserai toujours de croire qu'elle ait eu quoi que ce soit à voir avec le meurtre de Darnley. Cela aurait été si formidable si j'avais pu m'imaginer que j'étais elle pendant quelque temps.»

Anne conclut par la suite que c'était son ange gardien qui lui avait soufflé sa réponse.

«Je vais copier le rôle pour toi, Sophy, et te le ferai répéter. Cela te fera un bon entraînement. Et, comme nous prévoyons jouer la pièce ailleurs si elle fonctionne bien ici, ce sera une bonne chose d'avoir une doublure au cas où Jen ne pourrait pas se déplacer. Mais nous n'en dirons rien à personne.»

Sophy savait dès le lendemain son texte par cœur. Elle accompagna Anne au Domaine des Peupliers tous les après-midi après l'école et répéta son rôle dans la tour. Elles eurent beaucoup de plaisir, car Sophy était pleine de calme vivacité. La pièce devait être jouée dans la salle municipale le dernier vendredi de novembre; on avait fait beaucoup de publicité et tous les sièges réservés avaient été vendus. Anne et Katherine passèrent deux soirées à décorer la salle, l'orchestre avait été embauché et une soprano connue devait venir de Charlottetown pour chanter entre les actes. La répétition générale fut une réussite. Jen était réellement excellente et tous les autres acteurs se montrèrent à sa hauteur. Le vendredi matin, Jen ne se présenta pas à l'école; et, pendant l'après-midi, sa mère envoya un billet informant que Jen avait très mal à la gorge... on craignait que ce fût une amygdalite. Tout son entourage était vraiment désolé, mais il était hors de question qu'elle joue dans la pièce ce soir.

Katherine et Anne se regardèrent fixement, réunies pour une fois dans leur consternation commune.

«Il faudra remettre la représentation à plus tard, prononça lentement Katherine. Et cela signifie que c'est un échec. Une fois que nous serons en décembre, les gens seront trop occupés. Eh bien! j'avais toujours pensé que c'était une folie de monter une pièce à cette époque de l'année.»

«Il n'est pas question de la retarder», déclara Anne, les yeux aussi verts que ceux de Jen. Elle ne le dirait pas à

Katherine Brooke, mais elle savait, aussi bien qu'elle avait toujours tout su dans sa vie, que Jen n'était pas plus qu'elle en danger d'avoir une amygdalite. C'était une machination, que les autres Pringle aient été de connivence ou non, pour couler la pièce parce que c'était elle, Anne Shirley, qui avait été l'instigatrice du projet.

«Oh! Si c'est ce que vous croyez!» fit Katherine en haussant les épaules d'un air déplaisant. «Mais qu'avez-vous l'intention de faire? Trouver quelqu'un pour lire le rôle? Cela gâcherait tout... Marie est toute la pièce.»

«Sophy Sinclair peut jouer le rôle aussi bien que Jen. Le costume lui fera et, grâce au ciel, c'est vous qui l'avez confectionné et qui l'avez, et non Jen.»

La pièce fut présentée ce soir-là devant une salle comble. Une Sophy enchantée joua Marie... *fut* Marie dans ses vêtements de velours, ses jabots et ses bijoux. Les élèves de l'école de Summerside, n'ayant jamais vu Sophy dans autre chose que ses simples robes de serge sombres et démodées, son manteau déformé et ses chapeaux usés, furent stupéfaits en la voyant. On insista pour qu'elle devienne membre permanent du Club d'art dramatique – c'est Anne elle-même qui paya ses frais d'inscription – et, à partir de ce moment-là, elle devint l'une des élèves qui «comptaient» à l'école. Mais personne ne se doutait, Sophy encore moins que les autres, qu'elle avait ce soir-là fait le premier pas sur une route qui la mènerait jusqu'aux étoiles. Vingt ans plus tard, Sophy deviendrait l'une des plus grandes comédiennes de l'Amérique. Mais aucun applaudissement ne fut probablement jamais plus doux à son oreille que l'ovation qui la salua pendant que le rideau tombait en cette soiré à la salle municipale de Summerside.

Mme James Pringle en fit le récit à sa fille, ce qui aurait fait tourner au vert les yeux de la demoiselle s'ils ne l'avaient déjà été. Pour une fois, comme le remarqua Rebecca avec émotion, Jen avait eu ce qu'elle méritait. Le résultat fut l'insulte dans la composition sur les événements importants.

Anne se rendit au vieux cimetière par un chemin aux

ornières profondes entre de hauts remblais de pierre moussue ornés de fougères givrées. De minces peupliers élancés, que les vents de novembre n'avaient pas encore dépouillés de toutes leurs feuilles, se dressaient à intervalles le long de la route, ressortant sombrement sur le bleu améthyste des collines lointaines; mais le vieux cimetière, avec la moitié de ses pierres tombales inclinées comme si elles étaient prises de boisson, était cerné par une rangée carrée de hauts sapins sombres. Anne ne s'attendait pas à croiser qui que ce soit en cet endroit et fut un peu prise au dépourvu lorsqu'elle rencontra, juste à l'intérieur de la grille, Mlle Valentine Courtaloe, avec son long nez délicat, sa mince bouche délicate, ses délicates épaules voûtées et toute son invincible apparence de véritable dame. Elle connaissait évidemment Mlle Valentine, comme tout le monde à Summerside. Elle était «la» couturière locale et ce qu'elle ne savait pas sur les gens, morts ou vivants, ne valait vraiment pas la peine d'être connu. Anne avait envie d'errer toute seule, de lire les épitaphes et de déchiffrer les noms d'amoureux oubliés sous les lichens qui les recouvraient. Mais elle ne pouvait vraiment pas s'échapper lorsque Mlle Valentine glissa un bras sous le sien et entreprit de lui faire les honneurs du cimetière où étaient indubitablement enterrés autant de Courtaloe que de Pringle. Pas une goutte de sang Pringle ne coulait dans les veines de Mlle Valentine et son neveu était l'un des élèves préférés d'Anne. Par conséquent, cela n'exigeait pas un gros effort mental de se montrer gentille avec elle, sauf qu'il fallait faire extrêmement attention de ne pas laisser entendre qu'elle «cousait pour gagner sa vie». Comme chacun le savait, c'était là le point sensible de Mlle Valentine.

«Je suis contente de m'être trouvée ici ce soir, commença cette dernière. Je peux tout vous raconter sur tous ceux qui sont enterrés ici. Je dis toujours qu'il faut connaître les moindres détails sur les cadavres pour apprécier pleinement un cimetière. Je préfère marcher ici que dans le nouveau. Seules les *vieilles* familles sont enterrées ici alors que tous les Tom, Dick et Harry sont inhumés dans le nouveau. Les

Courtaloe se trouvent dans ce coin-ci. Mon Dieu! Nous en avons eu, des funérailles, dans la famille!»

«J'imagine que c'est le cas de toutes les vieilles familles», remarqua Anne, parce que Mlle Valentine s'attendait de façon évidente à ce qu'elle réponde quelque chose.

«Ne me dites pas que toutes les familles en ont eu autant que nous, protesta Mlle Valentine d'un air jaloux. Nous sommes *très* fragiles des poumons. La plupart d'entre nous sont morts d'une mauvaise toux. Voici la tombe de ma tante Bessie. Si jamais il y a eu une sainte sur terre, c'était elle. Mais sa sœur Cecilia était indubitablement une personne plus intéressante avec qui causer. La dernière fois que je l'ai vue, elle m'a dit : "Assieds-toi, ma chère, assieds-toi. Je vais mourir ce soir à onze heures dix, mais ce n'est pas une raison pour ne pas avoir une vraie bonne conversation pour la dernière fois." Le plus étrange, Mlle Shirley, c'est qu'elle est réellement morte à onze heures dix. Pouvez-vous m'expliquer comment elle avait fait pour le savoir?»

Anne ne le pouvait pas.

«Mon arrière-grand-père Courtaloe est enterré ici. Il est arrivé en 1760 et a gagné sa vie en fabriquant des rouets. On m'a affirmé qu'il en avait fabriqué quatorze cents pendant sa vie. À sa mort, le pasteur s'est inspiré du texte "Leur travail les suit" pour faire son sermon et le vieux Myrom Pringle a dit que, dans ce cas, il y aurait un embouteillage de rouets sur le chemin du paradis derrière mon arrière-grand-père. Pensez-vous qu'une telle remarque ait été de bon goût, Mlle Shirley?»

Si elle avait été émise par quelqu'un d'autre qu'un Pringle, Anne n'aurait peut-être pas répondu un si catégorique «Certainement pas», tout en contemplant un monument orné d'une tête de mort, l'air de s'interroger sur le bon goût de cela aussi.

«Ma cousine Dora est enterrée *ici*. Elle a eu trois maris, mais ils ont tous passé l'arme à gauche très vite. La pauvre Dora semble ne pas avoir eu de chance pour se choisir un mari en bonne santé. Son dernier était Benjamin Banning...

il n'est *pas* enterré ici... mais à Lowvale auprès de sa première femme... et il ne s'était pas réconcilié avec l'idée de mourir. Dora lui disait qu'il s'en allait vers un monde meilleur. "P'tre ben, p'tre ben, répondait le malheureux Ben, mais chu habitué aux imperfections d'celui-ci." Il a pris soixante et une différentes sortes de médicaments, mais malgré cela il a traîné pas mal de temps avant de mourir. Toute la famille de l'oncle David Courtaloe est enterrée *ici*. On a planté un rosier cent-feuilles au pied de chaque tombe et, mon Dieu, comme ils fleurissent! Je viens ici tous les étés les cueillir pour mon vase de roses. Ce serait une pitié de les laisser se gaspiller, vous ne trouvez pas?»

«Je... j'imagine.»

«Ma pauvre petite sœur Harriet repose *ici*, soupira M^lle^ Valentine. Elle avait une chevelure magnifique... à peu près de votre teinte... moins rouge peut-être... qui descendait jusqu'à ses genoux. Elle était fiancée lorsqu'elle est morte. On m'a dit que vous étiez fiancée. Je n'ai jamais vraiment eu envie de me marier, mais je pense que cela aurait été bien d'être fiancée. Oh! j'ai eu des occasions, bien entendu... j'étais peut-être trop capricieuse... mais une Courtaloe ne pouvait épouser n'importe qui, n'est-ce pas?»

Cela semblait en effet peu probable.

«Frank Digby... dans le coin là-bas sous les sumacs... voulait de moi. J'ai *vraiment* un peu regretté de l'avoir refusé... mais un Digby, ma chère! Il s'est marié avec Georgina Troop. Elle arrivait toujours un petit peu en retard à l'église pour faire voir ses vêtements. Mon Dieu! comme elle aimait la toilette! Elle a été inhumée dans une si jolie robe bleue... je la lui avais confectionnée pour un mariage mais, en fin de compte, c'est à son propre enterrement qu'elle l'a portée. Elle avait trois adorables petits enfants. Ils avaient coutume de s'asseoir devant moi à l'église et je leur donnais des bonbons. Pensez-vous que ce soit mal d'offrir des bonbons aux enfants à l'église, M^lle^ Shirley? Pas des menthes... il n'y aurait aucun mal à cela... les menthes ont quelque chose de *religieux*, qu'en pensez-vous? Mais les pauvres chéris ne les aiment pas.»

Lorsque Mlle Valentine eut épuisé les intrigues Courtaloe, ses souvenirs devinrent un tantinet plus corsés. Cela ne faisait pas une grande différence si l'on n'était pas soi-même un Courtaloe.

«La vieille Mme Russell Pringle se trouve ici. Je me demande souvent si elle est au ciel ou non.»

«Mais pourquoi?» bredouilla Anne, plutôt estomaquée.

«Ma foi, elle avait toujours haï sa sœur, Mary Ann, qui était morte quelques mois auparavant. "Si Mary Ann est au paradis, moi je n'y resterai pas", avait-elle décrété. Et c'était une femme qui tenait toujours parole, ma chère... une vraie Pringle. Elle était née Pringle et avait épousé son cousin Russell. Voici Mme Dan Pringle... Janetta Bird. Décédée à soixante-dix ans moins un jour. Les gens disent qu'elle aurait considéré comme un péché de mourir plus vieille que trois fois dix ans plus dix, parce que c'est la limite fixée par la Bible. Les gens disent de drôles de choses, n'est-ce pas? On prétend que mourir est la seule chose qu'elle ait osé faire sans demander la permission à son mari. Savez-vous, ma chère, ce qu'il a fait la fois où elle s'est acheté un chapeau qui ne lui plaisait pas?»

«Je n'en ai aucune idée.»

«Il l'a mangé, répondit solennellement Mlle Valentine. Ce n'était évidemment qu'un petit chapeau... de dentelle et de fleurs... sans plumes. Quand même, cela devait être plutôt indigeste. Je n'ai pas de mal à comprendre qu'il ait eu des brûlures d'estomac pendant quelque temps. Bien entendu, je ne l'ai pas *vu* le manger, mais on m'a toujours assurée que l'histoire était véridique. Pensez-vous qu'elle l'était?»

«Je crois qu'un Pringle est capable de n'importe quoi», fit amèrement Anne.

Mlle Valentine lui pressa le bras avec sympathie.

«Je vous plains... je vous plains vraiment. La manière dont ils vous traitent est terrible. Mais il n'y a pas que des Pringle à Summerside, Mlle Shirley.»

«J'ai parfois l'impression que oui», dit Anne avec un sourire lugubre.

«Vous avez tort. Et il y a un grand nombre de personnes qui aimeraient vous voir prendre le dessus sur eux. Ne leur cédez pas, quoi qu'ils fassent. C'est seulement le vieux Satan qui est en eux. Mais ils se tiennent tellement et M^lle^ Sarah voulait vraiment que son cousin obtienne le poste à l'école.

«Les Nathan Pringle sont ici. Nathan a toujours cru que sa femme essayait de l'empoisonner, mais cela ne semblait pas le déranger. Il disait que cela apportait du piment à l'existence. Une fois, il l'a soupçonnée d'avoir mis de l'arsenic dans son gruau. Il est sorti et l'a donné à manger au cochon. Le cochon est mort trois semaines plus tard. Mais il a dit que c'était peut-être une simple coïncidence et que, de toute façon, il ne pouvait être certain qu'il s'agissait du même cochon. En fin de compte, elle est morte avant lui et il a déclaré qu'elle avait toujours été une bonne épouse, sauf pour cette unique chose. Je crois qu'il serait charitable de penser qu'il s'est trompé à ce sujet.»

«Consacré à la mémoire de *M^lle^ Kinsey*, déchiffra Anne, stupéfaite. Quelle inscription extraordinaire! N'avait-elle pas de prénom?»

«Si elle en avait un, personne ne l'a jamais su, répondit M^lle^ Valentine. Elle était arrivée de la Nouvelle-Écosse et a travaillé pour George Pringle pendant quarante ans. Elle a déclaré que son nom était M^lle^ Kinsey et c'est ainsi que tout le monde l'a toujours appelée. Elle est décédée subitement et on s'est alors aperçu que personne ne savait son prénom et qu'on ne lui connaissait aucun parent. On a donc écrit cette épitaphe sur sa tombe… George Pringle lui a fait de très belles funérailles et c'est lui qui a payé pour le monument. C'était une créature loyale et travailleuse mais, si vous l'aviez vue, vous auriez cru qu'elle était *née* M^lle^ Kinsey. Les James Morley se trouvent *ici*. J'étais présente à leurs noces d'or. Quelle affaire… des cadeaux, des discours, des fleurs… et tous leurs enfants réunis à la maison… ils se faisaient des sourires et des courbettes tout en se haïssant mutuellement autant qu'ils le pouvaient.»

«Se haïssant?»

«Férocement, ma chère. Tout le monde était au courant. Ils se sont détestés pendant des années… en fait, pendant presque toute la durée de leur mariage. Ils se disputaient déjà en revenant de l'église après la cérémonie. Je me demande souvent comment ils arrivent à reposer si paisiblement côte à côte ici.»

Anne frémit de nouveau. Comme ce devait être terrible… être assis face à face à la table… dormir l'un près de l'autre la nuit… aller à l'église faire baptiser leurs bébés… et se haïr pendant tout ce temps. Ils avaient pourtant dû commencer par s'aimer. Était-ce possible qu'un jour Gilbert et elle… non, c'était insensé. Les Pringle commençaient à lui mettre les nerfs à fleur de peau.

«Le beau John MacTabb est inhumé ici. On a toujours soupçonné que c'était à cause de lui qu'Anetta Kennedy s'était noyée. Tous les MacTabb étaient beaux, mais on ne pouvait jamais croire un mot de ce qu'ils racontaient. Il y avait coutume d'avoir une pierre ici pour son oncle Samuel qui avait été déclaré mort en mer il y a cinquante ans. Quand il est revenu vivant, la famille a enlevé la pierre. L'homme qui la leur avait vendue n'ayant pas voulu la reprendre, M^me^ Samuel s'en servait comme d'une planche à pâtisserie. Quand on pense, une plaque de marbre pour faire la pâte! Elle disait que cette vieille pierre tombale faisait parfaitement l'affaire. Les enfants MacTabb apportaient toujours à l'école des biscuits sur lesquels étaient gravés des lettres et des chiffres... des fragments de l'épitaphe. Ils en distribuaient très généreusement, mais je n'ai jamais pu me résoudre à en manger un. Je suis aussi bizarre que ça. M. Harley Pringle est *ici*. Une fois, il a été obligé de rouler Peter MacTabb en brouette dans la rue principale à la suite d'un pari d'élection. Tout Summerside assistait au spectacle… sauf les Pringle, bien entendu. Ils ont failli en mourir de honte. Milly Pringle est *ici*. Milly me plaisait beaucoup, même si elle était une Pringle. Elle était jolie et gracieuse comme une fée. Il m'arrive de penser, ma chère, que des nuits comme celle-ci elle doit se glisser hors de sa tombe et se mettre à danser comme elle avait l'habitude de le faire. Mais je présume qu'une chrétienne ne devrait pas avoir de telles pensées. Voici la tombe d'Herb Pringle. C'était un des bons vivants de la famille. Il était toujours en train de nous faire rire. Il a même éclaté de rire à l'église une fois... quand la souris a surgi des fleurs sur le chapeau de Meta Pringle alors qu'elle s'agenouillait pour prier. Moi, je n'avais pas très envie de rire. Je ne savais pas où la souris était passée. J'ai serré mes jupes autour de mes chevilles et les ai tenues comme cela jusqu'à la fin de l'office, mais il m'a été impossible de me concentrer sur le sermon. Herb était assis derrière moi et si vous aviez entendu le hurlement qu'il a poussé. Les gens qui ne pouvaient pas voir la souris ont pensé qu'il était devenu fou. J'avais l'impression que son rire *ne pouvait pas* mourir. S'il était en vie, il prendrait votre défense, Sarah ou pas Sarah. Ceci est, bien sûr, le monument du Capitaine Abraham Pringle.»

Il dominait tout le cimetière. Quatre plates-formes de pierre nue formaient un piédestal carré sur lequel reposait un énorme pilier de marbre surmonté d'une ridicule urne drapée derrière laquelle un angelot potelé soufflait dans un clairon.

«Que c'est laid!» s'exclama naïvement Anne.

«Oh! Vous trouvez?» Mlle Valentine paraissait passablement choquée. «On l'a trouvé très beau lorsqu'il a été érigé. C'est censé être Gabriel en train de jouer de la trompette. Je pense que cela donne au cimetière une touche d'élégance. Il a coûté neuf cent dollars. Si Abraham vivait, ils ne vous persécuteraient pas comme ils le font maintenant. Je ne suis pas étonnée que Sarah et Ellen en soient si fières quoique, à mon avis, elles aillent un petit peu trop loin.»

À la barrière du cimetière, Anne se retourna et jeta un regard en arrière. Un étrange et paisible silence était tombé sur la terre immobile. Les longs doigts de la lune commençaient à percer entre les sapins sombres, touchant une pierre tombale çà et là et dessinant entre elles des ombres bizarres. Pourtant, le cimetière n'était pas un endroit triste, après tout. Après les anecdotes de Mlle Valentine, les gens qui y reposaient paraissaient vraiment en vie.

«On m'a dit que vous écriviez», dit Mlle Valentine d'un air anxieux pendant qu'elles descendaient l'allée. «J'espère que vous ne mettrez pas les choses que je vous ai confiées dans vos histoires, n'est-ce pas?»

«Soyez assurée que je m'en abstiendrai», promit Anne.

«Pensez-vous que ce soit réellement mal... ou dangereux... de médire des morts?» chuchota Mlle Valentine avec un soupçon d'inquiétude.

«Je ne crois pas que cela soit exactement l'un ou l'autre, répondit Anne. «Seulement... plutôt injuste... comme de frapper ceux qui ne peuvent pas se défendre. Mais vous n'avez rien proféré d'épouvantable sur personne, Mlle Courtaloe.»

«Je vous ai raconté que Nathan Pringle pensait que sa femme essayait de l'empoisonner...»

«Oui, mais vous lui avez laissé le bénéfice du doute...», et Mlle Valentine, rassurée, poursuivit son chemin.

# 6

J'ai suivi mon chemin au cimetière ce soir, écrivit Anne à Gilbert après son retour. Je trouve que «suivre son chemin» est une expression charmante et je l'utilise chaque fois que je peux. Cela peut paraître drôle que j'aie eu du bon temps dans le cimetière, pourtant c'est la vérité. Mlle Valentine racontait des histoires si amusantes. La comédie et la tragédie sont si mêlées dans la vie, Gilbert. La seule chose qui me tourmente, c'est l'histoire de cette femme et de cet homme qui ont vécu cinquante ans ensemble en ne cessant de se haïr. Je ne peux pas croire qu'ils se détestaient vraiment. Quelqu'un a déjà dit que la haine n'était que «l'amour qui s'était trompé de chemin». J'ai la conviction que, derrière ce masque de haine, ils étaient réellement épris l'un de l'autre… tout comme moi je t'aimais vraiment pendant toutes ces années où j'ai cru te haïr… et je pense que la mort a dû le leur démontrer. Je suis bien contente d'en avoir pris conscience en vie. Et j'ai découvert qu'il existait quelques Pringle potables… qui sont morts.

Hier soir, quand je suis descendue boire un verre d'eau, j'ai trouvé Tante Kate en train de se donner un bain facial au babeurre dans le garde-manger. Elle m'a demandé de n'en rien dire à Tante Chatty… qui trouverait cela si stupide. Je le lui ai promis.

Elizabeth vient toujours chercher son lait, bien que la Femme soit à présent rétablie de sa bronchite. Cela m'étonne qu'elles l'y autorisent, surtout que la vieille Mme

Campbell est une Pringle. Samedi soir dernier, Elizabeth... elle était Betty ce soir-là, je pense... m'a quittée en chantant et j'ai clairement entendu la Femme lui dire à la porte du porche qu'on était trop près du dimanche pour chanter *cette* chanson. Je suis sûre que, si elle le pouvait, elle lui interdirait de chanter tous les jours de la semaine.

Elizabeth portait une robe neuve ce soir-là, rouge vin foncé... c'est vrai qu'elles l'habillent joliment... et elle m'a dit d'un air mélancolique: «Je me trouvais un peu jolie quand je l'ai mise ce soir, Mlle Shirley, et j'aurais tant aimé que mon père puisse me voir. Bien entendu, il me rendra visite Demain... mais Demain paraît un peu long à venir. J'aimerais que nous puissions hâter un peu le temps, Mlle Shirley.»

À présent, mon chéri, je dois travailler quelques exercices de géométrie. Les exercices de géométrie ont remplacé ce que Rebecca Dew appelle mes «efforts littéraires». Le spectre qui me hante actuellement est la menace d'un exercice surgissant en classe que je serais incapable de faire. Et qu'est-ce que les Pringle diraient alors, oh! qu'est-ce qu'ils diraient!

Entre temps, comme tu m'aimes et aimes la race féline, prie pour un pauvre matou au cœur brisé et maltraité. Une souris s'est enfuie sur le pied de Rebecca Dew l'autre jour dans le garde-manger et elle n'a cessé de fulminer depuis. «Ce Chat ne fait rien d'autre que manger et dormir, et il laisse les souris courir partout. Là, *c'est* le bouquet.» Alors elle le poursuit à droite et à gauche, le chasse de son coussin favori... je le sais parce que je l'ai prise sur le fait... et l'aide très peu gentiment du pied quand elle le met dehors.

# 7

Un vendredi soir, vers la fin d'une douce journée ensoleillée de décembre, Anne se rendit à Lowvale où elle était conviée à un souper à la dinde. Wilfred Bryce vivait chez son oncle à Lowvale et il lui avait timidement demandé si elle accepterait de l'accompagner à la maison après l'école, d'assister ensuite au repas de dinde à l'église et de passer la journée du samedi chez lui. Anne avait accepté, espérant que, grâce à son influence, l'oncle autoriserait Wilfred à poursuivre ses études secondaires. Wilfred craignait de ne pas pouvoir revenir après le Nouvel An. C'était un garçon intelligent et ambitieux envers lequel Anne éprouvait un intérêt particulier.

On ne peut pas dire que cette visite l'amusa beaucoup, à l'exception du plaisir qu'elle donna à Wilfred. Son oncle et sa tante formaient un couple plutôt singulier et fruste. Le samedi matin, le temps était gris et venteux, avec des averses de neige, et Anne commença par se demander comment elle se rendrait au bout de la journée. Elle se sentait lasse et avait sommeil, car le souper à la dinde s'était terminé tard; Wilfred devait aider à ramasser les ordures; et il n'y avait pas un seul livre en vue. Songeant alors au vieux coffre de marin cabossé qu'elle avait aperçu au fond du corridor à l'étage, elle se souvint de la requête de Mme Stanton. Celle-ci avait commencé à écrire l'histoire du comté de Prince et elle avait demandé à Anne si elle connaissait ou pourrait trouver de vieux journaux intimes ou d'anciens documents pouvant être utiles.

«Les Pringle en possèdent évidemment des masses dont je pourrais me servir, avait-elle dit à Anne. Mais je ne peux pas les leur demander. Les Pringle et les Stanton n'ont jamais été en bons termes, vous savez.»

«Je ne peux malheureusement rien leur demander non plus», avait répondu Anne.

«Oh! Je ne m'attendais pas à cela de vous. Tout ce que je voudrais, c'est que vous gardiez l'œil ouvert lorsque vous êtes invitée dans des familles et, si vous trouvez ou entendez parler de vieux journaux de bord ou de cartes ou d'autre chose du même genre, que vous essayiez de les emprunter pour moi. Vous n'avez aucune idée des choses intéressantes que j'ai pu découvrir dans les vieux journaux intimes... des parcelles de vraie vie qui font revivre nos anciens pionniers. Je veux que mon livre contienne de ces choses aussi bien que des statistiques et des tableaux généalogiques.»

Anne demanda à Mme Bryce s'il y avait de tels documents à la maison. Mme Bryce secoua la tête.

«Pas que j'sache. À moins que..., son visage s'éclairant..., y a l'vieux coffre de l'oncle Andy là-haut. Ça s'peut qu'vous trouviez quelqu'chose dedans. Y avait coutume d'naviguer avec le vieux Capitaine Abraham Pringle. J'vas aller d'mander à Duncan si vous pouvez fouiller dedans.»

Duncan fit répondre qu'elle pouvait y fouiller autant qu'elle le désirait et que, si elle trouvait des documents, elle pouvait les garder. Il avait de toute façon l'intention d'en brûler tout le contenu et de se servir du coffre pour ranger ses outils. Anne fouilla donc, mais tout ce qu'elle découvrit, ce fut un vieux journal de bord qu'Andy Bryce semblait avoir tenu pendant toutes ses années en mer. Anne trompa son ennui par cet avant-midi orageux en le lisant avec intérêt et amusement. Andy avait une grande connaissance de la mer et avait fait plusieurs voyages avec le Capitaine Abraham Pringle, à l'égard de qui il nourrissait, de façon évidente, une admiration sans bornes. Le journal était plein d'hommages mal épelés et grammaticalement incorrects au courage et à l'ingéniosité du Capitaine, particulièrement dans une folle entreprise au Cap Horn. Mais son admiration ne semblait pas s'appliquer au frère d'Abraham, Myrom, également capitaine mais d'un autre vaisseau.

«Allé chez Myrom Pringle ce soir. Il était en colère contre sa femme et il s'est levé et lui a jeté un verre d'eau au visage.»

«Myrom est rentré. Son navire a brûlé et ils ont pris les canots. Ont failli mourir de faim. À la fin, ont mangé Jonas Selkirk qui s'était tiré une balle. Ont vécu de son cadavre jusqu'à ce que le *Mary G.* les recueille. C'est Myrom lui-même qui me l'a raconté. Avait l'air de trouver que c'était une bonne blague.»

Anne frémit à cette lecture, rendue encore plus horrifiante par l'impassible narration qu'Andy faisait de ce triste événement. Elle s'abandonna ensuite à la rêverie. Ce livre ne contenait rien qui puisse être de quelque utilité pour Mme Stanton, mais Mlle Sarah et Mlle Ellen y seraient peut-être intéressées vu qu'il parlait tant de leur père adoré. En supposant qu'elle le leur fasse parvenir? Duncan Bryce avait dit qu'elle pouvait en faire ce qu'elle voulait.

Non, elle ne le ferait pas. Pourquoi tenterait-elle de leur plaire ou d'alimenter leur absurde fierté, qui était bien suffisante à présent sans avoir besoin de nourriture supplémentaire? Elles s'étaient organisées pour la chasser de l'école et étaient en train d'y parvenir. Elles et leur clan l'avaient vaincue.

Quand Wilfred la reconduisit au Domaine des Peupliers, ils étaient tous les deux d'excellente humeur. Anne avait convaincu Duncan Bryce de laisser Wilfred terminer son année scolaire.

«Ensuite, je m'arrangerai pour aller à Queen's un an et, après cela, j'enseignerai et je continuerai mes études, dit Wilfred. Comment pourrais-je un jour vous rendre cela, Mlle Shirley? Mon oncle n'aurait jamais écouté personne d'autre, mais vous il vous aime bien. L'autre jour, dans la grange, il m'a dit: "Les femmes aux cheveux roux peuvent toujours faire ce qui leur plaît avec moi." Mais je ne crois pas que ce soit à cause de vos cheveux, Mlle Shirley, bien qu'ils soient si beaux. C'était seulement... parce que c'était vous.»

Anne se réveilla à deux heures du matin cette nuit-là et décida qu'elle enverrait le journal d'Andy Bryce à Maplehurst. Après tout, elle éprouvait une certaine affection pour ces vieilles dames. Et elles avaient si peu pour réchauffer leur vie... seulement la fierté qu'elles ressentaient envers leur père. Elle se réveilla de nouveau à trois heures et décida qu'elle n'en ferait rien. Mlle Sarah faisant semblant d'être sourde, vraiment! À quatre heures, elle hésitait de nouveau. Elle prit finalement la décision de le leur envoyer. Anne avait horreur d'être mesquine... comme les Pye.

Cette question réglée, Anne se rendormit pour de bon, en songeant combien c'était agréable de se réveiller la nuit et d'entendre la première tempête de neige autour de sa tour et de se blottir ensuite sous ses couvertures pour retomber dans le monde du rêve.

Le lundi matin, elle emballa soigneusement le vieux journal et l'envoya à Mlle Sarah accompagné de ce petit mot:

Chère Mlle Pringle,

Je me demande si ce vieux journal de bord pourrait vous intéresser. M. Bryce me l'a donné pour Mme Stanton qui a entrepris d'écrire l'histoire du comté, mais, comme je ne crois pas qu'il puisse lui être de quelque utilité, j'ai pensé que vous aimeriez peut-être l'avoir.

Avec mes cordiales salutations,
Anne Shirley

«C'est un mot horriblement guindé, songea Anne, mais je suis incapable de leur écrire de façon naturelle. Et je ne serais pas étonnée le moins du monde si elles me le renvoyaient avec hauteur.»

Dans le beau bleu d'un début de soirée d'hiver, Rebecca Dew reçut le choc de sa vie. Le carrosse de Maplehurst roulait dans le Chemin du Revenant, dans la neige poudreuse, et il s'arrêta devant la barrière avant. Mlle Ellen en sortit, suivie… à la stupéfaction générale… de Mlle Sarah, qui n'avait pas quitté Maplehurst depuis dix ans.

«Elles arrivent à la porte d'en avant», s'étrangla Rebecca Dew, prise de panique.

«Où ailleurs pourrait bien arriver une Pringle?» demanda Tante Kate.

«Évidemment… évidemment… mais elle colle, poursuivit Rebecca d'un air tragique. Elle colle vraiment… vous le savez. Et elle n'a pas été ouverte depuis le ménage du printemps. Là, *c'est* le bouquet.»

La porte d'entrée colla… mais Rebecca Dew tira dessus avec une violence si désespérée qu'elle finit par s'ouvrir et introduisit les dames de Maplehurst au salon.

«Grâce au ciel, nous l'avons chauffé aujourd'hui, songea-t-elle, et tout ce que je souhaite, c'est que Ce Chat n'ait pas laissé de poils sur le sofa. Si Sarah Pringle se retrouvait avec des poils de chat sur sa robe dans notre salon…»

Rebecca Dew n'osait pas en imaginer les conséquences. Elle alla chercher Anne dans la chambre de la tour, Mlle Sarah ayant demandé si Mlle Shirley était à la maison, puis se réfugia dans la cuisine, rendue à moitié folle de curiosité sur ce qui dans le monde pouvait bien amener les vieilles demoiselles Pringle à venir voir Mlle Shirley.

«Si c'est encore pour la persécuter…», se dit sombrement Rebecca Dew.

Anne elle-même se sentait passablement survoltée en descendant. Étaient-elles venues pour lui rendre le journal avec un mépris glacial?

Ce fut la petite, ridée et inflexible Mlle Sarah qui se leva et s'adressa sans préambule à Anne lorsque celle-ci pénétra dans la pièce.

«Nous sommes venues pour capituler, annonça-t-elle amèrement. Nous ne pouvons rien faire d'autre… et, bien entendu, vous le saviez quand vous avez découvert cette histoire scandaleuse sur le pauvre oncle Myrom. Ce n'était pas vrai… cela ne *pouvait* être vrai… Oncle Myrom voulait seulement faire marcher Andy Bryce... Andy était tellement crédule. Mais tous les étrangers à notre famille seront trop contents de la croire. Vous saviez que cela ferait de nous la risée… et pire encore. Oh! Vous êtes très intelligente. Nous l'admettons. Jen présentera des excuses et se conduira bien à l'avenir… c'est moi, Sarah Pringle, qui vous l'assure. Si vous promettez seulement de ne rien dire à Mme Stanton… ni à personne d'autre… nous ferons tout… absolument *tout.*»

Mme Sarah tordait son fin mouchoir de dentelle dans ses petites mains veinées de bleu. Elle tremblait littéralement.

Anne les dévisagea avec stupéfaction… et horreur. Les pauvres vieilles chéries! Elles croyaient qu'elle avait voulu les menacer!

«Oh! C'est un terrible malentendu», s'exclama-t-elle, en saisissant les pauvres mains pitoyables de Mlle Sarah. «Je n'ai pas songé un seul instant que vous penseriez que j'essayais de… oh! c'était seulement parce que je croyais que vous aimeriez avoir tous ces détails intéressants sur votre merveilleux père. Je n'ai jamais songé à montrer ou à raconter cette autre petite chose à quiconque. Je n'y accordais pas la moindre importance. Et je ne le ferai jamais.»

Il y eut un moment de silence. Puis Mlle Sarah libéra doucement ses mains, porta son mouchoir à ses yeux et s'assit, une légère rougeur sur son fin visage ridé.

«Nous… nous vous avons mal comprise, ma chère. Et nous avons… nous nous sommes montrées abominables avec vous. Nous pardonnerez-vous?»

Une demi-heure plus tard… une demi-heure pendant laquelle Rebecca Dew avait été plus morte que vive… les demoiselles Pringle prirent congé. Cela avait été une demi-heure de bavardage amical et de discussion sur les éléments non combustibles du journal d'Andy Bryce. À la porte d'entrée, Mlle Sarah… qui n'avait pas éprouvé le moindre problème auditif durant cette conversation… se tourna un instant et prit dans son réticule un bout de papier couvert d'une écriture très fine et anguleuse.

«J'avais presque oublié… nous avions promis à Mme

MacLean notre recette de quatre-quarts il y a quelque temps. Auriez-vous l'obligeance de la lui remettre? Et dites-lui que le processus de transpiration est très important… indispensable, en fait. Ellen, ton chapeau est légèrement trop penché sur une oreille. Tu ferais mieux de l'ajuster avant de partir. Nous… nous étions quelque peu agitées lorsque nous nous sommes habillées.»

Anne raconta aux veuves et à Rebecca Dew qu'elle avait donné aux dames de Maplehurst le vieux journal de bord d'Andy Bryce et qu'elles étaient venues pour la remercier. Elles durent se contenter de cette explication, quoique Rebecca Dew ait toujours soupçonné qu'il y avait anguille sous roche... et une grosse anguille. Sarah Pringle ne serait jamais venue jusqu'à la porte d'entrée du Domaine des Peupliers dans le seul but d'exprimer sa gratitude pour un vieux journal usé et taché de tabac. M^lle^ Shirley était plus maligne qu'elle en avait l'air… infiniment plus!

«Après cette histoire, je vais ouvrir cette porte une fois par jour, jura Rebecca. Juste pour la garder en état. J'ai failli tomber à la renverse lorsqu'elle a fini par céder. Eh bien! nous avons finalement la recette de quatre-quarts. Trente-six œufs! Si vous vous débarrassiez de Ce Chat et me laissiez garder des poules, nous pourrions nous le permettre une fois par année.»

La querelle Shirley-Pringle était terminée. Personne en dehors des Pringle ne sut jamais pourquoi, mais les habitants de Summerside comprirent que M^lle^ Shirley, toute seule, avait mystérieusement dérouté tout le clan, qui lui mangea dans la main à partir de ce jour. Jen revint à l'école le lendemain et présenta humblement ses excuses à Anne devant toute la classe. Elle fut par la suite une élève modèle et tous les autres Pringle suivirent son exemple. En ce qui concernait les Pringle adultes, leur hostilité s'évanouit comme la brume devant le soleil. Il n'y eut plus aucune plainte concernant la «discipline» ou les devoirs. Plus jamais de ces fines, subtiles rebuffades caractéristiques du code d'éthique Pringle. Ils se bousculaient presque dans leurs efforts pour témoigner leur gentillesse à Anne. Aucun bal ou partie de patinage n'était complet sans elle. En effet, bien que le journal fatidique eût été livré aux flammes par M^lle^ Sarah en personne, la mémoire était la mémoire, et M^lle^ Shirley avait une histoire à raconter si elle choisissait de le faire. Il ne faudrait jamais que cette fouineuse de M^me^ Stanton sache que le Capitaine Myrom Pringle avait été un cannibale!

# 8

(*Extrait d'une lettre à Gilbert.*)

Je suis dans ma tour et Rebecca Dew est en train de fredonner *Could I but climb ?* dans la cuisine. Cela me rappelle que la femme du pasteur m'a sollicitée pour faire partie de la chorale! Ce sont évidemment les Pringle qui lui ont dit de me le demander. Je pourrais le faire les dimanches que je ne passe pas à Green Gables. Les Pringle m'ont tendu la main droite de l'amitié avec une revanche... ils m'ont acceptée en bloc. Quel clan!

Je suis allée à trois fêtes chez des Pringle. Je ne dis pas cela par malice, mais je pense que toutes les filles Pringle imitent ma façon de me coiffer. Ma foi, «l'imitation est la plus sincère des flatteries». Et, Gilbert, je les aime vraiment... comme j'avais toujours su que cela se produirait s'ils m'en laissaient la chance. Je commence même à soupçonner que je vais me mettre à aimer Jen tôt ou tard. Elle peut se montrer charmante quand elle le veut et c'est très évident qu'elle le veut.

Hier soir, je suis allée braver le lion dans sa tanière... en d'autres mots, j'ai carrément grimpé l'escalier avant des Evergreens jusqu'au porche carré avec les urnes de fer blanchies à la chaux aux quatre coins, et j'ai sonné la cloche. Lorsque Mme Monkland est venue ouvrir, je lui ai demandé si la petite Elizabeth pouvait venir faire une promenade avec moi. J'escomptais un refus, mais après être allée consulter

Mme Campbell, la Femme est revenue m'apprendre, d'un air plutôt revêche, que la réponse était oui mais de veiller à ne pas la ramener trop tard. Je me demande si même Mme Campbell reçoit ses ordres de Mlle Sarah.

Elizabeth descendit en dansant le sombre escalier, l'air d'un lutin dans son manteau rouge et son petit chapeau vert, et pratiquement muette de plaisir.

«Je me sens toute frétillante et excitée, Mlle Shirley, m'a-t-elle chuchoté lorsque nous fûmes hors de vue. Je suis Betty... je suis toujours Betty quand je me sens comme ça.»

Nous sommes allées aussi loin que nous l'avons osé sur la Route qui mène au Bout du monde puis nous sommes revenues. Le port, le soir, s'étalant, tout noir, sous un soleil couchant en flammes, évoquait plein de «pays des fées abandonnés», d'îles mystérieuses et d'océans introuvables sur les cartes. J'en étais tout émoustillée, tout comme la puce que je tenais par la main.

«Si nous courrions fort, Mlle Shirley, est-ce que nous pourrions entrer dans le soleil couchant?» voulut-elle savoir. Cela me rappela Paul et ce qu'il avait imaginé sur le «pays du soleil couchant».

«Nous devrons attendre à Demain avant de pouvoir le faire, ai-je répondu. Regarde, Elizabeth, le nuage en forme d'île dorée juste au-dessus de l'entrée du port. Faisons semblant que c'est ton île du Bonheur.»

«Il existe une île par là-bas, reprit Elizabeth d'un ton rêveur. Elle s'appelle le Nuage Volant. C'est un joli nom, n'est-ce pas?... On dirait qu'il sort de Demain. Je peux l'apercevoir des fenêtres du grenier. Elle appartient à un monsieur de Boston qui y possède une maison d'été. Mais je fais semblant qu'elle est à moi.»

Lorsque nous sommes arrivées à la porte, je me suis penchée et j'ai embrassé Elizabeth sur la joue avant qu'elle entre. Je n'oublierai jamais ses yeux. Cette enfant est affamée d'amour, Gilbert.

Lorsqu'elle est venue chercher son lait ce soir, j'ai vu qu'elle avait pleuré.

«Elles... elles m'ont obligée à me laver la joue pour effacer votre baiser, sanglota-t-elle. Je ne voulais plus jamais me laver le visage. Je l'avais juré. Parce que, voyez-vous, je ne voulais pas enlever votre baiser. Je suis allée à l'école sans me laver ce matin, mais ce soir, la Femme m'a attrapée et m'a frotté le visage.»

J'ai gardé un air impassible.

«Tu ne peux pas passer ta vie sans te laver la figure de temps en temps, ma chérie. Mais ne t'en fais pas pour le baiser. Je t'en donnerai un chaque soir quand tu viendras boire ton lait et alors ce sera sans importance s'il est effacé le lendemain matin.»

«Vous êtes la seule personne au monde qui m'aime, dit Elizabeth. Quand vous me parlez, cela sent les violettes.»

Quelqu'un a-t-il déjà reçu un plus joli compliment? Mais je ne pouvais pas laisser passer la première phrase.

«Ta grand-mère t'aime, Elizabeth.»

«Non, elle ne m'aime pas... elle me déteste.»

«Tu es seulement un tout petit peu étourdie, ma chérie. Ta grand-mère et M^me^ Monkland sont deux personnes âgées et les personnes âgées sont facilement dérangées et facilement inquiètes. C'est évident que tu les ennuies parfois. Et... bien sûr... lorsqu'elles étaient jeunes, on élevait les enfants beaucoup plus sévèrement qu'aujourd'hui. Elles sont restées accrochées à l'ancienne manière.»

Mais je sentais que je ne convainquais pas Elizabeth. Après tout, elles ne l'aiment *pas* et elle le sait. Elle jeta un coup d'œil prudent en direction de la maison pour vérifier si la porte était close, puis elle déclara avec assurance:

«Grand-mère et la Femme sont juste deux vieux tyrans et quand Demain arrivera, je les quitterai pour toujours.»

Je crois qu'elle s'attendait à ce que je sois foudroyée d'horreur... je la soupçonne réellement de n'avoir dit cela que pour produire son effet. J'ai simplement souri et je l'ai embrassée. J'espère que Martha Monkland a pu me voir de la fenêtre de la cuisine.

Je peux contempler Summerside de la fenêtre gauche de

la tour. Actuellement, il y a un petit groupe de toits d'un blanc amical... finalement amical depuis que les Pringle sont mes amis. Çà et là une lumière brille dans un pignon ou une lucarne. Çà et là monte un semblant de fumée gris fantôme. De denses étoiles brillent, très basses, sur tout cela. C'est un «village qui rêve». Quelle expression charmante, n'est-ce pas? Tu te rappelles... «Galahad allait par les villages rêvant».

Je me sens si heureuse, Gilbert. Je ne retournerai pas à Green Gables à Noël vaincue et déshonorée. La vie est bonne... si bonne!

Tout comme le quatre-quarts de Mlle Sarah. Rebecca Dew en a fait un et l'a fait «transpirer» selon les directives... ce qui veut simplement dire qu'elle l'a enveloppé dans plusieurs couches de papier d'emballage et plusieurs autres de serviettes et l'a laissé pendant trois jours. Je peux le recommander.

(«Recommander» s'écrit-il avec un ou deux «c»? Malgré ma licence en lettres, je n'en suis jamais sûre. Imagine que les Pringle l'aient découvert avant que je trouve le journal de bord d'Andy!)

# 9

Trix Taylor était blottie dans la tour un soir de février, tandis que de petites rafales de neige sifflaient aux fenêtres et que ce poêle absurdement minuscule ronronnait comme un chat noir chauffé à blanc. Trix était en train de faire à Anne le récit de ses malheurs. Cette dernière commençait à être bombardée de confidences venant de toutes parts. Sachant qu'elle était fiancée, aucune des jeunes filles de Summerside ne craignait de la voir devenir une rivale, et quelque chose en elle faisait qu'on sentait pouvoir lui confier ses secrets en toute sécurité.

Trix était venue inviter Anne à souper pour le lendemain soir. C'était une petite créature pimpante et rondelette, aux yeux bruns pétillants et aux joues roses, et la vie ne semblait pas peser trop lourdement sur ses vingt ans. Il apparut pourtant qu'elle avait ses propres ennuis.

«M. Lennox Carter vient dîner demain soir. C'est pourquoi je tiens particulièrement à votre présence. Comme c'est le nouveau directeur du département des Langues modernes et qu'il est épouvantablement intelligent, nous voulons quelqu'un doté d'une cervelle pour lui faire la conversation. Vous savez que je ne peux pas me vanter d'en avoir beaucoup, et Pringle non plus. Quant à Esme… ma foi, vous savez, Anne, Esme est l'être le plus adorable et elle est réellement brillante, mais elle est si timide et réservée qu'elle ne peut même pas se servir de sa tête quand M. Carter se trouve dans les parages. Elle est si terriblement amoureuse de lui. Cela fait pitié à voir. Moi, j'aime beaucoup Johnny... mais avant que je me liquéfie comme cela pour lui!»

«Esme et M. Carter sont-ils fiancés?»

«Pas encore... de façon claire. Mais, oh! Anne, elle espère qu'il lui fera sa déclaration cette fois-ci. Viendrait-il jusqu'à l'Île visiter sa cousine en plein milieu du semestre s'il n'en avait pas l'intention? J'espère pour Esme qu'il le fera, parce que sinon elle ne survivra pas. Mais entre vous, moi et le poteau, ce n'est pas pour moi le beau-frère idéal. D'après Esme, il est horriblement difficile, et elle a désespérément peur qu'il ne *nous* approuve pas. Si c'est le cas, elle croit que jamais il ne la demandera en mariage. Vous pouvez donc imaginer combien elle espère que tout se passera bien au souper demain soir. Je ne vois pas pourquoi cela se passerait mal... maman est la plus extraordinaire des cuisinières... nous avons une bonne servante et j'ai sacrifié à Pringle la moitié de mon allocation de la semaine pour qu'il se conduise bien. Évidemment, M. Carter ne lui plaît pas à lui non plus... il dit qu'il a la tête enflée... mais il aime Esme. Si seulement papa pouvait ne pas bouder.»

«Avez-vous quelque raison de le craindre?» Tout le monde à Summerside connaissait les crises de bouderie de Cyrus Taylor.

«On ne sait jamais quand cela va lui prendre, expliqua tristement Trix. Il était affreusement de mauvaise humeur ce soir parce qu'il ne trouvait pas sa chemise de nuit de flanelle. Esme l'avait rangée dans le mauvais tiroir. Il en sera peut-être revenu demain soir, mais peut-être aussi que non. S'il boude encore, il nous couvrira tous de honte et M. Carter conclura qu'il ne peut prendre femme dans une telle famille. C'est du moins ce que dit Esme et j'ai bien peur qu'elle soit dans le vrai. À mon avis, Anne, Lennox est très épris d'Esme... il pense qu'elle lui fera une "épouse très convenable"... mais il ne veut pas faire les choses à la hâte ou gâcher sa si précieuse existence. On m'a rapporté qu'il avait confié à son cousin qu'un homme ne saurait être trop prudent sur le choix de la famille dans laquelle il se marie. Il en est au point où il suffirait d'une bagatelle pour faire pencher la balance d'un côté ou de l'autre. Et, si c'est le cas, une bouderie de papa est loin d'être une bagatelle.»

«Il n'aime pas M. Carter?»

«Oh! il l'aime bien. Il pense qu'il conviendrait parfaitement à Esme. Mais quand papa fait une de ses crises, *rien* ne peut l'influencer pendant qu'elle dure. C'est son côté Pringle, Anne. Grand-mère Taylor était une Pringle, vous savez. Vous n'avez aucune idée de ce que notre famille a enduré. Il ne se met jamais en colère, vous savez... comme oncle George. Les colères d'oncle George ne dérangent pas sa famille. Lorsqu'il éclate... on peut l'entendre rugir à trois rues de là... après quoi il devient doux comme un agneau et offre une robe neuve à tout le monde pour faire la paix. Mais papa se contente de bouder et de lancer des regards mauvais, et il n'adresse la parole à *personne* aux repas. Esme dit que tout compte fait, c'est mieux que le cousin Richard Taylor qui n'arrête pas de tenir des propos sarcastiques et d'insulter sa femme à table; pour ma part, il me semble que rien n'est pire que les affreux silences de papa. Cela nous démonte complètement et nous sommes trop terrifiés pour ouvrir la bouche. Ce serait évidemment moins pire si cela se produisait seulement quand nous sommes en famille. Mais cela peut tout aussi bien arriver quand nous avons de la visite. Esme et moi en avons tout simplement assez d'essayer d'expliquer au monde les injurieux silences de papa. Elle est épouvantée à l'idée qu'il ne sera pas revenu de l'histoire de la chemise de nuit demain soir... et que pensera Lennox, alors? Et elle voudrait que vous portiez votre robe bleue. Sa robe neuve est bleue, parce que Lennox aime cette couleur. Mais papa la déteste. Le fait que vous portiez une robe bleue le réconciliera peut-être avec la sienne.»

«Elle ferait peut-être mieux de porter autre chose, vous ne croyez pas?»

«Elle n'a rien d'autre à se mettre sur le dos qui convienne pour une réception, sauf la robe de popeline verte que papa lui a offerte à Noël. La robe en elle-même est jolie... papa aime que nous portions de jolies robes... mais on ne peut rien imaginer de plus affreux qu'Esme en vert. Pringle dit qu'elle a l'air en phase terminale de tuberculose. Et le cousin de Lennox Carter a dit à Esme que jamais il n'épouserait une personne de constitution délicate. Une chance pour moi que Johnny ne soit pas aussi "difficile".»

«Avez-vous réussi à parler à votre père de vos fréquentations avec Johnny?» demanda Anne, qui était au courant de l'histoire d'amour de Trix.

«Non, grommela la pauvre Trix. Je ne peux rassembler assez de courage, Anne. Je sais qu'il fera une scène épouvantable. Papa a toujours méprisé Johnny parce qu'il est pauvre. Il oublie qu'il était encore plus démuni que Johnny quand il a ouvert sa quincaillerie. Il devra évidemment l'apprendre tôt ou tard... mais je préfère attendre que l'histoire d'Esme soit réglée. Je sais que papa n'adressera la parole à *personne* d'entre nous pendant des semaines quand il sera au courant et maman sera si troublée... elle ne peut supporter les bouderies de papa. Nous sommes si lâches devant lui. Évidemment, maman et Esme sont naturellement timides avec tout le monde, alors que Pringle et moi avons beaucoup de tempérament. Seul papa parvient à nous faire peur. Il m'arrive de penser que si nous avions quelqu'un pour nous appuyer... mais il n'y a personne et nous sommes tout simplement paralysés. Vous ne pouvez vous figurer, ma chère Anne, à quoi ressemble une réception chez nous quand papa boude. Mais s'il se comporte bien demain soir, je lui pardonnerai tout le reste. Il est *capable* de se montrer très agréable quand il le veut bien... il est tout à fait comme la petite fille de Longfellow... "quand il est bon, il est très, très bon et quand il est méchant, il est horrible". Je l'ai déjà vu être l'âme d'une fête.»

«Il était très gentil le soir où j'ai mangé avec vous le mois dernier.»

«Oh! il vous aime beaucoup, comme je vous l'ai dit. C'est une des raisons pour lesquelles nous tenons tant à votre présence. Cela exercera peut-être une bonne influence sur lui. Nous ne négligeons *rien* de ce qui pourrait lui faire plaisir. Mais quand il est d'une humeur réellement boudeuse, on dirait qu'il déteste tout et tout le monde. En tout cas, nous avons prévu un repas époustouflant avec, pour dessert, une élégante crème à l'orange. Maman penchait en faveur d'une tarte parce qu'elle dit que tous les hommes au monde, sauf papa, préfèrent la tarte pour dessert... même les professeurs de langues modernes. Mais comme papa n'aime pas ça, il vaut mieux ne pas prendre de risque demain soir, surtout quand tout dépend de cela. La crème à l'orange est le dessert favori de papa. En ce qui nous concerne, le pauvre Johnny et moi, je présume que je devrai m'enfuir avec lui un jour et papa ne me le pardonnera jamais.»

«Je crois que si vous trouvez assez de cran pour lui dire les choses en face et endurer la bouderie qui suivra, il finira par se faire à l'idée et vous vous serez épargné des mois d'angoisse.»

«Vous ne connaissez pas papa.»

«Je le connais peut-être mieux que vous. Vous avez perdu votre perspective.»

«Perdu ma... quoi? Ma chère Anne, souvenez-vous que je n'ai pas de licence. Je n'ai que terminé mes études secondaires. J'aurais adoré aller à l'université, mais papa ne croit pas qu'une femme doit être trop instruite.»

«Je voulais simplement dire que vous étiez trop proche de lui pour le comprendre. Un étranger peut le voir bien plus clairement... le comprendre mieux.»

«Tout ce que je comprends, c'est que rien ne peut inciter papa à parler s'il s'est mis dans la tête de ne pas le faire... absolument rien. Il en fait une question de fierté.»

«Alors pourquoi ne continuez-vous pas la conversation comme si de rien n'était?»

«Nous ne le pouvons pas... je vous ai dit qu'il nous paralysait. Vous vous en rendrez compte par vous-même demain soir s'il n'est pas revenu de l'histoire de la chemise de nuit. Je ne sais pas comment il s'y prend, mais c'est comme ça. Je ne crois pas que cela nous troublerait autant qu'il soit grincheux si seulement il ouvrait la bouche. C'est le silence qui nous bouleverse. Je ne le pardonnerai jamais à papa s'il se conduit mal demain soir quand toute l'affaire est en jeu.»

«Espérons pour le mieux, ma chère.»

«J'essaie. Et je sais que votre présence sera utile. Maman pensait que nous aurions pu inviter également Katherine Brooke, mais je savais que cela n'aurait pas un bon effet sur papa. Je dois dire que je ne l'en blâme pas. Je ne suis moi-même pas très portée vers elle. Je ne comprends pas comment vous pouvez vous montrer si gentille avec elle.»

«Je la plains, Trix.»

«Vous la plaignez! Mais c'est entièrement de sa faute si elle n'est pas aimée. Oh! ma foi, cela prend toute sorte de monde pour faire un monde... mais Summerside pourrait se passer de Katherine Brooke... cette vieille chatte lugubre!»

«C'est un excellent professeur, Trix.»

«Oh! ça, je suis payée pour le savoir! J'étais dans sa classe. Elle me faisait entrer les choses dans la tête à coups de marteau... et m'écorchait vive avec ses sarcasmes. Et la façon dont elle s'habille! Papa ne peut supporter de voir une femme mal fagotée. Il dit qu'il n'a que faire des filles mal attifées et qu'il est certain que Dieu non plus. Maman serait horrifiée si elle savait que je vous ai répété cela, Anne. Elle l'excuse dans le cas de papa parce que c'est un homme. Si nous n'avions que cela à lui reprocher! Et le pauvre Johnny qui ose à peine venir à la maison maintenant parce que papa le traite si durement. Je me faufile dehors le soir quand il fait beau et nous faisons et refaisons le tour du parc jusqu'à être à moitié gelés.»

Anne poussa ce qui ressemblait à un soupir de soulagement après le départ de Trix, et elle se glissa en bas pour soutirer une collation à Rebecca Dew.

«Comme ça, vous allez souper chez les Taylor? Eh bien! j'espère que le vieux Cyrus se conduira comme il faut. Si sa famille n'avait pas si peur de lui quand il boude, il ne se permettrait pas de le faire aussi souvent, vous pouvez me croire.

Je vous le dis, M^lle^ Shirley, il se complaît dans ses bouderies. Et à présent, je suppose que je dois réchauffer le lait de Ce Chat. Espèce d'animal gâté pourri!»

# 10

Quand Anne arriva à la maison de Cyrus Taylor le lendemain soir, elle sentit dès qu'elle eut passé la porte que l'atmosphère était glaciale. Une bonne tirée à quatre épingles la fit monter à la chambre des invités mais, en gravissant l'escalier, Anne aperçut M^me^ Cyrus qui traversait précipitamment de la salle à manger à la cuisine et M^me^ Cyrus était en train d'essuyer des larmes sur son visage pâle, usé par les soucis mais pourtant toujours charmant. Il était on ne peut plus clair que Cyrus n'était pas encore «revenu» de l'histoire de la chemise de nuit.

Ce qui lui fut confirmé par une Trix désemparée qui se faufila dans la chambre en lui chuchotant nerveusement:

«Oh! Anne, il est d'une humeur massacrante. Il paraissait plutôt aimable ce matin, ce qui nous donnait de l'espoir. Mais Hugh Pringle l'a battu à une partie de dames cet après-midi et papa ne peut tolérer de perdre une partie de dames. Et, bien entendu, il fallait que cela arrive aujourd'hui! Il a trouvé Esme en train de «s'admirer dans le miroir», selon ses termes, alors il l'a sortie de la chambre et a fermé la porte à clef. La pauvre chérie se demandait seulement si elle était assez bien pour plaire à Lennox Carter, Ph. D. Elle n'a même pas eu la possibilité de mettre son rang de perles. Et regardez-moi. Je n'ai pas osé friser mes cheveux... papa n'aime pas qu'on se frise... et j'ai l'air d'un épouvantail. Ce n'est pas que cela me dérange... mais c'est seulement pour vous montrer.

Papa a jeté les fleurs que maman avait mises sur la table de la salle à manger et cela la chagrine tellement... elle y avait mis tant de soin... et il ne l'a pas laissée porter ses boucles d'oreilles de grenat. Il n'avait pas été d'une telle humeur depuis qu'en revenant de l'ouest au printemps dernier il avait vu que maman avait mis des rideaux rouges dans le boudoir alors qu'il les préférait de couleur mûre. Oh! je vous en prie, Anne, parlez aussi fort que vous le pourrez à la table, s'il boude. Sinon, ce sera *trop* affreux.»

«Je ferai de mon mieux», promit Anne, qui n'avait jamais manqué de sujets de conversation. Mais c'était la première fois qu'elle était obligée de faire face à une situation de ce genre.

Tout le monde était rassemblé autour de la table... une table très joliment apprêtée malgré l'absence de fleurs. La timide Mme Cyrus, dans une robe de soie grise, arborait un visage plus gris encore que sa robe. Esme, la beauté de la famille... une beauté très pâle, aux cheveux d'or pâle, aux lèvres d'un rose pâle, aux yeux d'un bleu myosotis pâle... était tellement plus pâle que d'habitude qu'elle donnait l'impression d'être au bord de l'évanouissement. Pringle, un garnement de quatorze ans habituellement grassouillet et jovial, aux yeux ronds derrière ses lunettes et aux cheveux si blonds qu'ils paraissaient presque blancs, avait l'air d'un chien attaché alors que Trix faisait penser à une écolière terrifiée.

M. Carter, qui était indéniablement un bel homme à l'allure distinguée avec sa chevelure noire et lustrée, ses yeux sombres et intelligents et ses lunettes à monture métallique, mais qu'Anne avait considéré comme un jeune raseur passablement pompeux lorsqu'il était assistant professeur à Redmond, avait l'air mal à son aise. Il sentait évidemment que quelque chose ne tournait pas rond quelque part... une conclusion raisonnable lorsque votre hôte ne fait que se diriger avec raideur au bout de la table et se laisse tomber sur sa chaise sans prononcer une parole.

Cyrus ne voulut pas réciter le bénédicité. Mme Cyrus, virant au rouge betterave, murmura presque inaudiblement

«Rendons grâces à Dieu pour le repas que nous allons prendre». Le repas débuta mal, la nerveuse Esme ayant échappé sa fourchette sur le sol. Tout le monde, à l'exception de Cyrus, sursauta, car tout le monde avait les nerfs à fleur de peau. Cyrus dévisagea Esme de ses yeux bleus exorbités, avec une sorte de rage impassible. Puis il dévisagea tout le monde, d'un regard qui les glaça jusqu'à leur faire perdre l'usage de la parole. Il dévisagea la pauvre Mme Cyrus lorsqu'elle se servit une portion de sauce au raifort, d'un regard qui lui rappela son estomac fragile. Elle n'arriva plus à en avaler une bouchée après cela... elle qui en raffolait. Non qu'elle croyait que cela lui ferait du mal. Mais simplement parce qu'elle ne pouvait plus rien manger, et Esme non plus. Elles se contentèrent de faire semblant. Le repas se déroula dans un silence effrayant, entrecoupé par les propos spasmodiques sur le temps que tenaient Trix et Anne. Trix, des yeux, implorait Anne de parler, mais pour la première fois de sa vie, Anne ne trouvait absolument rien à dire. Elle sentait désespérément qu'elle *devait* parler, mais seulement les choses les plus idiotes lui passaient par la tête... des choses impossibles à proférer à voix haute. Tout le monde était-il donc ensorcelé? C'était curieux, l'effet qu'un homme boudeur et entêté pouvait avoir sur vous. Anne n'aurait jamais cru cela possible. Et il était indubitable qu'il était réellement heureux de constater qu'il avait rendu tous ses convives mal à l'aise. Qu'est-ce qui pouvait bien se passer dans sa tête? Bondirait-il si quelqu'un lui plantait une épingle dans la peau? Anne avait envie de le gifler... de lui taper sur les doigts... de l'envoyer au coin... de le traiter comme l'enfant gâté qu'il était en réalité, malgré ses cheveux poivre et sel et sa moustache truculente.

Par-dessus tout, elle voulait qu'il *parle*. Elle sentit instinctivement que rien au monde ne pourrait le punir autant que d'être amené à parler quand il était déterminé à ne pas le faire.

En supposant qu'elle se lève et lance délibérément sur le sol cet énorme et hideux vase antique posé sur la table de coin... un ornement couvert de guirlandes de roses et de feuilles qui était on ne peut plus difficile à épousseter, mais devait être toujours impeccable. Anne savait que toute la famille le détestait, mais Cyrus Taylor ne voulait pas entendre parler de le reléguer au grenier parce qu'il avait appartenu à sa mère. Anne songea qu'elle n'aurait pas peur de le faire si elle était certaine que cela ferait éclater Cyrus dans une colère vocale.

Pourquoi Lennox Carter ne parlait-il pas? S'il le faisait, Anne pourrait, elle aussi, parler et peut-être que Trix et Pringle réussiraient à conjurer le sortilège qui les retenait et qu'une sorte de conversation deviendrait possible. Mais il restait là à manger. Il croyait sans doute qu'il n'y avait rien de mieux à faire… ou peut-être avait-il peur de dire quelque chose qui ne ferait qu'enrager davantage le parent de sa dame, lequel, de façon évidente, l'était déjà.

«Auriez-vous l'obligeance de faire passer les marinades, M^lle^ Shirley?» demanda faiblement M^me^ Taylor.

Anne sentit quelque chose de malin remuer en elle. Elle fit passer les marinades… et autre chose. Sans se permettre d'arrêter pour penser, elle se pencha en avant, ses grands yeux gris vert scintillant limpidement, et dit doucement :

«Vous seriez peut-être surpris d'apprendre, M. Carter, que M. Taylor est soudainement devenu sourd la semaine dernière.»

Ayant lancé sa bombe, Anne se redressa. Elle ne savait pas exactement ce qu'elle attendait ou espérait. Si M. Taylor avait l'impression que son hôte était sourd plutôt que dans une colère noire et muette, cela lui délierait peut-être la langue. Elle n'avait *pas* dit un mensonge… elle n'avait *pas* dit que Cyrus *était* sourd. Quant à Cyrus Taylor, si elle avait espéré le faire parler, elle avait échoué. Il la regarda à peine, toujours aphone.

Mais la remarque d'Anne produisit sur Trix et Pringle un effet inespéré. Trix était elle-même dans un état de rage silencieuse. Elle avait vu, juste avant qu'Anne ne lançât sa question rhétorique, Esme essuyer furtivement une larme qui s'était échappée d'un de ses yeux bleus désespérés. Il n'y avait plus aucun espoir… maintenant jamais Lennox ne demanderait Esme en mariage... ce qu'on pouvait dire ou faire n'avait plus dès lors aucune importance.

Trix fut soudain possédée du désir brûlant de régler ses comptes avec son brutal père. Les paroles prononcées par Anne lui donnèrent une inspiration saugrenue et Pringle, ce volcan de malice refoulée, cligna ses cils blancs, un instant ahuri, puis suivit rapidement son exemple. Jamais, aussi longtemps qu'ils vivraient, Anne, Esme ou Mme Cyrus n'oublieraient l'épouvantable quart d'heure qui suivit.

«C'est tellement triste pour ce pauvre papa», commença Trix en s'adressant à M. Carter à travers la table. «Dire qu'il n'a que soixante-huit ans.»

Deux petites bosses blanches apparurent aux coins des narines de Cyrus Taylor lorsqu'il entendit qu'on lui donnait six ans de plus que son âge. Mais il demeura silencieux.

«C'est une telle gâterie d'avoir un repas décent», poursuivit Pringle d'une voix claire et distincte. «Qu'est-ce que vous penseriez, M. Carter, d'un homme qui ne ferait manger à sa famille que des oeufs et des fruits... rien d'autre... juste parce que c'est sa marotte?»

«Est-ce que votre père...?» s'écria M. Carter, stupéfait.

«Et que penseriez-vous d'un mari qui mordrait sa femme quand elle pose des rideaux qui ne lui plaisent pas... qui la mordrait délibérément?»

«Qui la mordrait jusqu'au sang», ajouta Pringle d'un ton solennel.

«Voulez-vous dire que votre père...?»

«Que penseriez-vous d'un homme qui lacérerait une robe de soie de sa femme seulement parce que la coupe ne lui convient pas?» reprit Trix.

«Et que penseriez-vous, demanda Pringle, d'un homme qui refuserait que sa femme ait un chien?»

«Quand elle aimerait tant en avoir un», soupira Trix.

«Que penseriez-vous d'un homme, continua Pringle qui commençait à s'amuser follement, qui n'offrirait à sa femme qu'une paire de galoches à Noël... rien d'autre qu'une paire de galoches?»

«On ne peut dire que des galoches soient un présent qui réchauffe le cœur», admit M. Carter. Son regard rencontra celui d'Anne et il sourit. Anne songea que c'était la première fois qu'elle le voyait sourire. Et cela transformait merveilleusement son visage. Qu'est-ce que Trix disait? Qui aurait cru qu'elle pouvait être un tel démon?

«Vous êtes-vous déjà demandé, M. Carter, comme cela doit être terrible de vivre avec un homme capable de prendre le rôti, s'il n'est cuit à la perfection, et de le jeter à la tête de la bonne?»

M. Carter jeta un regard plein d'appréhension vers Cyrus Carter, comme s'il craignait que celui-ci ne lance les carcasses de poulet à la tête de quelqu'un. Puis il parut réconforté en se rappelant que son hôte était sourd.

«Que penseriez-vous d'un homme qui croit que la terre est plate?» demanda Pringle.

Anne pensa que Cyrus *dirait* quelque chose maintenant. Un tremblement sembla passer sur sa figure rubiconde, mais aucun son ne sortit de sa bouche. Pourtant, elle était sûre que ses moustaches avaient perdu de leur arrogance.

«Que penseriez-vous d'un homme qui laisserait sa tante... son unique tante... aller à l'hospice?» demanda Trix.

«Et qui ferait paître sa vache dans le cimetière? poursuivit Pringle. Tout Summerside n'en est pas encore revenu.»

«Que penseriez-vous d'un homme qui écrirait chaque jour ce qu'il a mangé au souper dans son journal intime?» demanda Trix.

«Le grand Pepys[1] faisait cela aussi», dit M. Carter. Son ton indiquait qu'il avait envie de rire. Il n'était peut-être pas si pompeux, après tout, songea Anne... seulement jeune, timide et trop sérieux. Mais elle se sentait absolument atterrée. Elle n'avait jamais voulu que les choses aillent aussi loin. Elle était en train de découvrir qu'il est beaucoup plus facile de commencer quelque chose que d'y mettre fin. Trix et Pringle

1. Samuel Pepys (1633-1703), écrivain anglais, auteur d'un *Journal* d'une franchise déconcertante.

faisaient preuve d'une intelligence diabolique. Ils n'avaient pas dit que leur père avait fait une seule de ces choses. Anne pouvait imaginer Pringle affirmer, ses yeux ronds que sa prétendue innocence rendrait encore plus ronds: «J'ai seulement posé ces questions à M. Pringle à titre de *renseignements*.»

«Que penseriez-vous, reprit Trix, d'un homme qui ouvrirait et lirait les lettres de sa femme?»

«Que penseriez-vous d'un homme qui se rendrait à un enterrement... l'enterrement de son propre père... en salopettes?» interrogea Pringle.

Qu'est-ce qui pourrait bien suivre? Mme Cyrus ne retenait plus ses larmes et Esme restait calme malgré son désespoir. Rien n'avait plus d'importance. Elle se tourna et regarda dans les yeux M. Carter, qu'elle venait de perdre pour toujours. Piquée au vif, elle allait émettre, pour la première fois de sa vie, une remarque réellement intelligente.

«Qu'est-ce que vous penseriez, demanda-t-elle posément, d'un homme qui passerait une journée entière à chercher les petits d'une pauvre chatte qui a été abattue, parce que l'idée qu'ils meurent de faim lui serait intolérable?»

Un silence étrange envahit la pièce. Trix et Pringle parurent tout à coup honteux de leur conduite. Mme Cyrus se fit ensuite entendre, sentant qu'il était de son devoir d'épouse d'appuyer ce témoignage que, de façon tout à fait imprévue, Esme venait d'apporter à la défense de son père.

«Et il peut tricoter si joliment au crochet... il a fait le plus ravissant centre pour la table du salon lorsqu'il a souffert de lumbago l'hiver dernier.»

Tout le monde a son seuil de tolérance et Cyrus Taylor venait d'atteindre le sien. Il repoussa si violemment sa chaise en arrière qu'elle glissa instantanément sur le parquet ciré et frappa la table sur laquelle le vase était posé. La table se renversa et le vase se brisa en ces traditionnelles mille miettes. Cyrus, ses sourcils blancs en broussailles pratiquement hérissés de colère, se leva et explosa enfin.

«Je ne fais pas de crochet, sa mère! Est-ce qu'un misérable napperon doit ruiner à jamais la réputation d'un homme? J'étais si mal en point avec ce satané lumbago que je ne savais plus ce que je faisais. Alors, comme ça, je suis sourd, M^lle^ Shirley, je suis sourd?»

«Elle n'a pas dit que vous l'étiez, papa», s'écria Trix, qui ne craignait jamais son père quand ses colères était vocales.

«Oh! non, elle ne l'a pas dit. Personne d'entre vous n'a rien dit. *Toi*, tu n'as pas dit que j'avais soixante-huit ans quand je n'en ai que soixante-deux, n'est-ce pas? *Tu* n'as pas dit que je refusais un chien à ta mère! Bon Dieu, maman, tu peux avoir quarante chiens si tu le désires et tu le sais! Quand t'ai-je jamais refusé quelque chose... quand?»

«Jamais, papa, jamais, fit Mme Cyrus d'une voix entrecoupée de sanglots. Et je n'ai jamais voulu de chien. Je n'ai même jamais *pensé* à vouloir un chien, papa.»

«Et quand ai-je ouvert ton courrier? Quand ai-je tenu mon journal? Un journal! Quand ai-je porté des salopettes aux funérailles de quelqu'un? Quand ai-je fait paître ma vache dans le cimetière? Laquelle de mes tantes est à l'hospice? Ai-je jamais lancé un rôti à la tête de qui que ce soit? Est-ce que je vous ai déjà nourri de fruits et d'œufs?»

«Jamais, papa, jamais, pleura Mme Cyrus, tu t'es toujours montré généreux... le plus généreux.»

«N'est-ce pas toi qui m'as demandé des galoches pour Noël?»

«Oh! oui, c'est vrai que je t'en ai demandé, papa. Et j'ai eu les pieds au chaud tout l'hiver.»

«Eh bien! alors!» Cyrus jeta un regard triomphant sur l'assemblée. Ses yeux croisèrent ceux d'Anne. Et tout à coup, l'imprévisible se produisit. Cyrus gloussa. Ses joues se creusèrent de fossettes. Ces fossettes opérèrent un miracle dans toute son expression. Il ramena sa chaise à la table et s'assit.

«J'ai la très mauvaise habitude de bouder, M. Carter. Tout le monde a une mauvaise habitude... et c'est la mienne. La seule. Allez, allez, maman, cesse de pleurer. J'admets avoir mérité tout ce qu'on m'a servi, sauf ta vacherie sur le crochet. Esme, ma fille, je n'oublierai jamais que tu es la seule à avoir pris ma défense. Dis à Maggie de venir ramasser les dégâts… je sais que vous êtes tous bien contents que ce satané truc soit brisé… et d'apporter le pouding.»

Anne n'aurait jamais cru qu'une soirée commençant si mal pouvait se terminer si agréablement. Personne n'aurait pu se montrer plus spirituel et de meilleure compagnie que Cyrus; et ce règlement de comptes n'eut, de façon évidente, aucun après-coup, car lorsque Trix vint lui rendre visite quelques soirs plus tard, ce fut pour annoncer à Anne qu'elle avait enfin rassemblé assez de courage pour parler à son père de Johnny.

«A-t-il été très en colère, Trix?»

«Il… il n'était pas fâché du tout, admit humblement Trix. Il a seulement déclaré en grognant qu'il était à peu près temps que Johnny se déclare après avoir rôdé autour de moi pendant deux ans et avoir éloigné tous les autres. Je pense qu'il sentait qu'il ne pouvait pas faire une autre crise de bouderie si tôt après celle-ci. Et vous savez, Anne, entre ses crises, papa est un vieux chou.»

«À mon avis, il est un père bien meilleur que vous le méritez, dit Anne parlant comme Rebecca Dew. Vous avez été tout simplement outrageante à ce souper, Trix.»

«Ma foi, vous savez que c'est vous qui avez commencé, rétorqua Trix. Et ce bon vieux Pringle a un peu aidé. Tout est bien qui finit bien… et Dieu merci, je n'aurai plus jamais à épousseter ce vase.»

# 11

(*Extrait d'une lettre à Gilbert deux semaines plus tard.*)

Les fiançailles d'Esme Taylor avec Lennox Carter sont annoncées. D'après les potins locaux que j'ai pu rassembler, je pense que ce vendredi soir fatal, il a pris la décision de la protéger et de la sauver de son père, de sa famille… et peut-être de ses amis. La situation critique dans laquelle elle se trouvait a dû éveiller son sens de la chevalerie. Trix persiste à croire que la question a été réglée grâce à mon intervention et c'est peut-être vrai que j'y ai pris part, mais je ne pense pas tenter une nouvelle fois l'expérience. Cela ressemble trop à attraper une comète par la queue.

Je ne sais vraiment pas ce qui m'a pris, Gilbert. Ce doit être un reliquat de mon ancienne horreur de tout ce qui avait une saveur Pringle. Cela semble vraiment loin à présent. Je l'ai presque oubliée. Mais les autres s'interrogent. J'ai entendu M^lle^ Valentine Courtaloe dire qu'elle n'était pas le moins du monde surprise que je l'aie remporté sur les Pringle, car j'ai «une telle façon de faire»; et l'épouse du pasteur pense que c'est en réponse à sa prière. Ma foi, qui peut savoir à quoi c'est dû?

Jen Pringle et moi avons fait ensemble une partie du chemin au retour de l'école en bavardant de choses et d'autres… de presque tout à l'exception de la géométrie. Nous évitons ce sujet. Jen sait que je ne m'y connais pas beaucoup en géométrie, mais le tout petit peu que je sais sur le Capitaine Myrom compense. Je lui ai prêté mon *Livre des Martyrs* de Foxe. Je déteste prêter un livre que *j'aime*... il me semble qu'il n'est jamais le même quand il me revient... et j'aime celui-ci seulement parce que c'est cette chère Mme Allan qui me l'a donné en prix de catéchisme il y a des années. Je n'aime pas lire sur les martyrs; je me sens alors mesquine et j'ai honte... honte d'admettre que je déteste sortir du lit quand il fait froid le matin et qu'une visite chez le dentiste m'épouvante!

Eh bien! je suis ravie que Trix et Esme soient heureuses. Depuis que ma propre petite histoire d'amour fleurit, je porte un immense intérêt à celles des autres. Un *bel* intérêt, tu sais. Ni curieux ni malicieux, mais seulement content que tant de bonheur soit répandu.

C'est encore février et «sur le toit du couvent, les neiges scintillent à la lune»... sauf que ce n'est pas un couvent... seulement le toit de la ferme de M. Hamilton. Pourtant, Gilbert, je commence à penser qu'il ne reste plus que quelques semaines avant le printemps... puis quelques autres avant l'été... et les vacances... et Green Gables... le soleil doré sur les prés d'Avonlea... et un golfe qui sera argenté à l'aube, bleu saphir à midi et cramoisi au coucher du soleil... et *toi*.

Petite Elizabeth et moi n'arrêtons pas de faire des projets pour le printemps. Nous nous entendons si bien. Je lui apporte son lait chaque soir et à l'occasion, trop rarement, elle est autorisée à venir se promener avec moi. Nous avons découvert que nos anniversaires tombaient le même jour et Elizabeth a piqué un fard du «rose le plus divin». Elle est si mignonne lorsqu'elle rougit. Elle est d'ordinaire beaucoup trop pâle et le lait frais ne lui donne pas plus de couleurs. Ce n'est que lorsque nous revenons de nos rendez-vous galants avec les vents du soir que ses petites joues ont pris une jolie teinte rose. Une fois, elle m'a demandé d'un ton grave: «Quand je serai grande, est-ce que j'aurai un beau teint crème comme vous, Mlle Shirley, si je mets du lait de beurre dans mon visage tous les soirs?» Le babeurre semble être le cosmétique de prédilection dans le Chemin du Revenant. J'ai découvert que Rebecca Dew en utilise, elle aussi. Elle m'a fait promettre de n'en rien dire aux veuves parce qu'elles penseraient que c'est trop frivole pour une femme de son âge. La quantité de secrets que je dois garder au Domaine des Peupliers me fera vieillir prématurément. Je me demande si mes sept taches de rousseur disparaîtraient si je couvrais mon nez de lait de beurre. À propos, vous étiez-vous déjà aperçu, monsieur, que j'avais un «beau teint de couleur crème»? Si oui, vous ne me l'avez jamais dit. Et vous étiez-vous rendu compte que j'étais «belle en comparaison»? Parce que j'ai découvert que c'était le cas.

«Quel effet cela fait-il d'être belle, Mlle Shirley?» me demanda gravement Rebecca Dew l'autre jour... alors que je portais ma robe de voile couleur biscuit.

«Je me le suis souvent demandé», ai-je répondu.

«Mais vous *êtes* belle», a dit Rebecca Dew.

«Je n'aurais jamais cru que vous pouviez vous montrer sarcastique, Rebecca», ai-je répliqué d'un ton de reproche.

«Je ne voulais pas être sarcastique, M^lle^ Shirley. Vous êtes belle... en comparaison.»

«Oh! En comparaison!» me suis-je écriée.

«Regardez dans le miroir du buffet, a dit Rebecca Dew en pointant du doigt. Comparativement à *moi*, vous l'êtes.»

Ma foi, je l'étais!

Mais je n'avais pas fini de te parler d'Elizabeth. Un soir d'orage, alors que le vent gémissait dans le Chemin du Revenant, comme il nous était impossible de faire une promenade, nous sommes montées à ma chambre et avons dessiné une carte du pays des fées. Assise sur mon coussin bleu en forme de beignet pour être plus élevée, Elizabeth faisait penser à un petit gnome sérieux lorsqu'elle se penchait sur la carte. (En passant, très peu pour moi, l'écriture phonétique! «Gnome» semble beaucoup plus «féerique» que «nome».)

Notre carte n'est pas encore complétée... chaque jour, nous pensons à quelque chose à y ajouter. Hier soir, nous avons placé la maison de la Sorcière des Neiges et dessiné derrière une triple colline entièrement couverte de cerisiers en fleurs. (À propos, je veux des cerisiers près de la maison de nos rêves, Gilbert.) Demain se trouve bien entendu sur la carte… il est situé à l'est d'Aujourd'hui et à l'ouest d'Hier… et nous avons une infinité de «temps» et de «fois» au pays des fées. Printemps, longtemps, temps court, temps de la nouvelle lune, temps de dire bonsoir, prochaine fois… mais pas de dernière fois, parce que c'est trop triste pour le pays des fées; temps ancien, temps jeune… parce que s'il y a un temps ancien, il doit y en avoir un jeune aussi; temps de montagne… parce que c'est une image si fascinante ; temps de la nuit et temps du jour… mais pas de temps d'aller au lit ou à l'école; temps de Noël; mais pas de seule fois, parce que c'est trop triste, ça aussi; mais temps perdu, parce que cela doit être bien de le trouver; quelquefois, bon temps, temps rapide, temps lent, temps d'un baiser et demi, temps de retourner chez soi et temps immémoriaux… l'une des plus belles expressions du monde. Et nous avons placé d'astucieuses petites flèches partout, pointant en direction des différents «temps». Je sais que Rebecca Dew trouve que je suis plutôt enfant. Mais, oh! Gilbert, ne devenons jamais trop vieux et sages… non, jamais trop vieux et *stupides* pour le pays des fées.

J'ai la certitude que Rebecca Dew n'est pas tout à fait sûre que j'exerce une influence bénéfique sur la vie d'Elizabeth. Elle croit que je l'encourage à laisser vagabonder son imagination. Un soir que je n'étais pas là, c'est Rebecca Dew qui lui a apporté son lait et elle l'a trouvée à la barrière, regardant si intensément vers le ciel qu'elle n'a pas entendu venir Rebecca (qui est tout sauf légère).

«J'étais en train d'*écouter*, Rebecca», a-t-elle expliqué.

«Tu écoutes trop», a répliqué Rebecca d'un ton désapprobateur.

Elizabeth a souri, d'un air lointain, austère. (Rebecca n'a pas employé ces termes, mais je sais exactement comment sourit Elizabeth.)

«Vous seriez surprise, Rebecca, si vous saviez ce qu'il m'arrive d'entendre», d'un ton qui a donné la chair de poule à Rebecca Dew… c'est du moins ce qu'elle a affirmé.

Mais Elizabeth a en elle quelque chose de magique, on n'y peut rien.

Ton Annissime Anne

P.S. 1 Jamais au grand jamais je n'oublierai l'expression de Cyrus Taylor quand sa femme l'a accusé de faire du crochet. Mais je l'aimerai toujours pour avoir cherché ces chatons. Et j'aime Esme pour avoir pris la défense de son père quand tout espoir paraissait perdu.

P.S. 2 J'ai mis un nouveau bec à ma plume. Et je t'aime parce que tu n'es pas pompeux comme M. Carter… et je t'aime parce que tu n'as pas les oreilles décollées comme Johnny. Et… la meilleure raison de toutes… je t'aime tout simplement parce que tu es Gilbert.

# 12

Le Domaine des Peupliers,
Chemin du Revenant,
Le 30 mai

Mon bien-aimé et plus aimé encore,

C'est le printemps!

Peut-être que, enfoncé jusqu'aux yeux dans un bain d'examens à Kingsport, tu ne le sais pas encore, toi. Pour ma part, j'en ai pris conscience du sommet de ma tête jusqu'au bout de mes orteils. Même les rues les plus décrépites sont transfigurées par les bras des arbres en fleurs se haussant par-dessus les vieilles clôtures de planches et le ruban de pissenlits dans l'herbe qui borde les trottoirs. La dame de porcelaine sur mon étagère s'en est elle aussi rendu compte et je sais que si seulement je pouvais me réveiller soudainement une nuit, je la surprendrais en train d'esquisser un pas seul dans ses souliers roses à talons dorés.

Tout annonce le printemps pour moi… les petits ruisseaux rieurs, les vapeurs bleutées sur le Roi Tempête, les érables du bosquet quand j'y vais lire tes lettres, les cerisiers blancs le long du Chemin du Revenant, les coquines hirondelles au plumage lustré jouant avec les nerfs de Dusty Miller dans la cour arrière, la vigne si verte qui pend de la demi-porte où la petite Elizabeth vient boire son lait, les sapins se pomponnant avec leurs nouvelles cocottes autour du vieux cimetière... et le vieux cimetière lui-même, où nouveaux boutons et nouvelles feuilles sortent de la variété de fleurs plantées à la tête des tombes, comme pour affirmer que, même dans ce lieu, la vie triomphe de la mort. J'ai fait une promenade vraiment charmante au cimetière l'autre soir. (Je suis sûre que Rebecca Dew trouve mes goûts en matière de promenades épouvantablement morbides. «Je n'arrive pas à comprendre pourquoi vous aimez tant ce lieu désagréable», dit-elle.) J'y ai rôdé dans une lumière verdâtre et embaumée en me demandant si la femme de Nathan Pringle avait réellement tenté de l'empoisonner. Sa tombe avait l'air si innocente avec son gazon neuf et ses lis de juin que j'en ai conclu qu'elle avait été outrageusement calomniée.

Plus qu'un mois et je serai chez nous pour les vacances! Je n'arrête pas de penser au vieux verger de Green Gables dont les arbres sont à présent en pleine floraison... au vieux pont sur le Lac aux Miroirs... à un après-midi d'été dans le Chemin des amoureux... et à *toi*.

Ce soir, j'ai tout à fait le genre de plume qui convient, Gilbert, alors...

(*Deux pages omises*.)

Je suis allée faire un tour chez les dames Gibson ce soir. Il y a quelque temps, Marilla m'avait demandé de leur rendre visite parce qu'elle les avait connues lorsqu'elles vivaient à White Sands. C'est pourquoi je les ai visitées et ai continué à le faire chaque semaine parce que Pauline semble apprécier mes visites et que je la plains. Elle est tout simplement l'esclave de sa mère... qui est une vieille femme redoutable.

M^me^ Adoniram Gibson a quatre-vingts ans et elle passe ses journées dans un fauteuil roulant. La famille est venue s'installer à Summerside il y a quinze ans. Pauline, qui a quarante-cinq ans, est la plus jeune; tous ses frères et sœurs sont mariés et déterminés à ne pas prendre M^me^ Adoniram chez eux. Pauline entretient la maison et se dévoue à sa mère corps et âme. C'est un petit être pâlot, aux yeux de biche et dont la chevelure brun doré est encore lustrée et jolie. Elles sont à l'aise et, si ce n'était pas de sa mère, Pauline pourrait mener une vie très agréable. Elle adore le travail paroissial et serait aux oiseaux si elle pouvait faire partie des Dames Patronnesses et des Sociétés de missions, organiser des soupers paroissiaux et des fêtes de bienvenue pour les nouveaux arrivants, tout en exultant de posséder le plus beau lierre en ville. Mais elle peut à peine s'éloigner de la maison, même pour aller à l'église le dimanche. Je ne peux voir pour elle aucune échappatoire possible, car la vieille Mme Gibson va certainement vivre jusqu'à cent ans. Et si elle n'a pas l'usage de ses jambes, elle n'a absolument aucun problème avec sa langue. Je suis toujours envahie d'un sentiment de rage impuissante quand je la vois faire de Pauline la cible de ses sarcasmes. Et pourtant, Pauline m'a confié que sa mère pense grand bien de moi et se montre beaucoup plus gentille avec elle en ma présence. Si c'est le cas, je frémis à la pensée de ce que cela doit être en mon absence.

Pauline n'ose *rien* faire sans demander la permission à sa mère. Elle ne peut même pas acheter ses propres vêtements... pas même une paire de bas. Tout doit être soumis à l'approbation de sa mère; tout doit être usé jusqu'à la corde. Pauline porte le même chapeau depuis quatre ans.

Mme Gibson ne tolère aucun bruit ni aucun souffle d'air frais dans la maison. On raconte qu'elle n'a jamais souri de sa vie... pour ma part, je ne l'ai jamais surprise à le faire et je me demande parfois ce qui arriverait à son visage si elle souriait. Pauline ne peut même pas avoir sa propre chambre. Elle doit dormir dans la chambre de sa mère et passe presque toute la nuit debout à frotter le dos de Mme Gibson, lui donner une pilule, aller lui chercher une bouillotte... pas tiède, *chaude* !... changer ses oreillers ou aller voir quel est ce bruit mystérieux dans la cour. Mme Gibson fait la sieste l'après-midi et passe ses soirées à inventer des corvées pour Pauline.

Pourtant, rien de cela ne rend Pauline amère. Elle est gentille, désintéressée et patiente et je suis contente qu'elle ait un chien à aimer. La seule chose qu'elle ait jamais pu faire comme bon lui semblait est de garder ce chien... et encore, c'est uniquement parce qu'il y a eu un cambriolage quelque part en ville et que Mme Gibson a pensé que ce serait une protection. Pauline n'ose jamais montrer à sa mère combien elle chérit cet animal. Mme Gibson le déteste et se lamente parce qu'il rapporte des os dans la maison, mais pour des raisons égoïstes, jamais elle ne parle de s'en défaire.

Mais j'ai enfin la chance de donner quelque chose à Pauline et je vais le faire. Je vais lui donner une *journée*, même si, pour cela, je dois renoncer à ma prochaine fin de semaine à Green Gables.

Quand je suis arrivée ce soir, je me suis aperçue que Pauline avait pleuré. Mme Gibson ne m'a pas laissée ignorer longtemps pourquoi.

«Pauline veut s'en aller et me laisser, Mlle Shirley, a-t-elle dit. Quelle fille bonne et reconnaissante j'ai là, n'est-ce pas?»

«Juste une journée, M'man», a protesté Pauline, ravalant un sanglot et essayant de sourire.

«"Juste une journée", dit-elle! Eh bien! *vous*, vous savez à quoi elles ressemblent mes journées, Mlle Shirley... chacun sait à quoi ressemblent mes journées. Mais vous ne savez pas... *encore*... Mlle Shirley, et j'espère que jamais vous ne le saurez, combien une journée est longue lorsqu'on souffre.»

Je savais que Mme Gibson ne souffrait pas, c'est pourquoi je n'ai pas cherché à lui témoigner de la sympathie.

«Je vais trouver quelqu'un pour rester avec toi, M'man», a dit Pauline. «Vous voyez, reprit-elle en s'adressant à moi, ma cousine Louisa va célébrer ses noces d'argent samedi prochain à White Sands et elle m'a invitée. J'étais sa demoiselle d'honneur lorsqu'elle a épousé Maurice Hilton. J'aimerais *tant* y aller si M'man acceptait.»

«Si je dois mourir toute seule, très bien, a tranché Mme Gibson. Je laisse ça à ta conscience, Pauline.»

Je savais que du moment que Mme Gibson s'en remettait à sa conscience, la bataille était perdue pour Pauline. Mme Gibson a fait son chemin dans la vie en s'en remettant à la conscience des gens. On m'a raconté que Pauline avait été demandée en mariage il y a des années, mais que Mme Gibson avait empêché cela en laissant sa conscience décider.

Pauline essuya ses yeux, se forgea un sourire pitoyable et prit la robe qu'elle était en train de confectionner... un hideux tissu écossais vert et noir.

«Ne commence pas à bouder, Pauline, a dit Mme Gibson. Je ne peux supporter les gens qui boudent. Et tâche de poser un collet à cette robe. Pouvez-vous croire, Mlle Shirley, qu'elle voulait réellement se faire une robe sans collet? Cette fille porterait des robes décolletées si je la laissais faire.»

J'ai regardé la pauvre Pauline, avec sa petite gorge délicate... qui est plutôt potelée et jolie, pourtant... engoncée dans un haut collet raide.

«Les robes sans collet deviennent à la mode», ai-je risqué.

«Les robes sans collet, a tranché Mme Gibson, sont indécentes.»

(Remarque : je portais une robe sans collet.)

«Et qui plus est», a poursuivi Mme Gibson comme s'il s'agissait d'une seule et même chose, «je n'ai jamais aimé Maurice Hilton. Sa mère était une Crockett. Il n'a jamais eu le sens des convenances... toujours en train d'embrasser sa femme aux endroits les plus inconvenants!»

(Es-tu sûr de m'embrasser aux endroits convenables, Gilbert? Pour Mme Gibson, la nuque serait, j'en ai peur, plus qu'inconvenante.)

«Mais, M'man, tu sais bien que cela s'est passé le jour où elle a failli être piétinée par le cheval d'Harvey Wither lorsqu'il est parti en peur sur la pelouse de l'église. C'était tout à fait naturel que Maurice se sente un peu énervé.»

«Je te prie de ne pas me contredire, Pauline. Je *persiste* à croire que le perron de l'église est un endroit qui ne convient pas aux embrassades. Mais, bien entendu, plus *personne* ne tient compte de *mes* opinions. Bien entendu, tout le monde aimerait me voir morte. Eh bien! il y aura de la place pour moi dans la tombe. Je sais quel fardeau je suis pour toi. Je ferais aussi bien de disparaître. Personne ne veut de moi.»

«Ne dis pas ça, M'man», la supplia Pauline.

«Je *dirai* ce qui me plaît. Te voilà donc décidée à aller à ces noces d'argent tout en sachant que je ne suis pas d'accord.»

«M'man chérie, je n'y vais pas... je n'ai jamais pensé à y aller sans ton accord. Ne t'énerve pas comme ça...»

«Oh! je ne peux même pas m'énerver un petit peu, juste pour donner un semblant d'animation à ma plate existence? Vous ne partez pas déjà, M^lle^ Shirley?»

Je sentais que si je restais plus longtemps, j'allais soit devenir folle, soit gifler le visage de casse-noix de M^me^ Gibson. J'ai donc expliqué que j'avais des examens à corriger.

«Ma foi, je présume que deux vieilles femmes comme nous ne sont pas une compagnie bien réjouissante pour une jeune fille, soupira M^me^ Gibson. Pauline n'est pas très joyeuse... n'est-ce pas, Pauline? Pas très joyeuse. Cela ne me surprend pas que M^lle^ Shirley ne veuille pas rester plus longtemps.»

Pauline m'accompagna à la porte d'entrée. La lune éclairait son petit jardin et brillait sur le port. Une brise légère et délicieuse bavardait avec un pommier blanc. C'était le printemps... le printemps... le printemps! M^me^ Gibson elle-même ne pouvait empêcher un prunier de fleurir. Et les doux yeux gris-bleu de Pauline étaient pleins de larmes.

«J'aimerais tant aller aux noces d'argent de Louise», fit-elle en poussant une long soupir de désespoir résigné.

«Vous irez», ai-je déclaré.

«Oh! non, ma chère. C'est impossible. Ma pauvre M'man n'y consentira jamais. Il faut que je m'enlève cela de l'esprit. N'est-ce pas que la lune est belle, ce soir?» ajouta-t-elle à voix haute, d'un ton enjoué.

«Contempler la lune n'a jamais rien apporté de bon, à ce que je sache, a glapi M^me^ Gibson du salon. Cesse de jacasser, Pauline, et rentre me chercher mes pantoufles rouges bordées de fourrure. Ces chaussures me blessent terriblement les pieds. Mais personne ne se préoccupe de mes souffrances.»

Je sentais que ses souffrances me laissaient, quant à moi, totalement indifférente. Pauvre chère Pauline. Mais elle aura son jour de congé et ira à ses noces d'argent. C'est moi, Anne Shirley, qui en ai décidé ainsi.

À mon retour à la maison, j'ai tout raconté à Rebecca Dew et aux veuves et nous nous sommes bien amusées à imaginer toutes les choses charmantes que j'aurais pu dire pour insulter Mme Gibson. Si Tante Kate ne croit pas que je réussisse à amener Mme Gibson à donner son autorisation, Rebecca Dew a confiance en moi.

«De toute façon, si vous ne pouvez pas y arriver, personne ne le pourra», a-t-elle conclu.

Je suis récemment allée souper chez Mme Tom Pringle, celle qui avait refusé de me prendre en pension. (Rebecca dit que je suis la meilleure pensionnaire qu'elle ait jamais eue parce que je suis si souvent invitée à manger à l'extérieur.) Je suis très contente que Mme Pringle m'ait refusée. Elle est sympathique et mielleuse et on ne tarit pas d'éloges sur ses tartes, mais sa maison n'est pas le Domaine des Peupliers, et elle n'habite pas dans le Chemin du Revenant, et elle n'est ni Tante Kate, ni Tante Chatty, ni Rebecca Dew. Je les aime toutes les trois, et c'est ici que je compte habiter pour les deux prochaines années. Ma chaise est toujours désignée sous le nom de «Chaise de Mlle Shirley» et Tante Chatty m'a dit que lorsque je ne suis pas là, Rebecca Dew met quand même mon couvert afin que «ma place n'ait pas l'air abandonnée». La sensibilité de Tante Chatty a parfois un peu compliqué les choses, mais elle dit qu'elle me comprend maintenant et sait que je ne la blesserais jamais volontairement.

Petite Elizabeth et moi faisons maintenant deux promenades par semaine. Mme Campbell a donné son accord, mais ce ne doit pas être plus souvent, et *jamais* le dimanche. Les choses vont mieux pour la petite Elizabeth au printemps. Un peu de soleil réussit à pénétrer dans cette vieille demeure mélancolique et de l'extérieur elle est même belle à cause des ombres des arbres dansant sur la façade. Elizabeth aime pourtant s'en évader aussi souvent qu'elle le peut. À l'occasion, nous allons en ville afin qu'Elizabeth puisse regarder les vitrines éclairées des magasins. Mais la plupart du temps, nous allons aussi loin que nous en avons l'audace sur la Route qui mène au Bout du monde, aux aguets et ayant l'impression d'être sur le point de vivre une aventure à chaque tournant, comme si nous allions trouver Demain derrière, tandis que les petites collines vertes nichent gentiment dans le soir lointain. Une des choses qu'Elizabeth fera Demain sera «d'aller à Philadelphie voir l'ange dans l'église». Je ne lui ai pas dit... et je ne lui dirai jamais... que ce n'était pas de Philadelphie en Pennsylvanie dont Saint-John parlait dans ses écrits. Nous perdons bien assez tôt nos illusions. Et de toute façon, si nous *pouvions* pénétrer l'avenir, qui sait sur quoi nous tomberions? Des anges partout, peut-être.

Parfois, nous regardons les bateaux entrer dans le port, poussés par un vent favorable, suivant une chemin miroitant, à travers l'air translucide du printemps, et Elizabeth se demande si son père n'est pas à bord de l'un d'eux. Elle s'accroche à l'espoir qu'il viendra un jour. Je ne peux comprendre pourquoi il ne le fait pas. Je suis sûre qu'il viendrait s'il savait quelle adorable fillette il a ici, et comme elle se languit de lui. Je suppose qu'il n'a jamais réellement pris conscience qu'elle est une grande fille à présent... Je suppose qu'il la voit toujours comme le bébé ayant coûté la vie à sa mère.

J'aurai bientôt terminé ma première année à l'école secondaire de Summerside. Si le premier trimestre a été un cauchemar, les deux derniers ont été très agréables. Les Pringle sont des gens *délicieux*. Comment ai-je pu les comparer aux Pye? Sid Pringle m'a apporté un bouquet de trilles aujourd'hui. Jen sera la première de sa classe et on m'a rapporté que M^lle^ Ellen avait dit que j'étais le seul professeur qui *comprenait réellement* les enfants. Le seul rabat-joie, c'est Katherine Brooke qui continue à se montrer inamicale et distante. Je vais abandonner l'idée de devenir son amie. Après tout, il y a des limites, comme dit Rebecca Dew.

Oh! J'ai presque oublié de te dire... Sally Nelson m'a demandé d'être une de ses demoiselles d'honneur. Elle doit se marier à la fin de juin à Bonnyview, la résidence d'été que possède le docteur Nelson au bout du monde. Elle épouse Gordon Hill. Nora Nelson sera donc la seule des filles du docteur Nelson encore célibataire. Jim Wilcox la fréquente depuis six ans… occasionnellement, comme dit Rebecca Dew… mais cela n'a jamais semblé aboutir et personne ne pense que cela aboutira désormais. Sally me plaît beaucoup, mais je n'ai jamais vraiment réussi à me lier avec Nora. Elle est évidemment pas mal plus âgée que moi, et plutôt fière et réservée. J'aimerais pourtant que nous soyons amies. Elle n'est ni jolie, ni brillante, ni charmante, mais d'une certaine façon, elle a quelque chose de spécial. J'ai le sentiment qu'elle vaut la peine d'être connue.

En parlant de mariage, Esme Taylor a épousé son Ph. D. le mois dernier. Comme cela s'est passé le mercredi après-midi, je n'ai pas pu aller la voir à l'église, mais tout le monde dit qu'elle était très belle et paraissait heureuse et que Lennox avait l'air de quelqu'un qui sait avoir fait le bon choix et qui a la conscience en paix. Cyrus Taylor et moi nous nous entendons à merveille. Il parle souvent du souper qu'il en est venu à considérer comme une bonne plaisanterie. «Je n'ai plus jamais osé bouder depuis, m'a-t-il confié. La prochaine fois, Maman pourrait bien m'accuser de coudre des courtepointes.» Puis il me dit de m'assurer de transmettre ses amitiés «aux veuves». Les gens sont délicieux, Gilbert, la vie est délicieuse, et moi je suis

Maintenant et à jamais,
*À toi!*

P. S. Notre vieille vache rousse chez M. Hamilton a un veau tacheté. Depuis trois mois, nous achetons notre lait de Lew Hunt. Rebecca dit que nous aurons de la crème de nouveau maintenant… et qu'elle avait toujours entendu dire que le puits des Hunt était inépuisable et qu'elle le croit à présent. Rebecca ne voulait pas du tout que ce veau vienne au monde. Pour qu'elle y consente, Tante Kate s'est organisée pour que M. Hamilton lui dise que la vache était vraiment trop vieille pour vêler.

# 13

«Ah! quand vous aurez été vieille et clouée au lit aussi longtemps que moi, vous aurez davantage de sympathie», geignit Mme Gibson.

«Je vous en prie, ne croyez pas que je manque de sympathie, Mme Gibson», l'assura Anne qui, après une demi-heure de vains efforts, avait plutôt envie de tordre le cou de Mme Gibson. Sans le regard suppliant de Pauline à l'arrière-plan, elle aurait sans aucun doute renoncé et serait retournée chez elle. «Je vous assure que vous ne serez ni toute seule, ni négligée. Je resterai ici toute la journée et veillerai à ce que vous ne manquiez de rien.»

«Oh! Je sais que je ne suis plus utile à personne, poursuivit Mme Gibson en passant du coq à l'âne. Ce n'est pas nécessaire d'insister sur ce point, Mlle Shirley, je suis prête à disparaître n'importe quand... n'importe quand. Pauline pourra courir la galipote tant qu'elle le voudra alors. Je ne serai plus ici à me sentir abandonnée. Aucun des jeunes d'aujourd'hui n'a aucun bon sens. Des têtes de linotte... tout à fait.»

Anne ne savait pas si c'était elle ou Pauline qui était la jeune personne écervelée dénuée de bon sens, mais elle décida de jouer sa dernière carte.

«Ma foi, vous savez, Mme Gibson, les gens jaseront si Pauline n'assiste pas aux noces d'argent de sa cousine.»

«Jaseront! s'écria Mme Gibson d'un ton acerbe. Et de quoi jaseront-ils donc?»

«Chère Mme Gibson... (puis-je être pardonnée pour cet adjectif, songea Anne) au cours de votre longue vie, vous avez appris, j'en suis sûre, de quoi peuvent jaser les mauvaises langues.»

«Inutile de me rappeler mon âge! protesta Mme Gibson. Et je n'ai pas besoin de me faire dire que nous vivons dans un monde sévère. Je ne le sais que trop... que trop. Et je n'ai pas besoin de me faire dire, non plus, que cette ville est remplie de langues de vipère. Mais je n'apprécie pas tellement qu'on cancane à mon sujet... qu'on dise, je suppose, que je suis un vieux tyran. Je n'ai pas empêché Pauline d'y aller. N'ai-je pas laissé cela à sa conscience?»

«Peu de gens le croiront», dit Anne d'un air prudemment chagriné.

Mme Gibson suça férocement un bonbon à la menthe pendant une minute ou deux. Puis elle dit :

«J'ai entendu dire qu'il y avait les oreillons à White Sands.»

«M'man chérie, tu sais bien que j'ai déjà eu les oreillons.»

«Il y a des gens qui les attrapent deux fois. C'est tout à fait ton genre, Pauline. Tu attrapes toujours tout ce qui passe. Les nuits que j'ai passées à ton chevet, sûre que tu ne survivrais pas jusqu'au matin. Ah! Mon Dieu! on oublie vite les sacrifices d'une mère! Et puis, comment te rendras-tu à White Sands? Tu n'as pas pris le train depuis des années. Et il n'y a pas de train qui revient le samedi soir.»

«Elle pourrait prendre celui du samedi matin, dit Anne. Et je suis sûre que M. James Gregor la ramènera.»

«Je n'ai jamais aimé Jim Gregor. Sa mère était une Tarbush.»

«Il prend son boghei à deux sièges et il part vendredi, sinon il l'amènerait aussi. Mais elle sera en toute sécurité dans le train. Elle n'a qu'à le prendre à Summerside... et à descendre à White Sands... aucune correspondance.

«Il y a quelque chose derrière tout ça, dit Mme Gibson d'un air soupçonneux. Pourquoi tenez-vous tant à ce qu'elle y aille, Mlle Shirley? Pouvez-vous me le dire?»

Anne sourit à ce visage aux yeux en boutons de bottines.

«Parce que je crois que Pauline est une fille bonne et gentille, Mme Gibson, et que, comme tout le monde, elle a besoin d'un jour de congé de temps à autre.»

Rares étaient les gens qui pouvaient résister au sourire d'Anne. Ce sourire ou la crainte des racontars vinrent à bout de Mme Gibson.

«J'suppose qu'il n'est jamais venu à l'esprit de personne que moi aussi j'aimerais prendre un jour de congé de ce fauteuil roulant, si c'était possible. Mais ce ne l'est pas... je n'ai qu'à endurer mon mal avec patience. Eh bien! s'il faut qu'elle y aille, elle ira. Elle en a toujours fait à sa tête. Mais qu'on ne me blâme pas si elle attrape les oreillons ou se fait empoisonner par des moustiques étrangers. Il faudra que je m'en tire toute seule le mieux possible. Oh! J'suppose que vous serez ici, mais vous n'êtes pas habituée à moi comme Pauline. J'suppose que j'pourrai supporter ça une journée. Sinon... eh bien! ça fait longtemps que j'vis sur du temps emprunté, alors où est la différence?»

Ce n'était certes pas une autorisation accordée de bon cœur, mais c'en était tout de même une. Le soulagement et la gratitude amenèrent Anne à poser un geste qu'elle n'aurait jamais cru possible de poser... elle se pencha et donna un baiser sur la joue de cuir de Mme Gibson.

«Laissez tomber vos câlineries, maugréa la vieille dame. Prenez une menthe.»

«Comment pourrais-je un jour vous remercier, Mlle Shirley?» dit Pauline qui accompagnait Anne un petit bout de chemin.

«En allant à White Sands d'un cœur léger et en profitant de chaque minute.»

«Oh! Soyez-en sûre que je le ferai. Vous ne pouvez pas savoir ce que cela signifie pour moi, Mlle Shirley. Il n'y a pas que Louisa que je veux voir. La vieille maison des Luckley, qui était voisine de la nôtre, doit être vendue et je voudrais la revoir une fois avant qu'elle passe aux mains d'étrangers. Mary Luckley... elle est à présent Mme Howard Flemming et vit dans l'ouest... était ma meilleure amie quand nous étions petites. Nous étions comme des sœurs. J'allais si souvent chez les Luckley et j'aimais tant leur maison. J'ai souvent rêvé d'y retourner. M'man dit que je suis trop vieille pour rêver. Croyez-vous que je le sois, M^lle^ Shirley?»

«On n'est jamais trop vieux pour rêver. Et les rêves ne vieillissent jamais.»

«Je suis si contente de vous l'entendre dire. Oh! M^lle^ Shirley, quand je pense que je vais revoir le golfe. Je ne l'ai pas vu depuis quinze ans. Le port est beau, mais ce n'est pas le golfe. J'ai l'impression de marcher sur un nuage. Et c'est à vous que je le dois. C'est seulement parce que M'man vous aime bien qu'elle me laisse y aller. Vous m'avez rendue heureuse... vous rendez toujours les gens heureux. C'est vrai, lorsque vous entrez dans une pièce, les gens qui s'y trouvent se sentent plus heureux.»

«On ne m'a jamais fait de plus beau compliment, Pauline.»

«Il n'y a qu'un problème, M^lle^ Shirley... Je n'ai rien d'autre à me mettre sur le dos que ma vieille robe de taffetas noire. Vous ne pensez pas que c'est trop lugubre pour une noce? Et elle est trop grande pour moi depuis que j'ai maigri. Cela fait six ans que je l'ai, voyez-vous.»

«Nous devons essayer de convaincre votre mère de vous laisser acheter une robe neuve», dit Anne avec espoir.

Mais cela se révéla au-delà de son pouvoir. M^me^ Gibson se montra inflexible. La robe de taffetas noire de Pauline était bien suffisante pour les noces d'argent de Louisa.

«J'ai payé le tissu deux dollars la verge il y a six ans et donné trois dollars à Jane Sharp pour la faire. Jane était une bonne couturière. Sa mère était une Smiley. Et qu'est-ce qui te prend de vouloir quelque chose de "clair", Pauline Gibson? Elle s'habillerait en écarlate des pieds à la tête si on la laissait faire, celle-là, M^lle^ Shirley! Elle n'attend que ma mort pour le faire. Ah! Tu seras bientôt libérée de tous les ennuis que je te cause, Pauline. Tu pourras alors t'habiller de façon aussi gaie et frivole que tu le désires, mais tant que je serai en vie, tu seras décente. Et qu'est-ce qui se passe avec ton chapeau? De toute façon, il est temps que tu portes un bonnet.»

La malheureuse Pauline avait une sainte horreur de devoir coiffer un bonnet. Elle porterait son vieux chapeau le reste de ses jours avant de s'y résoudre.

«Je vais me contenter d'être heureuse à l'intérieur et de ne pas penser à mes vêtements», confia-t-elle à Anne pendant qu'elles cueillaient dans le jardin un bouquet de lis et de cœurs saignants pour les veuves.

«J'ai un plan», dit Anne en jetant un coup d'oeil prudent pour s'assurer que Mme Gibson ne pouvait pas l'entendre, même si elle les surveillait de la fenêtre du boudoir. «Vous connaissez ma robe de popeline gris argent? Je vais vous la prêter pour les noces.»

Dans son agitation, Pauline échappa le panier de fleurs, produisant aux pieds d'Anne une mare d'harmonie rose et blanche.

«Oh! Ma chère! C'est impossible... M'man ne voudra jamais.»

«Elle n'en saura rien. Écoutez. Samedi matin, vous la mettrez sous votre robe noire. Je sais qu'elle vous ira. Elle est un peu longue, mais j'y ferai quelques remplis demain... les remplis sont à la mode maintenant. Elle n'a pas de collet et les manches arrivent aux coudes, alors personne ne se doutera de rien. Dès que vous serez à Gull Cove, vous enlèverez la robe de taffetas. À la fin de la journée, vous pourrez laisser la robe de popeline à Gull Cove et je la récupérerai la fin de semaine prochaine quand j'irai chez moi.»

«N'est-elle pas un peu trop jeune pour moi?»

«Aucunement. On peut porter du gris à tout âge.»

«Pensez-vous que ce soit... correct... de tromper M'man comme ça?» murmura Pauline.

«Dans la situation, ce l'est parfaitement, affirma Anne sans aucune honte. Vous savez, Pauline, cela ne se fait pas de porter du noir à une noce. Cela pourrait porter malheur à la mariée.»

«Oh! Je ne le voudrais pour rien au monde. Et, bien entendu, cela ne fera pas de peine à M'man. J'espère vraiment que la journée de samedi se passera bien pour elle. J'ai peur qu'elle n'avale pas une bouchée en mon absence... c'est ce qui est arrivé la fois où je suis allée aux funérailles de cousine Matilda. C'est Mlle Prouty qui me l'a dit... Mlle Prouty était restée avec elle. Elle en voulait tant à cousine Matilda d'être morte... Je veux dire, M'man lui en voulait.»

«Elle mangera... J'y veillerai personnellement.»

«Je sais que vous avez vraiment le tour avec elle, admit Pauline. Et vous n'oublierez pas de lui donner son médicament à heures fixes, n'est-ce pas, ma chère? Oh! Je ne devrais peut-être pas y aller en fin de compte.»

«Vous êtes restées dehors assez longtemps pour cueillir quarante bouquets, dit Mme Gibson d'un ton irrité. J'me d'mande bien ce que les veuves veulent faire de nos fleurs. Elles en ont plein leur jardin. J'me passerais longtemps de fleurs si j'attendais après Rebecca Dew pour m'en envoyer. Je meurs d'envie d'avoir un verre d'eau. Mais bien entendu, je ne compte pas.»

Le vendredi soir, Pauline, en proie à une agitation terrible, téléphona à Anne. Elle avait mal à la gorge et, d'après Mlle Shirley, est-ce qu'il pouvait s'agir des oreillons? Anne courut la rassurer, emportant la robe de popeline grise dans du papier d'emballage. Elle cacha le paquet dans le bosquet de lilas et, à la fin de la soirée, Pauline, qui en avait des sueurs froides, s'organisa pour le monter clandestinement dans la petite chambre où elle rangeait ses vêtements et s'habillait même si elle n'avait jamais eu la permission d'y dormir. Cette histoire de robe rendait Pauline mal à l'aise. Son mal de gorge était peut-être une punition pour sa fourberie. Mais il lui était impossible d'aller aux noces d'argent de Louisa vêtue de cette affreuse robe de taffetas noir... tout simplement impossible.

Le samedi, Anne arriva de bon matin. Elle était toujours à son avantage les matins d'été comme celui-ci. Elle semblait rayonner et se déplaçait dans l'air doré, semblable à une mince silhouette sur une urne grecque. La pièce lugubre rayonna elle aussi... prit vie... lorsqu'elle y entra.

«Vous marchez comme si le monde vous appartenait», commenta sarcastiquement Mme Gibson.

«Il m'appartient», répondit gaiement Anne.

«Ah! vous êtes bien jeune», dit Mme Gibson d'un ton exaspérant.

«Je ne prive mon cœur d'aucune joie, cita Anne. Ce sont des paroles de la Bible, Mme Gibson.»

«L'homme est né pour les problèmes comme les étincelles volent vers le haut. Ça aussi c'est écrit dans la Bible», rétorqua Mme Gibson. Et le fait d'avoir si carrément contredit Mlle Shirley, diplômée d'université, la mit de bonne humeur. «Je n'ai jamais été du genre à flatter, Mlle Shirley, mais votre petit chapeau de paille avec une fleur bleue vous va bien. On dirait que vos cheveux ont l'air moins roux. Est-ce que tu n'admires pas une fraîche jeune fille comme ça, Pauline? Tu n'aimerais pas ça être une fraîche jeune fille, Pauline?»

Pauline se sentait trop heureuse et excitée pour avoir alors envie d'être n'importe qui d'autre qu'elle-même. Anne monta avec elle dans la chambre pour l'aider à s'habiller.

«C'est si agréable de songer à toutes les bonnes choses qui peuvent arriver aujourd'hui, Mlle Shirley. Je n'ai plus mal à la gorge et M'man est de si bonne humeur. Vous pourriez penser le contraire, mais je sais qu'elle l'est parce qu'elle parle, même si elle est sarcastique. Si elle était fâchée ou agacée, elle bouderait. J'ai pelé les pommes de terre, le bifteck est dans la glacière et le blanc-manger de M'man est dans la cave. Il y a du poulet en conserve pour souper et un gâteau éponge dans le garde-manger. La peur que M'man change encore d'idée me met sur les charbons ardents. Je ne pourrais pas le supporter. Oh! Mlle Shirley, croyez-vous réellement que je doive porter cette robe grise?»

«Mettez-la», répondit Anne de son ton le plus «maîtresse d'école».

Pauline obéit et en fut métamorphosée. La robe grise lui allait à ravir. Elle n'avait pas de collet et les manches au coude étaient ornées d'une jolie frange de dentelle. Lorsque Anne l'eut coiffée, Pauline eut peine à se reconnaître.

«J'ai horreur de devoir la cacher sous cette horrible vieille robe de taffetas noire, Mlle Shirley.»

Pourtant elle devait le faire. Le taffetas la couvrait sûrement. Pauline mit le vieux chapeau... qu'elle enlèverait également lorsqu'elle serait chez Louisa... et elle avait une paire de souliers neufs. Mme Gibson l'avait autorisée à s'acheter une paire de chaussures, bien qu'elle eût trouvé les talons «scandaleusement hauts».

«Je vais faire sensation en m'en allant toute seule en train. J'espère que les gens ne vont pas penser qu'il s'agit d'un décès. Je ne voudrais surtout pas que les noces d'argent de Louisa soient associées avec l'idée de la mort. Oh! du parfum, Mlle Shirley! Aux fleurs de pommier! N'est-ce pas adorable? Juste un soupçon... j'ai toujours trouvé que cela faisait tellement dame. M'man ne me permettrait jamais d'en acheter. Oh! Mlle Shirley, vous n'oublierez pas de nourrir le chien, n'est-ce pas? J'ai laissé ses os dans un plat couvert dans le garde-manger. J'espère... poursuivit-elle en chuchotant d'un air honteux... qu'il ne... s'échappera pas... dans la maison pendant que vous serez là.»

Pauline devait subir l'inspection de sa mère avant de partir. L'excitation causée par le départ et la culpabilité ressentie à l'égard de la robe de popeline camouflée donnaient à son teint une couleur inhabituelle. Mme Gibson la toisa avec désapprobation.

«Mon Dieu! Mon Dieu! On s'en va à Londres voir passer la reine? Tu as les joues trop rouges. Les gens vont croire que tu es fardée. Es-tu certaine de ne pas l'être?»

«Oh! non, M'man... non», protesta-t-elle d'un ton choqué.

«Surveille tes manières maintenant et croise décemment tes chevilles quand tu t'assoiras. Prends garde de ne pas t'asseoir dans un courant d'air et ne parle pas trop.»

«Je te le promets, M'man», fit Pauline avec conviction en jetant un regard nerveux vers l'horloge.

«J'envoie à Louisa une bouteille de mon vin de salsepareille pour porter un toast. Je n'ai jamais aimé beaucoup Louisa, mais sa mère était une Tackaberry. Assure-toi de rapporter la bouteille et ne la laisse pas te donner un chaton. Louisa veut toujours donner des chatons aux gens.»

«Oui, M'man.»

«Tu es certaine de ne pas avoir laissé le savon dans l'eau?»

«Absolument certaine, M'man», en jetant un autre regard angoissé à l'horloge.

«Tes lacets de chaussures sont-ils attachés?»

«Oui, M'man.»

«Tu n'as pas une odeur respectable... tu t'es aspergée de parfum.»

«Oh! non, M'man chérie... je n'en ai mis qu'une toute petite goutte.»

«J'ai dit aspergée et je le maintiens. On dirait que tu as un accroc sous le bras.»

«Oh! non, M'man.»

«Laisse-moi voir», insista-t-elle, inexorablement.

Pauline frémit. Qu'arriverait-il si la jupe de la robe grise paraissait lorsqu'elle lèverait les bras?

«Eh bien! tu peux t'en aller, maintenant.» Elle soupira longuement. «Et si je n'y suis plus à ton retour, souviens-toi que je veux être enterrée dans mon châle de dentelle et mes pantoufles de satin noir. Et tu veilleras à ce que mes cheveux soient frisés.»

«Te sens-tu plus mal, M'man?» La robe de popeline avait rendu la conscience de Pauline très sensible. «Dans ce cas... je n'irai pas.»

«Et l'argent des souliers aura été gaspillé! C'est évident que tu y vas. Et surtout, ne glisse pas sur la rampe de l'escalier.»

À ce moment-là, Pauline en a eu assez de se faire humilier.

«M'man! Tu ne penses pas vraiment ce que tu dis?»

«Tu l'as bien fait au mariage de Nancy Parker.»

«Il y a trente-cinq ans de cela! Tu penses que je pourrais encore le faire maintenant?»

«Il est temps que tu partes. Qu'est-ce que tu as à jacasser ici? Tu veux manquer le train?»

Pauline se hâta de partir et Anne poussa un soupir de soulagement. Elle avait craint que la vieille Mme Gibson n'éprouvât, au dernier moment, l'impulsion diabolique de retenir Pauline jusqu'à ce que le train soit parti.

«Maintenant nous allons avoir un peu la paix, dit Mme Gibson. Cette maison est affreusement en désordre, Mlle Shirley. J'espère que vous vous rendez compte que c'est exceptionnel. Pauline n'était plus elle-même ces derniers jours. Auriez-vous l'obligeance de placer ce vase un pouce plus à gauche? Non, replacez-le comme avant. Cet abat-jour est croche. Bien, il est maintenant un peu plus droit. Mais ce store est un pouce plus bas que l'autre. J'aimerais que vous l'ajustiez.»

Malheureusement, Anne tira le store trop énergiquement; il lui échappa des mains et remonta jusqu'en haut.

«Ah! Vous voyez maintenant», fit Mme Gibson.

Anne ne voyait pas, mais elle ajusta le store méticuleusement.

«Et à présent, aimeriez-vous que je vous prépare une bonne tasse de thé, Mme Gibson?»

«J'ai vraiment besoin de quelque chose... Tous ces soucis et ces fla-flas m'ont absolument éreintée. On dirait que mon estomac se retire de moi, expliqua pathétiquement Mme Gibson. Pouvez-vous préparer une tasse de thé convenable? Je pourrais aussi bien boire de la boue que le thé que certaines personnes préparent.»

«C'est Marilla Cuthbert qui m'a enseigné à faire le thé. Vous allez voir. Mais pour commencer je vais vous rouler dehors sous le porche pour que vous puissiez profiter du soleil.»

«Il y a des années que je ne suis pas sortie sous le porche», objecta Mme Gibson.

«Oh! Il fait si beau aujourd'hui que cela ne peut vous

faire de mal. Je veux que vous voyiez le pommetier en fleurs. C'est impossible si vous n'allez pas dehors. Et comme le vent vient du sud aujourd'hui, vous pourrez respirer le parfum du champ de trèfle de Norman Johnson. Je vais vous apporter votre thé et nous le boirons ensemble, puis j'irai chercher ma broderie et nous resterons assises là à critiquer tous les passants.»

«Je ne suis pas du genre à critiquer les autres, protesta vertueusement Mme Gibson. Ce n'est pas chrétien. Pouvez-vous me dire si ce sont tous vos propres cheveux?»

«Tous», répondit Anne en riant.

«Dommage qu'ils soient roux. Quoique les cheveux roux semblent devenir à la mode. J'aime bien votre rire. Le ricanement nerveux de Pauline me tombe toujours sur les nerfs. Eh bien! s'il faut que j'aille dehors, j'suppose qu'il le faut. J'vais probablement attraper mon coup de mort, mais c'est votre responsabilité, Mlle Shirley. N'oubliez pas que j'ai quatre-vingts ans... bien comptés, même si j'ai entendu dire que le vieux Davy Ackham racontait à tout Summerside que je n'en avais que soixante-dix-neuf. Sa mère était une Watt. Les Watt ont toujours été jaloux.»

Anne roula prestement le fauteuil dehors et démontra qu'elle avait le tour d'arranger les oreillers. Peu après, elle apporta le thé que Mme Gibson daigna approuver.

«Oui, c'est buvable, Mlle Shirley. Ah! Mon Dieu! Pendant un an, j'ai dû me nourrir uniquement de liquides. On n'aurait jamais cru que j'm'en tirerais. J'pense souvent que j'aurais mieux fait d'y rester. Est-ce là le pommetier dont vous êtes si entichée?»

«Oui... n'est-il pas mignon... si blanc sur un fond de ciel bleu profond?»

«Pas très poétique», fut le seul commentaire de Mme Gibson.

Mais elle s'amadoua après deux tasses de thé et l'avant-midi s'écoula jusqu'à ce qu'il soit le temps de penser au dîner.

«Je vais aller le préparer et je l'apporterai ici sur une petite table.»

«Il n'en est pas question, mademoiselle. Pas de ces singeries pour moi, non merci! Les gens trouveraient terriblement bizarre de nous voir manger dehors en public. Je ne nie pas qu'on soit plutôt bien ici... quoique l'odeur du trèfle m'ait toujours donné un peu mal au cœur... et que la matinée ait passé beaucoup plus vite que de coutume, mais pour rien au monde je ne mangerais mon dîner dehors. Assurez-vous de bien vous laver les mains avant de faire la cuisine, Mlle Shirley. Mon Dieu! Mme Storey doit attendre encore de la visite. Toute la literie de la chambre d'ami est suspendue sur la corde à linge. Ce n'est pas de l'hospitalité véritable... seulement le goût de faire de l'esbroufe. Sa mère était une Carey.»

Le repas préparé par Anne réussit même à plaire à Mme Gibson.

«Je n'aurais jamais cru qu'une personne écrivant pour les journaux pouvait faire la cuisine. Mais c'est bien entendu Marilla Cuthbert qui vous a élevée. Sa mère était une Johnson. Je présume que Pauline va manger à s'en rendre malade à ces noces. Elle ne sait jamais quand il faut s'arrêter... tout comme son père. Je l'ai déjà vu s'empiffrer de fraises alors qu'il savait que la douleur le plierait en deux une heure plus tard. Vous ai-je déjà montré son portrait, Mlle Shirley? Bien, allez le chercher dans la chambre d'ami. Vous le trouverez sous le lit. N'en profitez pas pour fouiller dans les tiroirs. Jetez plutôt un coup d'œil sous la commode pour voir s'il y a des moutons de poussière. Je ne fais pas confiance à Pauline... Ah! oui, c'est bien lui. Sa mère était une Walker. Il n'existe plus d'homme comme lui de nos jours. Nous vivons une époque dégénérée, Mlle Shirley.»

«Homère disait la même chose huit cents ans avant J.-C.», répondit Anne avec un sourire.

«Certains de ces écrivains de l'Ancien Testament étaient toujours en train de croasser, rétorqua Mme Gibson. Je présume que mes paroles vous choquent, Mlle Shirley, mais mon mari était très large d'esprit. J'ai entendu dire que vous étiez fiancée... à un étudiant en médecine. La plupart des étudiants en médecine boivent, je crois... ils sont bien obligés, s'ils veulent supporter la salle de dissection. N'épousez jamais un homme qui boit, Mlle Shirley. Ni un mauvais pourvoyeur. Vivre d'amour et d'eau fraîche n'est pas suffisant, croyez-moi. N'oubliez pas de nettoyer l'évier et de rincer les torchons à vaisselle. Je ne peux supporter les torchons graisseux. J'suppose que vous devez nourrir le chien. Il est trop gras maintenant, mais Pauline le gave littéralement. Parfois, je pense que je devrai m'en débarrasser.»

«Oh! Vous ne feriez pas cela, Mme Gibson. Il y a toujours des cambriolages, vous savez... et vous vivez dans une maison isolée. Vous avez vraiment besoin de protection.»

«C'est bon, c'est bon... Tout plutôt que de m'obstiner avec les gens, surtout quand j'ai cet élancement bizarre dans la nuque. J'présume que ça veut dire que je vais avoir une crise.»

«Vous avez besoin de faire la sieste. Vous vous sentirez mieux après. Je vais vous arranger vos coussins et incliner votre fauteuil. Aimeriez-vous vous reposer dehors sous le porche?»

«Dormir en public? C'est encore pire que manger! Vous avez les idées les plus saugrenues. Vous allez simplement m'installer ici dans le salon et baisser le store et fermer la porte pour empêcher les mouches d'entrer. À mon avis, vous aussi avez besoin d'un bon somme... votre langue s'est pas mal démenée.»

Mme Gibson dormit bien et longtemps, mais se réveilla de mauvais poil. Elle refusa qu'Anne la roule de nouveau sous le porche.

«Vous voulez me faire attraper mon coup de mort dans l'air du soir, j'suppose», grommela-t-elle, bien qu'il ne fût que cinq heures. Rien ne lui convenait. Le breuvage qu'Anne lui apporta était trop froid... le suivant ne l'était pas suffisamment... bien entendu, *n'importe quoi* était assez bon pour *elle*. Où était le chien? Il s'était *échappé*, cela ne faisait aucun doute. Elle avait mal au dos... mal aux genoux... mal à la tête... mal au sternum. Personne ne sympathisait avec elle...

personne ne savait ce qu'elle endurait. Son fauteuil était trop haut... trop bas... Elle voulait un châle pour se mettre sur les épaules, une couverture tricotée sur ses genoux et un coussin sous ses pieds. Et Mlle Shirley aurait-elle l'obligeance de vérifier d'où venait cet affreux courant d'air? Elle prendrait bien une tasse de thé, mais elle ne voulait ennuyer personne et serait bientôt en paix dans sa tombe. Peut-être qu'on l'apprécierait lorsqu'elle ne serait plus là.

«Que la journée soit courte ou longue, elle mène toujours au soir.» Par moments, Anne se demandait si le soir finirait par arriver. Il arriva cependant. Le soleil se coucha et Mme Gibson commença à s'inquiéter parce que Pauline ne revenait pas. Puis ce fut le crépuscule... et toujours pas de Pauline. La nuit et le clair de lune et pas de Pauline.

«Je le savais», déclara énigmatiquement Mme Gibson.

«Vous savez qu'elle ne peut revenir avant M. Gregor et il est généralement le dernier à partir, soupira Anne. Voulez-vous que je vous mette au lit, Mme Gibson? Vous êtes fatiguée... je sais que c'est un peu difficile d'avoir une étrangère dans la maison au lieu de quelqu'un à qui on est habitué.»

Les petites rides autour de la bouche de Mme Gibson se creusèrent avec obstination.

«Pas question que j'aille me coucher avant que cette fille soit revenue. Mais si vous avez si hâte de partir, allez-vous-en. Je peux rester seule... ou mourir seule.»

À neuf heures et demie, Mme Gibson décida que Jim Gregor ne revenait pas avant le lundi.

«On ne peut se fier à Jim Gregor pour garder la même idée vingt-quatre heures. Et il pense que c'est mal de voyager le dimanche, même si c'est pour revenir chez soi. Il fait partie de votre conseil scolaire, n'est-ce pas? Qu'est-ce que vous pensez réellement de lui et de ses opinions sur l'éducation?»

Anne devint méchante. Après tout, elle avait enduré sa part ce jour-là, entre les mains de Mme Gibson.

«Je crois qu'il est un anachronisme psychologique», répondit-elle gravement.

M^me^ Gibson ne sourcilla pas.
«Je suis d'accord avec vous», dit-elle.
Après quoi, elle fit semblant de s'endormir.

# 14

Il était dix heures lorsque Pauline revint finalement... une Pauline aux joues roses, aux yeux brillants, rajeunie de dix ans malgré la robe de taffetas et le vieux chapeau; elle avait à la main un magnifique bouquet qu'elle se hâta d'offrir à la lugubre dame dans son fauteuil roulant.

«La mariée t'envoie son bouquet, M'man. N'est-ce pas qu'il est beau? Vingt-cinq roses.»

«Balivernes! J'imagine que personne n'a pensé à m'envoyer une miette du gâteau de noces. On dirait que les gens aujourd'hui n'ont plus aucun sens de la famille. Ah! Ma foi, j'ai vu le jour...»

«Mais ils y ont pensé, M'man. J'en ai un gros morceau dans mon sac. Et tout le monde m'a demandé de tes nouvelles et t'envoie son affection.»

«Avez-vous eu du plaisir, Pauline?» s'enquit Anne.

Pauline s'assit sur une chaise dure, sachant que sa mère serait fâchée qu'elle choisisse un fauteuil confortable.

«Beaucoup, répondit-elle prudemment. Le dîner de mariage était délicieux et M. Freeman, le pasteur de Gull Cove, a marié Louisa et Maurice pour la deuxième fois...»

«Moi, j'appelle ça un sacrilège...»

«Ensuite le photographe a pris notre portrait. Les fleurs étaient tout simplement superbes. Le salon ressemblait à une charmille...»

«Comme pour des funérailles, j'suppose...»

«Et, oh! M'man, Mary Luckley était venue de l'ouest... Mme Flemming, tu sais. Tu te rappelles comme nous avons toujours été de bonnes amies. Nous avions coutume de nous appeler Polly et Molly...»

«Des noms complètement idiots...»

«Nous étions si heureuses de nous revoir et nous avons longtemps parlé du bon vieux temps. Sa sœur Em était là elle aussi, avec un bébé délicieux.»

«Tu en parles comme s'il s'agissait de quelque chose à manger, grogna Mme Gibson. Les bébés sont assez communs.»

«Oh! non, les bébés ne sont jamais communs», objecta Anne qui apportait un vase d'eau pour les roses de Mme Gibson. «Chacun d'eux est un miracle.»

«Ma foi, j'en ai eu dix et je n'ai jamais rien trouvé de miraculeux dans aucun d'eux. Pauline, assieds-toi droite si tu en es capable. Tu m'énerves. Je constate que tu ne me demandes pas comment ça s'est passé pour moi. Mais j'suppose que j'avais tort de m'attendre à ça.»

«Je sais comment ça s'est passé sans le demander, M'man... tu as l'air si rayonnante et de bonne humeur.» Encore sous l'effet de la journée qu'elle venait de passer, Pauline pouvait même se montrer un peu malicieuse avec sa mère. «Je suis sûre que toi et Mlle Shirley vous vous êtes bien entendues.»

«Ça ne s'est pas trop mal passé. Je l'ai juste laissée faire à sa guise. J'admets que ça fait des années que je n'ai pas entendu une conversation aussi intéressante. Je ne suis pas si près de la tombe que certaines personnes voudraient bien le faire croire. Grâce à Dieu, je ne suis ni devenue sourde ni retombée en enfance. Eh bien! j'suppose que la prochaine fois, tu resteras dehors jusqu'à la nuit. Et j'présume que personne n'a aimé mon vin de salsepareille.»

«Oh! oui. Tout le monde l'a trouvé délicieux.»

«Tu en as mis du temps à me l'apprendre. As-tu rapporté la bouteille... ou serait-ce trop d'espérer que tu t'en sois souvenue?»

«La... la bouteille a été brisée, bredouilla Pauline. Quelqu'un l'a cognée contre le comptoir. Mais Louisa m'en a donné une autre exactement identique, M'man, alors tu n'as pas à te faire de souci.»

«J'avais cette bouteille depuis que j'ai commencé à tenir maison. Celle de Louisa ne peut être exactement pareille. On ne fait plus de bouteilles comme ça de nos jours. J'aimerais que tu m'apportes un autre châle. J'éternue... j'ai dû attraper un rhume terrible. Aucune de vous deux ne semble se rappeler qu'il ne faut pas m'exposer à l'air du soir. Ça va probablement ramener ma névrite.»

Un vieux voisin habitant un peu plus loin dans la rue entra à cet instant et Pauline profita de l'occasion pour faire un bout de chemin avec Anne.

«Bonne nuit, Mlle Shirley, dit gracieusement Mme Gibson. Je vous suis bien obligée. S'il y avait davantage de gens comme vous dans cette ville, elle se porterait bien mieux.» Elle fit un sourire édenté et attira Anne vers elle. «Ça m'est égal ce que les gens racontent... moi, je pense que vous êtes vraiment jolie», chuchota-t-elle.

Pauline et Anne marchèrent dans la rue, dans la nuit fraîche et verte, et Pauline se laissa aller comme elle n'avait osé le faire devant sa mère.

«Oh! Mlle Shirley, c'était divin. Je n'ai jamais passé une journée aussi merveilleuse... je vais vivre de ce souvenir pendant des années. C'était si amusant d'être une nouvelle fois demoiselle d'honneur. Et le Capitaine Isaac Kent était le garçon d'honneur. Il... il a déjà été un de mes soupirants... ma foi, non, à peine un soupirant... Je ne crois pas qu'il ait jamais vraiment eu d'intentions, mais nous sommes sortis ensemble... et il m'a fait deux compliments. Il a dit: "Je me rappelle comme vous étiez jolie dans cette robe rouge vin au mariage de Louisa." N'est-ce pas extraordinaire qu'il se soit souvenu de la robe? Puis il a dit: "Vos cheveux me font toujours autant penser à de la tire de mélasse." Il n'y avait rien là d'inconvenant, n'est-ce pas, Mlle Shirley?»

«Absolument rien.»

«Lou et Molly et moi avons eu un si bon souper ensemble

après le départ des autres. J'avais si faim... Je ne pense pas avoir eu faim comme ça depuis des années. C'était si agréable de manger simplement ce dont j'avais envie sans personne pour m'avertir de ce qui ne convient pas à mon estomac. Après le repas, Mary et moi sommes allées à son ancienne maison et nous nous sommes promenées dans le jardin, en parlant du passé. Nous avons vu les lilas que nous avions plantés il y a des années. Nous avons passé de beaux étés ensemble dans notre jeunesse. Puis, quand le soleil s'est couché, nous nous sommes rendues jusqu'à notre chère vieille plage et nous nous sommes assises en silence sur un rocher. On entendait une cloche sonner dans le port et c'était charmant de sentir de nouveau le vent de la mer et de voir les étoiles trembloter dans l'eau. J'avais oublié combien la nuit sur le golfe était belle. Quand il a fait noir, nous sommes revenues et M. Gregor était prêt à partir... et alors, conclut Pauline en riant, "la vieille femme est rentrée chez elle ce soir-là".»

«J'aimerais... j'aimerais que la vie soit moins pénible pour vous à la maison, Pauline...»

«Oh! Chère Mlle Shirley, ce n'est plus grave maintenant, répondit vivement Pauline. Après tout, ma pauvre M'man a besoin de moi. Et c'est bon d'avoir quelqu'un qui ait besoin de soi, ma chère.»

Oui, c'était bon de se sentir utile à quelqu'un. Anne y pensa dans sa chambre où Dusty Miller, ayant échappé et à Rebecca Dew et aux veuves, était couché en boule sur son lit. Elle pensa à Pauline retournant à son esclavage, accompagnée par l'immortel souvenir d'un jour heureux.

«J'espère que quelqu'un aura toujours besoin de moi, confia-t-elle à Dusty Miller. Et c'est merveilleux, Dusty Miller, d'être capable de donner du bonheur à quelqu'un. Cela m'a fait me sentir si riche d'avoir donné cette journée à Pauline. Mais, oh! Dusty Miller, penses-tu que je deviendrai comme Mme Adoniram Gibson si jamais je vis jusqu'à quatre-vingts ans? Dis-moi, le penses-tu, Dusty Miller?»

Dusty Miller, en ronronnant très fort, l'assura que non.

# 15

Anne se rendit à Bonnyview le vendredi soir, veille du mariage. Les Nelson recevaient à dîner quelques amis de la famille et les invités qui arrivaient par le train du bateau. La «résidence d'été» du Dr Nelson, cette grande maison construite sans plan défini, trônait au milieu d'épinettes sur une longue pointe; la baie s'étalait des deux côtés et plus loin une bande de dunes dorées savait tout ce qu'il y avait à savoir sur les vents.

Anne l'aima dès qu'elle la vit. Les vieilles maisons de pierre ont toujours un air reposant et digne. Elles ne craignent ni la pluie, ni le vent, ni les changements de mode. Et en ce soir de juin, elle était en pleine effervescence: jeunesse et agitation, rire des filles, salutations des vieux amis, arrivée et départ des bogheis, courses des enfants, réception des cadeaux... tout le monde était dans cet état de bouleversement merveilleux entourant un mariage. Pendant ce temps-là, les deux chats noirs du Dr Nelson, répondant aux noms de Barnabas et de Saul, étaient assis sur la rampe de la véranda et surveillaient toute chose comme deux imperturbables sphinx du désert.

Sally s'éloigna de la cohue et entraîna vivement Anne en haut.

«Nous vous avons réservé la chambre du pignon nord. Vous devrez évidemment la partager avec au moins trois autres personnes. C'est un véritable branle-bas de combat ici.

Papa est en train de dresser une tente au milieu des épinettes pour les garçons et plus tard nous pourrons installer des lits de camp dans la véranda vitrée en arrière. Et nous pouvons bien sûr coucher la plupart des enfants dans le grenier à foin. Oh! Anne, je suis si excitée. C'est vraiment un plaisir de tous les instants que de se marier. Ma robe de mariage est arrivée de Montréal aujourd'hui même. Un véritable *rêve*... en soie côtelée de couleur crème, avec un corsage de dentelle et brodée de perles. Nous avons reçu les plus charmants cadeaux. Voici votre lit. Les autres sont pour Mamie Grey, Dot Fraser et Sis Stewart. Maman voulait qu'Amy Stewart dorme ici mais j'ai refusé. Amy vous déteste parce qu'elle voulait être ma demoiselle d'honneur. Mais je ne pouvais quand même pas demander cela à une personne aussi grosse et maladroite, n'est-ce pas? De plus, elle a l'air de souffrir du mal de mer en vert Nil. Oh! Anne, Tante Fouine est ici. Elle est arrivée il y a quelques minutes et nous sommes simplement paralysés d'horreur. Nous étions évidemment obligés de l'inviter, mais nous ne nous attendions surtout pas à la voir avant demain.»

«Qui dans le monde est Tante Fouine?»

«La tante de papa, Mme James Kennedy. Oh! bien sûr, en réalité elle s'appelle Tante Grace, mais Tommy l'a surnommée Tante Fouine parce qu'elle est toujours en train de fouiller, tombant pile sur les choses que nous voulions lui cacher. Pas moyen de lui échapper. Elle est debout à la première heure le matin de peur de manquer quelque chose et elle est toujours la dernière à aller se coucher. Mais il y a pire. Tout ce qu'il vaudrait mieux taire, elle le dit, et elle n'a jamais appris qu'il vaut mieux ne pas poser certaines questions. Papa appelle ses discours les "à-propos de Tante Fouine". Je sais qu'elle va gâcher le dîner. La voilà qui arrive.»

La porte s'ouvrit et Tante Fouine entra... une petite femme grassouillette, brune, aux yeux écarquillés, se déplaçant dans une atmosphère de boules à mites et à l'expression chroniquement préoccupée. Si l'on faisait exception de cette expression, elle avait vraiment l'air d'un chat en chasse.

«Ainsi, c'est vous la demoiselle Shirley dont j'ai tellement entendu parler. Vous ne ressemblez pas du tout à la M^lle^ Shirley que j'ai déjà connue. *Elle* avait de si beaux yeux. Eh bien! Sally, tu vas finalement te marier. Il ne reste plus que cette pauvre Nora. Ma foi, ta mère a de la chance d'en avoir casé cinq. Il y a huit ans, je lui ai dit : "Jane, que je lui ai dit, penses-tu que tu vas réussir à marier toutes ces filles?" Mon Dieu, d'après ce que j'en sais, les hommes ne sont bons qu'à causer des problèmes et, de toutes les choses incertaines, le mariage est la pire, mais qu'est-ce qu'une femme peut faire d'autre, je vous le demande? C'est ce que je viens de dire à cette pauvre Nora. "Nora, que je lui ai dit, il n'y a rien d'amusant à rester vieille fille, crois-moi. Qu'est-ce Jim Wilcox attend?" que je lui ai dit.»

«Oh! Tante Grace, vous n'auriez pas dû! Jim et Nora se sont en quelque sorte querellés en janvier dernier et il n'est jamais revenu depuis.»

«Je crois qu'il faut dire le fond de sa pensée. C'est mieux ainsi. Cette dispute m'est venue aux oreilles. C'est pourquoi je lui en ai parlé. "Tu dois savoir, que je lui ai dit, qu'on raconte qu'il sort avec Eleonor Pringle." Elle a rougi et est partie fâchée. Qu'est-ce que Vera Johnson fait ici? Elle ne fait pas partie de la famille.»

«Vera Johnson a toujours été une de mes bonnes amies, Tante Grace. C'est elle qui va jouer la Marche nuptiale.»

«Oh! vraiment, n'est-ce pas? Eh bien! j'espère qu'elle ne va pas se tromper et jouer la Marche funèbre, comme M^me^ Tom Scott l'a fait au mariage de Dora Best. Quel mauvais présage! Je me demande où vous allez installer la foule qui est ici. Je présume que certains devront passer la nuit sur la corde à linge.»

«Oh! Nous trouverons de la place pour tout le monde, Tante Grace.»

«Eh bien! Sally, j'espère que tu ne vas pas faire comme Helen Summers et changer d'idée au dernier moment. Cela fait une telle pagaille. Ton père est terriblement de bonne humeur. Je n'ai jamais été du genre à chercher les problèmes, mais j'espère que ce n'est pas le signe avant-coureur d'une attaque. J'ai déjà vu les choses se passer comme ça.»

«Oh! Papa se porte à merveille, Tante Grace. Il est seulement un peu excité.»

«Ah! Tu es trop jeune, Sally, pour savoir tout ce que la vie nous réserve. Ta mère m'a dit que la cérémonie se déroulerait à midi demain. La mode des mariages change comme tout le reste, et pas pour le mieux. Quand *moi* je me suis mariée, c'était le soir et mon père avait mis de côté vingt gallons de liqueur pour la noce. Ah! Pauvre de moi, les temps ont bien changé. Veux-tu bien me dire ce qui arrive à Clémence Daniels? Je l'ai croisée dans l'escalier et je lui ai trouvé un teint affreusement terreux.»

«La qualité de la clémence n'est pas contrainte», gloussa Sally en enfilant sa robe pour le dîner.

«Ne cite pas la Bible irrévérencieusement», l'admonesta Tante Fouine. «Vous devez l'excuser, Mlle Shirley. C'est qu'elle n'a pas l'habitude de se marier. Eh bien! j'espère seulement que le marié n'aura pas un air traqué comme c'est le cas pour beaucoup. J'suppose que c'est comme ça qu'ils se sentent, mais ce n'est pas nécessaire de le montrer de façon aussi évidente. Et j'espère qu'il n'oubliera pas l'anneau. C'est ce qui est arrivé à Upton Hardy. Lui et Flora ont dû se marier avec un anneau pris sur la tringle des rideaux. Eh bien! je vais aller jeter un autre coup d'œil sur les cadeaux de mariage. Tu as reçu pas mal de belles choses, Sally. Et j'espère que tu n'auras pas autant de mal que je le pense à astiquer le manche de ces cuillers.»

Ce soir-là, le repas servi dans le porche vitré fut très joyeux. On avait suspendu des lanternes chinoises partout, et elles projetaient une douce lumière sur les jolies robes, les chevelures lustrées et les fronts blancs et lisses des jeunes filles. Barnabas et Saul étaient assis comme des statues d'ébène sur les bras du fauteuil du Dr Nelson, et il leur donnait tour à tour des bouchées à grignoter.

«Il me fait penser à Parker Pringle, commenta Tante Fouine. *Lui*, il fait asseoir son chien à la table où il a sa chaise et sa propre serviette. Ma foi, l'heure du jugement viendra tôt ou tard.»

Il y avait beaucoup de monde, toutes les filles Nelson mariées accompagnées de leurs maris, en plus des garçons et des demoiselles d'honneur; et la réunion était gaie, malgré les «à-propos» de Tante Fouine... ou peut-être même à cause d'eux. Personne ne prenait Tante Fouine très au sérieux; elle faisait évidemment l'objet de plaisanteries chez les jeunes. Lorsqu'elle dit, après avoir été présentée à Gordon Hill: «Bien, bien, vous ne ressemblez pas du tout à ce à quoi je m'attendais. J'avais toujours pensé que Sally choisirait un grand et bel homme», des cascades de rires fusèrent dans le porche. Gordon Hill, qui était plutôt court et dont le visage, selon ses meilleurs amis, n'était rien de plus que plaisant, sut qu'il n'avait pas fini d'en entendre parler. Lorsqu'elle dit à Dot Fraser: «Eh bien! eh bien! une robe neuve chaque fois que je vous vois. J'espère seulement que le porte-monnaie de votre père sera capable de supporter ça encore quelques années», Dot avait évidemment eu envie de la faire bouillir dans l'huile, mais quelques-unes des autres filles trouvèrent cela amusant. Et quand Tante Fouine remarqua lugubrement à propos des préparatifs du repas de noce: "J'espère seulement que tout le monde retrouvera ses cuillers à thé après. Il en manquait cinq après le mariage de Gertie Paul. On ne les a jamais revues», Mme Nelson, qui en avait emprunté trois douzaines, et ses belles-soeurs à qui elle les avait empruntées, eurent l'air consternées. Mais le Dr Nelson s'esclaffa joyeusement:

«Nous demanderons à tous de vider leurs poches avant de partir, Tante Grace.»

«Ah! Tu peux rire, Samuel. Mais ce n'est pas drôle du tout qu'une telle chose se produise dans la famille. *Quelqu'un* a dû prendre ces cuillers. Partout où je vais, je regarde pour voir si je ne les trouverais pas. Je pourrais les reconnaître n'importe où, même si c'est arrivé il y a vingt-huit ans. La pauvre Nora n'était alors qu'un bébé. Tu te rappelles, Jane, tu l'avais amenée, dans sa petite robe blanche brodée? Vingt-huit ans! Ah! Nora, tu vieillis, même si dans cette lumière tu ne parais pas tellement ton âge.»

Nora ne joignit pas son rire à ceux qui suivirent. Elle avait l'air sur le point d'éclater d'un moment à l'autre. Malgré sa robe jonquille et les perles dans sa chevelure sombre, elle évoquait un phalène noir aux yeux d'Anne. À l'opposé de Sally qui était fraîche, neigeuse et blonde, Nora Nelson avait de magnifiques cheveux noirs, des yeux sombres, d'épais sourcils noirs et des joues d'un rouge velouté. Son nez commençait à devenir un peu aquilin et elle n'avait jamais passé pour jolie, pourtant Anne se sentait étrangement attirée par elle en dépit de son expression boudeuse et provocatrice. Elle avait l'impression qu'elle préférerait avoir pour amie Nora plutôt que la populaire Sally.

On dansa après le souper et un flot de musique et de rires s'écoula des larges fenêtres basses de la vieille maison de pierre.

À dix heures, Nora avait disparu. Anne était un peu fatiguée du bruit et de la fête. Elle se glissa dehors par la porte arrière qui ouvrait presque sur la baie, et descendit jusqu'à la grève par les marches de pierres, dépassant un petit bois de sapins effilés. Comme l'air frais et salin était divin après cette soirée étouffante! Combien exquises les arabesques argentées que dessinait le clair de lune dans la baie! Et ce navire qui avait vogué au lever de la lune et approchait à présent du port portait vraiment à rêver! C'était une de ces nuits où l'on s'attend à s'égarer dans un bal de sirènes.

Nora était assise courbée dans l'ombre noire et mélancolique d'un rocher au bord de l'eau, l'air plus orageuse que jamais.

«Puis-je m'asseoir un instant près de vous? demanda Anne. Je suis un peu fatiguée de danser et c'est une honte de manquer cette nuit merveilleuse. Je vous envie d'avoir tout le port comme cour arrière.»

«Comment vous sentiriez-vous si vous n'aviez pas d'amoureux un moment comme celui-ci? rétorqua Nora d'un ton abrupt et solennel. Ni aucune chance d'en avoir un?» poursuivit-elle d'un ton encore plus solennel.

«Je crois que cela doit être votre faute si vous n'en avez pas», répondit Anne en prenant place à ses côtés. Nora se retrouva en train de lui confier ses problèmes. Il y avait quelque chose chez Anne qui incitait chacun à lui raconter ses ennuis.

«Vous dites cela pour être polie, bien entendu. Ce n'est pas nécessaire. Vous savez aussi bien que moi que je ne suis pas le genre de fille dont les hommes tombent amoureux... Je suis l'"ordinaire" Mlle Nelson. Ce n'est pas ma faute si je n'ai personne. Je ne pouvais supporter la situation plus longtemps là-bas. Il fallait que je vienne ici et que je m'abandonne tout simplement à ma tristesse. Je suis fatiguée de sourire et d'être gentille avec tout le monde et de faire semblant que cela m'est égal quand on me taquine sur mon célibat. J'ai fini de faire semblant. Cela m'ennuie... cela m'ennuie horriblement. Je suis la seule des filles Nelson qui reste. Cinq d'entre nous sont mariées ou le seront demain. Vous avez entendu Tante Fouine me reprocher mon âge à table. Et je l'ai entendue dire à maman avant le souper que j'avais "un peu vieilli" depuis l'été dernier. Bien sûr que j'ai vieilli. J'ai vingt-huit ans. Dans douze ans, j'en aurai quarante. Comment pourrai-je supporter la vie à quarante ans, Anne, si je n'ai pas pris mes propres racines à ce moment-là?»

«Je ne me laisserais pas attrister par les propos d'une vieille idiote.»

«Non, n'est-ce pas? Vous n'avez pas un nez comme le mien. J'aurai le nez aussi crochu que papa dans dix ans. Et je suppose que cela ne vous ferait rien, non plus, si vous aviez attendu pendant des années qu'un homme vous demande en mariage... et qu'il ne l'avait pas fait.»

«Oh! oui, je pense que *cela* me ferait quelque chose.»

«Eh bien! c'est exactement la situation que je vis. Oh! Je sais que vous avez entendu parler de Jim Wilcox et de moi. C'est une histoire si ancienne. Il y a des années qu'il tourne autour de moi... mais jamais il n'a parlé de mariage.»

«Ressentez-vous quelque chose pour lui?»

«Bien sûr que oui. J'ai toujours prétendu le contraire

mais, comme je vous l'ai dit, j'en ai assez de jouer un jeu. Et il n'a jamais été près de moi depuis janvier. Nous nous sommes querellés... pourtant nous nous étions querellés des centaines de fois. Il était toujours revenu. Mais cette fois-ci, non... et il ne reviendra plus jamais. Il ne veut pas. Regardez sa maison de l'autre côté de la baie, qui brille sous la lune. J'imagine qu'il est là... et moi je suis ici... et il y a tout le port qui nous sépare. Ce sera toujours comme ça. C'est... c'est terrible! Et je n'y peux rien.»

«Si vous l'envoyiez chercher, reviendrait-il?»

«L'envoyer chercher! Croyez-vous que je pourrais faire ça? J'aimerais mieux mourir. S'il veut revenir, rien ne l'en empêche. S'il ne le veut pas, je ne le veux pas non plus. Oui, je le veux... je le veux! J'aime Jim... et je veux me marier. Je veux avoir ma maison et être "Madame" et clouer le bec à Tante Fouine. Oh! par moments, j'aimerais être Barnabas ou Saul pour lui jurer après! Si elle m'appelle "pauvre Nora" encore une fois, je lui lance un seau à charbon à la tête! Mais tout compte fait, elle dit simplement ce que tout le monde pense. Il y a longtemps que maman n'espère plus me voir mariée, alors elle me laisse tranquille, mais tous les autres me taquinent. Je déteste Sally... je suis bien sûr épouvantable... mais je la déteste. Elle va avoir un mari charmant et une belle maison. C'est injuste qu'elle ait tout et moi rien. Elle n'est pas meilleure ni plus intelligente ni plus jolie que moi... seulement plus chanceuse. Je suppose que vous me trouvez affreuse... mais cela m'est égal ce que vous pensez.»

«Je pense que vous êtes très très fatiguée après toutes ces semaines de préparatifs et de pressions et que les choses qui ont toujours été dures sont soudain devenues *trop* dures.»

«Vous comprenez... oh! oui, j'ai toujours su que vous comprendriez. Je voulais que nous soyons amies, Anne Shirley. J'aime votre façon de rire. J'aurais toujours voulu rire comme ça. Je ne suis pas aussi taciturne que j'en ai l'air... c'est à cause de mes sourcils. Je pense vraiment que ce sont eux qui font fuir les hommes. Je n'ai jamais eu de véritable amie. Mais j'avais évidemment toujours eu Jim. Nous avons été des... amis... depuis notre enfance. Vous savez, j'avais coutume d'allumer une lumière à cette petite fenêtre du grenier quand j'avais particulièrement besoin de le voir et il traversait aussitôt. Nous allions partout ensemble. Aucun autre garçon n'a jamais eu la moindre chance avec moi... sans doute qu'aucun autre n'était intéressé, je présume. Et à présent, c'est fini. Il en avait tout simplement assez de moi et il a été trop heureux de profiter de notre dispute pour reprendre sa liberté. Oh! Je vais vous détester demain de vous avoir raconté cela!»

«Pourquoi?»

«Nous en voulons toujours aux gens qui surprennent nos secrets, j'imagine, expliqua sombrement Nora. Mais quelque chose se passe en nous lors d'un mariage... et puis, cela m'est égal... tout m'est égal. Oh! Anne Shirley, je suis si misérable. J'aurais juste envie de renverser la tête en arrière et de hurler. Je veux être une mariée... et avoir un trousseau... et du linge de maison à mes initiales... et de jolis présents. Même le beurrier d'argent de Tante Fouine. Elle donne toujours un beurrier en cadeau de mariage... un machin horrible avec un couvercle qui ressemble au dôme de Saint-Pierre. Jim et moi, nous le mettrions sur la table du petit déjeuner juste pour en rire. Anne, je pense que je suis en train de devenir folle.»

La danse était terminée quand les deux jeunes filles revinrent main dans la main. On était en train d'installer les gens pour la nuit. Tommy Nelson amenait Saul et Barnabas dans la grange. Tante Fouine était encore assise sur le sofa, songeant à toutes les choses épouvantables qui, espérait-elle, ne se produiraient pas le lendemain.

«J'espère que personne ne va se lever pour déclarer qu'il existe un empêchement au mariage. C'est arrivé aux noces de Tillie Hatfield.»

«C'est pas Gordon qui aurait cette chance», répondit le garçon d'honneur.

Tante Fouine lui lança un regard glacial.

«Le mariage n'est pas une plaisanterie, jeune homme.»

«Tu parles que c'en est pas une, rétorqua-t-il sans remords. Dis donc, Nora, quand aurons-nous la chance de danser à tes noces?»

Nora ne répondit pas par des paroles. Elle s'approcha de lui et le gifla, d'abord sur une joue, puis sur l'autre. Et il ne s'agissait pas de gifles pour rire. Puis elle monta sans regarder en arrière.

«Cette fille, commenta Tante Fouine, est excédée.»

# 16

La matinée du samedi s'écoula dans un tourbillon de tâches de dernière minute. Anne, entortillée dans un des tabliers de Mme Nelson, la passa dans la cuisine à aider Nora à préparer les salades. Nora était d'humeur irritable et, comme elle l'avait prédit, il était évident qu'elle regrettait à présent les confidences faites la veille.

«Nous allons tous être complètement à plat pendant un mois, dit-elle d'un ton brusque, et papa ne peut réellement se permettre tout ce fla-fla. Mais Sally était décidée à avoir ce qu'elle appelle un "beau mariage" et papa a cédé. Il l'a toujours gâtée.»

«Dépit et jalousie», commenta Tante Fouine, dont la tête surgit soudain du garde-manger où elle était en train de rendre Mme Nelson folle d'exaspération avec ses espoirs sans espoir.

«Elle a raison, avoua Nora à Anne d'un ton amer. Tout à fait raison. Je suis dépitée et jalouse... Je hais jusqu'à l'expression des gens heureux. Mais je ne regrette quand même pas d'avoir giflé Jud Taylor hier soir. La seule chose qui me chagrine, c'est de ne pas lui avoir tordu le nez par la même occasion. Bon, eh bien! nous avons terminé les salades. Elles paraissent bien. J'aime bien faire les choses avec cérémonie quand je suis dans mon état normal. Oh! Tout compte fait, j'espère que tout va bien se passer pour Sally. Je suppose que je l'aime vraiment derrière tout cela, même si en ce moment j'ai l'impression de détester tout le monde et Jim Wilcox plus que tous les autres.»

On entendit, dans le garde-manger, Tante Fouine espérer sombrement que «le marié n'allait pas manquer à l'appel avant la cérémonie».

«C'est ce qui est arrivé à Austin Creed. Il avait tout simplement oublié qu'il se mariait ce jour-là. Les Creed ont toujours été distraits, mais c'est ce que j'appelle aller trop loin.»

Les deux filles se regardèrent et éclatèrent de rire. Tout le visage de Nora se transformait lorsqu'elle riait. Il s'illuminait... resplendissait... ondulait. Ensuite quelqu'un vint l'avertir que Barnabas avait vomi dans l'escalier... trop de foies de poulet, sans doute. Nora se précipita pour réparer les dégâts et Tante Fouine émergea du garde-manger en espérant que le gâteau n'allait pas disparaître comme c'était arrivé au mariage d'Alma Clark dix ans auparavant.

À midi, tout était fin prêt... la table dressée, les lits faits, et on avait disposé des paniers de fleurs partout; dans la grande chambre du côté nord en haut, Sally et ses trois demoiselles d'honneur étaient tout simplement resplendissantes. Anne, dans sa robe et son chapeau vert Nil, contempla son reflet dans le miroir et souhaita que Gilbert pût la voir.

«Vous êtes éblouissante», s'écria Nora à demi envieuse.

«Vous êtes très belle vous aussi, Nora. Ce chiffon bleu fumée et cette capeline font ressortir l'éclat de vos cheveux et le bleu de vos yeux.»

«Qui se soucie de mon apparence! répliqua Nora avec amertume. Eh bien! regardez-moi sourire, Anne. Je présume que je ne dois pas faire la trouble-fête. C'est moi qui jouerai finalement la *Marche nuptiale*... Vera a une migraine terrible. Comme Tante Fouine l'a présagé, je me sens davantage d'humeur à jouer la *Marche funèbre*.»

Tante Fouine, qui avait passé l'avant-midi à errer partout et à être dans les jambes de tout le monde, vêtue d'un vieux kimono défraîchi et d'un bonnet de nuit fané, apparut alors, resplendissante dans un gros-grain bordeaux et dit à Sally qu'une de ses manches était mal ajustée et qu'elle espérait que l'on ne verrait pas dépasser le jupon de quelqu'un sous sa robe comme c'était arrivé au mariage d'Annie Crewson. Mme Nelson entra et pleura en voyant Sally si jolie dans sa robe de mariée.

«Voyons, voyons, ne sois pas sentimentale, Jane, souffla Tante Fouine. Il te reste encore une fille... et tu ne sembles pas près de la perdre, quoi que tu fasses. Cela porte malheur de pleurer à un mariage. Eh bien! j'espère que personne ne va tomber raide mort au beau milieu de la cérémonie comme le vieil oncle Cromwell aux noces de Roberta Pringle. La mariée a passé deux semaines au lit pour se remettre du choc.»

Sur cette note inspirante, le groupe descendit, au son de la Marche nuptiale que Nora jouait de façon plutôt orageuse, et Sally et Gordon furent mariés sans que personne tombe mort ou oublie l'anneau. Ce fut vraiment un joli mariage et même Tante Fouine cessa de se préoccuper de l'univers pendant quelques instants. «Après tout, confia-t-elle à Sally un peu plus tard, même si tu n'es pas très heureuse une fois mariée, tu le serais probablement encore moins si tu ne l'étais pas.» Seule Nora, assise sur le tabouret du piano, continua à jeter à la ronde des regards noirs. Elle se dirigea cependant vers Sally et lui donna une accolade implacable, sur son voile de mariée et tout.

«Voilà, c'est fini», dit-elle sombrement après le dîner, lorsque les mariés et la plupart des invités furent partis. Elle contempla la pièce qui avait cet air d'abandon et de désolation qu'ont toujours les pièces après... un bouquet de corsage fané et piétiné gisant sur le sol... les chaises en désordre... un lambeau de dentelle... deux mouchoirs qu'on avait échappés... les miettes que les enfants avaient éparpillées... une tache sombre sur le plafond vis-à-vis de l'endroit où Tante Fouine avait échappé une cruche d'eau dans la chambre d'ami.

«Il faut que je fasse de l'ordre, poursuivit sauvagement Nora. Plusieurs jeunes attendent le train du bateau et quelques-uns restent pour la journée de dimanche. Ils vont faire un feu de camp sur la grève et danser au clair de lune.

Vous pouvez vous imaginer à quel point je me sens d'humeur à danser au clair de lune! J'ai plutôt envie d'aller me coucher et de pleurer.»

«Après un mariage, une maison a toujours l'air d'un lieu plutôt délaissé, remarqua Anne. Mais je vais vous aider à tout remettre en place, après quoi nous prendrons une tasse de thé.»

«Croyez-vous réellement qu'une tasse de thé soit une panacée pour tout, Anne Shirley? C'est vous qui devriez être la vieille fille, pas moi. Peu importe. Je ne veux pas me montrer épouvantable, mais je dois avoir cette disposition de naissance. Jim avait coutume de venir à nos danses sur la grève. Anne, j'ai pris la décision d'aller suivre un cours d'infirmière. Je sais que je vais détester ça... et que le ciel vienne en aide à mes futurs patients... mais je n'ai pas l'intention de rester à Summerside et de continuer à me faire taquiner parce que je suis restée sur le carreau. Eh bien! attaquons-nous à cette pile d'assiettes sales et voyons si nous aimons ça.»

«Moi j'aime bien... j'ai toujours aimé laver la vaisselle. C'est amusant de rendre de nouveau propres et brillantes les choses sales.»

«Oh! Vous devriez être dans un musée», rétorqua brusquement Nora.

Lorsque la lune apparut, tout était prêt pour la danse. L'énorme feu de bois flotté que les garçons avaient allumé flambait sur la pointe, et les eaux du port avaient, sous la lune, un aspect crémeux et chatoyant. Anne s'attendait à s'amuser follement, mais la vue de Nora qui descendait les marches avec un panier de sandwiches la fit réfléchir.

«Elle est si misérable. Si seulement je pouvais faire quelque chose!»

Elle eut une idée. Elle n'avait jamais pu résister à ses impulsions. Se précipitant dans la cuisine, elle saisit une petite lampe allumée, monta l'escalier d'en arrière, puis une autre volée de marches jusqu'au grenier. Elle plaça la lampe à la lucarne qui donnait sur l'autre côté du port. Les arbres la cachaient des danseurs.

«Il la verra peut-être et viendra. Nora sera probablement furieuse contre moi, mais cela m'est égal, si seulement il vient. Il ne me reste plus qu'à emballer un morceau du gâteau de noces pour Rebecca Dew.»

Jim Wilcox ne vint pas. Anne renonça à l'attendre après quelque temps et, dans la gaiété de la soirée, elle l'oublia. Nora avait disparu et Tante Fouine, à l'étonnement général, était allée se coucher. La fête se termina à onze heures et les danseurs remontèrent à la maison en bâillant. Anne avait tant sommeil qu'elle ne pensa plus à la lumière au grenier. Mais à deux heures, Tante Fouine se glissa dans la chambre et promena sa bougie devant le visage des jeunes filles.

«Grand Dieu! Qu'est-ce qui se passe?» s'étrangla Dot Fraser en s'asseyant dans son lit.

«Chut!» fit Tante Fouine, les yeux pratiquement sortis de la tête. «Je pense qu'il y a quelqu'un dans la maison... Je le *sais*. Quel est ce bruit?»

«On dirait un chat qui miaule ou un chien qui aboie», gloussa Dot.

«Rien de tel, objecta sévèrement Tante Fouine. Je sais qu'il y a un chien qui aboie dans la grange, mais ce n'est pas ce qui m'a réveillée. C'était un coup... un coup fort et distinct.»

«Des fantômes et des goules et des bêtes aux longues jambes et des choses qui donnent des coups dans la nuit, délivrez-nous, Seigneur», murmura Anne.

«M^lle^ Shirley, il n'y a pas là matière à rire. Des cambrioleurs sont entrés dans la maison. Je vais prévenir Samuel.»

Tante Fouine disparut et les filles se regardèrent.

«Pensez-vous que... tous les cadeaux de mariage sont en bas dans la bibliothèque...» commença Anne.

«En tout cas, moi, je me lève, dit Mamie. Anne, avez-vous déjà vu quelque chose de semblable au visage de Tante Fouine quand elle tenait la chandelle basse et que les ombres tombaient d'en haut... et toutes ces mèches de cheveux qui pendaient autour? Quand on parle de la Pythonisse d'Endor!»

Quatre filles en kimono se glissèrent dans le couloir. Elles y croisèrent Tante Fouine suivie du Dr Nelson en robe de chambre et en pantoufles. Mme Nelson, qui n'arrivait pas à trouver son peignoir, montra un visage terrifié dans l'entrebâillement de sa porte de chambre.

«Oh! Samuel... ne prends pas de risques... si ce sont des cambrioleurs, ils pourraient tirer...»

«Fadaises! Je suis sûr qu'il n'y a rien», affirma le médecin.

«Je te dis que j'ai entendu un coup», chevrota Tante Fouine.

Deux garçons se joignirent au groupe. Ils descendirent l'escalier sur la pointe des pieds, le docteur ouvrant la marche et Tante Fouine, une bougie dans une main et un tisonnier dans l'autre, la fermant.

Il y avait indubitablement du bruit dans la bibliothèque. Le docteur ouvrit la porte et entra.

Barnabas, qu'on avait enfermé dans la bibliothèque tandis que Saul passait la nuit dans la grange, était assis sur le dossier du sofa, clignant des yeux amusés. Nora et un jeune homme étaient debout au centre de la pièce faiblement éclairée par une autre chandelle vacillante. Le jeune homme avait un bras autour de Nora et tenait devant son visage un grand mouchoir blanc.

«Il est en train de la chloroformer!» hurla Tante Fouine qui laissa tomber le tisonnier dans un fracas épouvantable.

Le jeune homme se retourna, échappa le mouchoir et eut l'air complètement ahuri. C'était pourtant un jeune homme d'assez belle apparence, aux yeux couleur de feuille morte, aux cheveux brun roux crêpelés, sans parler de son menton qui renseignait le monde entier sur ce qu'était un menton.

Nora ramassa le mouchoir et l'appliqua contre son visage.

«Jim Wilcox, qu'est-ce que cela signifie?» demanda sévèrement le docteur.

«Je n'en sais rien, répondit Jim Wilcox d'un air boudeur. Tout ce que je sais, c'est que Nora m'a envoyé un signal. Je n'ai vu la lumière qu'à une heure, quand je suis rentré d'un banquet maçonnique à Summerside. Et j'ai aussitôt traversé.»

«Je ne t'ai pas envoyé de signal, gronda Nora. Pour l'amour de Dieu, papa, ne me regarde pas comme ça. Je ne dormais pas... J'étais assise à ma fenêtre... Je ne m'étais pas encore déshabillée... et j'ai vu un homme qui montait de la grève. Lorsqu'il a été près de la maison, j'ai reconnu Jim alors je me suis précipitée en bas. Et j'ai... je me suis frappé le nez dans la porte de la bibliothèque. Il essayait seulement d'arrêter le saignement.»

«En sautant par la fenêtre, j'ai cogné ce banc...»

«Je vous avais bien dit que j'avais entendu un coup», exulta Tante Fouine.

«... et maintenant, comme Nora affirme ne pas m'avoir envoyé de signal, je vais tout simplement vous débarrasser de ma présence importune, en offrant mes excuses à toutes les personnes concernées.»

«C'est vraiment dommage d'avoir troublé ton repos et de t'avoir fait traverser toute la baie pour rien», dit Nora d'un ton aussi glacial que possible tout en continuant à chercher un coin propre sur le mouchoir de Jim.

«Tu ne saurais mieux dire», approuva le docteur.

«Vous feriez mieux d'essayer de trouver une meilleure explication», poursuivit Tante Fouine.

«C'est moi qui ai mis la lumière à la fenêtre, avoua honteusement Anne, puis j'ai oublié...»

«Vous avez osé! cria Nora. Jamais je ne vous pardonnerai!»

«Êtes-vous tous devenus fous? coupa le docteur avec irritation. Qu'est-ce que c'est que ces histoires? Pour l'amour du ciel, fermez cette fenêtre, Jim... le vent est en train de nous glacer jusqu'aux os. Nora, renverse la tête et ton nez ira mieux.»

Nora sanglotait de rage et d'humiliation. Les larmes se mêlant au sang sur son visage lui donnaient un air terrifiant. Jim Wilcox avait l'air de souhaiter que le sol s'ouvre sous ses pieds et le précipite dans la cave.

«Eh bien!» fit Tante Fouine d'un ton belliqueux, tout ce que vous pouvez faire maintenant, c'est de l'épouser, Jim Wilcox. Elle ne trouvera jamais de mari si on apprend qu'on l'a surprise ici avec vous à deux heures du matin.»

«L'épouser! s'exclama Jim d'un air exaspéré. C'est ce que j'ai désiré toute ma vie... je n'ai jamais voulu autre chose que l'épouser!»

«Alors pourquoi ne l'as-tu jamais dit?» demanda Nora en faisant volte-face pour se placer devant lui.

«Pourquoi? Parce qu'il y a des années que tu me regardes de haut et te moques de moi. Je ne peux compter les fois où tu m'as prouvé que tu me méprisais. J'ai toujours pensé que c'était inutile de te le demander. Et en janvier dernier, tu as dit...»

«C'est toi qui m'as poussée à le dire...»

«Je t'ai poussée, moi? J'aime ça encore! Tu as provoqué une dispute simplement pour te débarrasser de moi...»

«C'est faux... Je...»

«Et j'ai pourtant été assez fou pour me précipiter ici au beau milieu de la nuit parce que je croyais que tu avais mis notre ancien signal à la fenêtre et que tu voulais me voir! Te demander en mariage, hein? Eh bien! je te le demande maintenant et ce sera fait. Tu auras le plaisir de me refuser devant tout ce groupe. Nora Edith Nelson, veux-tu m'épouser?»

«Oh! Si je le veux... si je le veux!» s'écria Nora si effrontément que même Barnabas rougit pour elle.

Jim lui jeta un regard incrédule... puis bondit sur elle. Son nez avait peut-être arrêté de saigner... ou peut-être que non. C'était sans importance.

«Je crois que vous avez tous oublié que nous sommes dimanche matin», remarqua Tante Fouine, qui venait tout juste de s'en souvenir. «Je prendrais bien une tasse de thé si quelqu'un avait l'obligeance d'en faire. Je n'ai pas l'habitude de telles démonstrations. J'espère seulement que cette pauvre Nora l'a enfin réellement mis au pied du mur. Elle a par chance des témoins.»

Ils allèrent à la cuisine et M^me^ Nelson descendit préparer du thé pour tout le monde... sauf pour Jim et Nora, qui restèrent enfermés dans la bibliothèque, Barnabas leur servant de chaperon. Anne ne revit Nora que le matin... une Nora si différente, rajeunie de dix ans, rougissante de bonheur.

«C'est à vous que je le dois, Anne. Si vous n'aviez pas mis la lampe... bien que pendant deux minutes et demie la nuit dernière j'aurais pu vous arracher les oreilles!»

«Quand je pense que je dormais pendant que ça s'est passé», gémit Tommy Nelson, le cœur brisé.

Ce fut pourtant Tante Fouine qui eut le dernier mot.

«Ma foi, j'espère seulement que ce ne sera pas un cas de mariage précipité qu'ils regretteront par la suite.»

# 17

(*Extrait d'une lettre à Gilbert.*)

L'école a fermé aujourd'hui. Deux mois de Green Gables, de fougères au parfum épicé et humides de rosée dans lesquelles, le long du ruisseau, on s'enfonce jusqu'à la cheville, d'ombres tachetées et paresseuses dans le Chemin des amoureux, de fraises sauvages dans le champ de M. Bell et du charme sombre des sapins dans la Forêt Hantée! Même mon âme a des ailes.

Jen Pringle m'a apporté un bouquet de muguet et m'a souhaité de bonnes vacances. Elle viendra passer une fin de semaine avec moi dans quelque temps. Quand on parle de miracles!

Mais la petite Elizabeth a le cœur brisé. Je voulais qu'elle aussi me rende visite, mais Mme Campbell ne l'a pas «jugé opportun». Je n'en avais heureusement pas parlé à Elizabeth, alors cela lui a épargné cette déception.

«Je pense que je serai Lizzie tout le temps que vous serez absente, Mlle Shirley, m'a-t-elle confié. En tout cas, je me sentirai Lizzie.»

«Mais songe au plaisir que tu auras lorsque je reviendrai, lui ai-je répondu. Et, bien entendu, tu ne seras pas Lizzie. Il n'existe pas de Lizzie en toi. Et je t'écrirai chaque semaine, petite Elizabeth.»

«Oh! C'est vrai, Mlle Shirley? Je n'ai jamais reçu de lettre de ma vie. Comme ce sera amusant! Et je vous écrirai aussi si elles me donnent un timbre. Sinon, vous saurez que je pense à vous de la même façon. J'ai donné votre nom au suisse dans la cour... Shirley. Cela ne vous fait rien, n'est-ce pas? Pour commencer, je voulais l'appeler Anne Shirley... puis j'ai pensé que ce ne serait pas très respectueux... et d'ailleurs, Anne n'est pas un nom pour un suisse. De plus, c'est peut-être un monsieur. Les suisses sont si adorables, vous ne trouvez pas? Mais la Femme dit qu'ils mangent les racines de rosiers.»

«Qu'elle parle pour elle!» ai-je répondu.

J'ai demandé à Katherine Brooke où elle comptait passer l'été et elle m'a répondu sèchement: «Ici. Où pensiez-vous que je le passerais?»

J'avais l'impression que je devrais l'inviter à Green Gables, mais je n'ai tout simplement pas pu. Évidemment, elle ne serait sans doute pas venue. Et c'est un tel rabat-joie. Elle aurait tout gâché. Mais lorsque je pense qu'elle passera l'été toute seule dans cette pension minable, j'ai des remords de conscience.»

Dusty Miller a apporté un serpent vivant l'autre jour et l'a laissé tomber sur le parquet de la cuisine. Rebecca Dew aurait pâli si cela lui avait été possible. «Cette fois, *c'est* vraiment le bouquet!» s'est-elle écriée. Mais Rebecca Dew est seulement un peu grincheuse ces temps-ci parce qu'elle passe tous ses moments libres à enlever de grosses coccinelles gris-vert des rosiers et à les jeter dans une boîte de kérosène. Elle est d'avis qu'il y a beaucoup trop d'insectes dans le monde.

«Un jour, il sera dévoré par eux», prédit-elle sombrement.

Nora Nelson épousera Jim Wilcox en septembre. Un mariage très intime... sans esbroufe, sans invités, sans demoiselles d'honneur. Nora m'a confié que c'était la seule façon d'éviter Tante Fouine, et elle ne veut absolument pas que Tante Fouine assiste à son mariage. Je serai toutefois présente, officieusement, en quelque sorte. Selon Nora, Jim ne serait jamais revenu si je n'avais pas mis cette lampe à la fenêtre. Il comptait vendre son magasin et aller s'installer dans l'ouest. Eh bien! quand je songe à toutes les unions dont je suis censée être responsable...

Sally dit qu'ils passeront leur temps à se quereller, mais qu'ils seront plus heureux à se quereller ensemble qu'à s'accorder avec n'importe qui d'autre. Mais je ne crois pas qu'ils se disputeront... beaucoup. À mon avis, ce sont les malentendus qui causent la majorité des problèmes dans le monde. Toi et moi pour si longtemps, à présent...

Bonne nuit, mon bien-aimé. Votre sommeil sera doux s'il est influencé par les souhaits de

Celle qui vous appartient.

P. S. Cette dernière phrase est tirée textuellement d'une lettre de la grand-mère de Tante Chatty.

# *La deuxième année*

# 1

Le Domaine des Peupliers<br>Chemin du Revenant<br>Le 14 septembre

Je peux difficilement me faire à l'idée que les deux merveilleux mois que nous venons de passer sont terminés. Car ils ont été merveilleux, n'est-ce pas, mon chéri? Et maintenant, il ne reste plus que deux ans avant...

(*Plusieurs paragraphes omis.*)

Mais ce fut très agréable de revenir au Domaine des Peupliers... dans ma tour privée, mon fauteuil personnel et mon lit surélevé... et même de retrouver Dusty Miller qui se prélasse sur le rebord de la fenêtre de la cuisine.

Les veuves étaient contentes de mon retour et Rebecca Dew m'a dit carrément: «C'est bon de vous revoir.» La petite Elizabeth éprouvait le même sentiment. Nous avons eu des retrouvailles frénétiques à la clôture.

«J'avais un peu peur que vous soyez allée à Demain avant moi», a dit la petite Elizabeth.

«N'est-ce pas une soirée charmante?» ai-je demandé.

«Quand vous êtes là, c'est toujours une soirée charmante, Mlle Shirley», a-t-elle répondu.

Tu parles d'un compliment!

«Comment as-tu passé l'été, ma chérie?» ai-je demandé.

«À penser, a-t-elle répondu doucement, à toutes les choses plaisantes qui arriveront Demain.»

Ensuite nous sommes allées dans la chambre de la tour et nous avons lu une histoire sur les éléphants. La petite Elizabeth est actuellement très intéressée par les éléphants.

«Même le mot éléphant a quelque chose de magique, vous ne pensez pas?» a-t-elle dit d'un ton grave, tenant son menton dans ses petites paumes comme elle a l'habitude de le faire. «Je compte rencontrer plein d'éléphants quand ce sera Demain.»

Nous avons ajouté un parc d'éléphants sur notre carte du pays des fées. Inutile de prendre un air hautain et dédaigneux comme je sais que tu le feras en lisant ceci, mon Gilbert. Absolument inutile. Le monde aura toujours des fées. Il ne peut s'en tirer sans elles. Et quelqu'un doit les fournir.

Je suis également assez contente d'être de retour à l'école. Katherine Brooke ne se montre pas plus amicale qu'avant, mais mes élèves paraissaient heureux de me revoir et Jen Pringle veut que je l'aide à fabriquer les auréoles de fer-blanc des têtes d'anges pour un concert de l'école du dimanche.

Je pense que les cours seront cette année beaucoup plus intéressants que l'an dernier. L'histoire du Canada a été ajoutée au programme. Je dois donner demain une petite «conférencette» sur la guerre de 1812. C'est étrange de lire des histoires de ces guerres anciennes... ces choses qui ne pourront plus jamais arriver. Je présume que personne d'entre nous n'aura jamais plus qu'un intérêt purement scolaire dans ces «batailles des temps passés». C'est impossible d'imaginer le Canada participant à une autre guerre. Je me sens tellement soulagée que cette phase de l'histoire soit terminée.

Nous allons réorganiser le Club d'art dramatique dès maintenant et solliciter un don de toutes les familles ayant un enfant à l'école. Lewis Allen et moi avons choisi comme territoire le Chemin Dawlish et nous irons solliciter samedi après-midi. Lewis essaiera de faire d'une pierre deux coups, car il participe à un concours de photographies. Le *Country*

*Homes* accordera un prix à la meilleure photo d'une jolie ferme. Il s'agit d'un prix de vingt-cinq dollars et Lewis a terriblement besoin d'un nouvel habit et d'un pardessus. Il a travaillé sur une ferme tout l'été et cette année encore il fait du travail de maison et sert à la table de sa pension. Il déteste sûrement cela, mais jamais il n'en parle. J'aime vraiment Lewis... il a tellement de cran et d'ambition, et il a un rictus charmant à la place d'un sourire. Il n'est pas très costaud, pourtant. L'an dernier, je craignais qu'il ne flanche. Mais l'été qu'il a passé sur la ferme semble l'avoir quelque peu revigoré. C'est sa dernière année de secondaire et il espère faire ensuite une année à Queen's. Les veuves vont l'inviter à leur souper du dimanche aussi souvent que possible cet hiver. Tante Kate et moi avons discuté des modalités et je l'ai persuadée de me laisser payer les extras. Nous n'avons évidemment pas essayé de convaincre Rebecca Dew. J'ai simplement demandé à Tante Kate, alors que Rebecca Dew pouvait nous entendre, si nous pouvions inviter Lewis Allen à souper deux dimanches par mois. Tante Kate m'a répondu froidement qu'elle avait peur de ne pas pouvoir se permettre un deuxième convive, en plus de la fille solitaire qui vient normalement.

Rebecca Dew a poussé un cri d'angoisse.

«*C'est* le bouquet! Nous voilà devenues si pauvres que nous ne pouvons nous permettre d'offrir une bouchée à l'occasion à un pauvre garçon travailleur et sobre qui essaie de poursuivre des études! Vous payez davantage pour le foie de Ce Chat alors qu'il est à la veille d'éclater. Eh bien! prenez un dollar de mes gages et invitez-le.»

L'évangile selon Rebecca Dew fut accepté. Lewis Allen vient et ni le foie de Dusty Miller ni les gages de Rebecca Dew n'en souffriront. Chère Rebecca Dew!

Tante Chatty s'est faufilée dans ma chambre hier soir pour me raconter qu'elle désirait acheter une cape ornée de perles, mais que Tante Kate pensait qu'elle était trop vieille pour cela. Elle avait du chagrin.

«Croyez-vous que je le sois, M^lle^ Shirley? Je ne veux pas

être indigne... mais j'ai toujours désiré une cape perlée. J'ai toujours trouvé que c'était ce qu'on pourrait appeler désinvolte... et elles sont revenues à la mode.»

«Trop vieille! Bien sûr que vous n'êtes pas trop vieille, ma chère!» l'ai-je rassurée. «Personne n'est jamais trop vieux pour porter ce dont il a envie. Vous ne *voudriez* pas la porter si vous étiez trop vieille.»

«Je vais l'acheter et tenir tête à Kate», affirma Tante Chatty sur un ton tout plutôt qu'assuré.

Mais je crois qu'elle le fera... et je pense savoir comment convaincre Tante Kate.

Je suis seule dans ma tour. Dehors, la nuit est tout à fait calme, et le silence ressemble à du velours. Les peupliers eux-mêmes sont immobiles. Je viens de me pencher à ma fenêtre et d'envoyer un baiser en direction de quelqu'un qui se trouve à moins de cent milles de Kingsport.

# 2

Le Chemin Dawlish était une route quelque peu sinueuse, et l'après-midi semblait fait pour les promeneurs... c'est du moins ce que pensaient Anne et Lewis en s'y promenant, s'arrêtant ici et là pour entrevoir un fragment du détroit saphir entre les arbres ou pour photographier un paysage particulièrement joli ou une petite maison pittoresque dans un vallon feuillu. Ce n'était probablement pas aussi agréable de frapper aux portes et de demander des souscriptions au profit du Club d'art dramatique, mais Anne et Lewis parlaient à tour de rôle... lui aux femmes et Anne aux hommes.

«Prenez les hommes si vous y allez dans cette robe et ce chapeau, avait conseillé Rebecca Dew. J'ai personnellement fait pas mal de sollicitation dans mon temps et tout a démontré que mieux habillée vous êtes et le mieux vous paraissez, le plus d'argent vous récolterez... ou de promesses d'argent... si c'est aux hommes que vous vous adressez. Mais si c'est aux femmes, mettez ce que vous avez de plus vieux et de plus laid.»

«N'est-ce pas une chose intéressante qu'une route, Lewis? prononça Anne d'un ton rêveur. Non pas une route droite, mais une qui a des bouts et des entortillements où peuvent se cacher toute la beauté et la surprise du monde. J'ai toujours aimé les tournants de chemins.»

«Où va ce Chemin Dawlish?» demanda plus prosaïquement Lewis... bien qu'en même temps, il songeât que la voix de Mlle Shirley lui avait toujours fait penser au printemps.

«Je pourrais me montrer affreusement maîtresse d'école, Lewis, et dire qu'il ne va nulle part... qu'il reste ici. Mais je ne le serai pas. Où il va, où il mène... quelle importance? Peut-être mène-t-il au bout du monde et revient-il. Souviens-toi des paroles d'Emerson... "Oh! qu'ai-je à faire du temps?" Ce sera notre slogan aujourd'hui. Je crois que l'univers fera son chemin tant bien que mal si nous le laissons en paix quelque temps. Regarde l'ombre de ces nuages... et la tranquillité de ces vallées vertes... et cette maison avec un pommier à chaque coin. Imagine-les au printemps. C'est une de ces journées où les gens se *sentent* vivre, où tous les vents du monde sont nos sœurs. Je suis contente de voir toutes ces touffes de fougère épicée le long de cette route... de la fougère ornée de fils de la Vierge. Cela me ramène au temps où je prétendais... ou croyais... que les fils de la Vierge étaient les nappes des fées.»

Au bord de la route, ils trouvèrent une source dans un creux mordoré et s'assirent sur un tapis de mousse qui semblait tissé de minuscules fougères, pour boire dans un gobelet que Lewis avait fabriqué avec de l'écorce de bouleau.

«On ne connaît jamais la véritable joie de boire avant d'être déshydraté et de trouver de l'eau, dit-il. L'été dernier, alors que je travaillais dans l'ouest au chemin de fer qu'on est en train de construire, je me suis égaré dans la prairie un jour de canicule et j'ai erré pendant des heures. Je pensais que j'allais mourir de soif quand je suis arrivé à la cabane d'un colon, et il y avait une petite source comme celle-ci dans un bosquet de saules. Comme j'ai bu! Depuis, je comprends pourquoi la Bible aime tant l'eau potable.»

«Nous allons avoir de l'eau venant d'ailleurs, prononça Anne avec une certaine anxiété. Un orage s'en vient et... Lewis, j'adore les orages, mais j'ai mis mon meilleur chapeau et ma deuxième plus jolie robe. Et il n'y a aucune maison avant un demi-mille.»

«Il y a une vieille forge abandonnée, là-bas, dit Lewis. Mais nous devrons courir.»

Ils y coururent et, de cet abri, ils admirèrent l'averse de la même façon qu'ils savourèrent toute chose en cet après-midi de vagabondage insouciant. Un silence voilé était tombé sur la terre. Toutes les jeunes brises qui avaient tant chuchoté et froufrouté le long du Chemin Dawlish avaient replié leurs ailes et étaient devenues immobiles et silencieuses. Pas une ombre ne frissonnait. Les feuilles des érables le long de la route se tournaient à l'envers jusqu'à ce que les arbres aient l'air de pâlir de peur. Une énorme ombre fraîche parut les engloutir comme une vague verte... le nuage les avait atteints. Puis ce fut la pluie, avec des coups de vent. L'averse crépitait durement sur les feuilles, dansait le long du chemin rouge et fumeux et bombardait allègrement le toit de la vieille forge.

«Si ça dure...» commença Lewis.

Mais cela ne dura pas. Aussi soudainement qu'il était venu, l'orage cessa et le soleil se remit à briller sur les arbres mouillés et luisants. D'éblouissants morceaux de ciel bleu apparurent entre les lambeaux de nuages blancs. Ils purent voir au loin une colline encore sombre sous la pluie, mais, au-dessous d'eux, la coupe de la vallée semblait déborder de vapeurs pêche. Les bois aux alentours étaient ornés d'un scintillement et d'un éclat semblables à ceux du printemps et un oiseau se mit à chanter dans le gros érable près de la forge comme si on l'avait induit en erreur en lui faisant croire que le printemps était vraiment arrivé. Comme le monde entier semblait à ce moment-là frais et doux!

«Explorons ceci», dit Anne lorsqu'ils reprirent leur randonnée, en lorgnant vers un petit chemin de traverse qui courait entre des vieilles clôtures couvertes de verge d'or.

«Je ne crois pas qu'on trouve âme qui vive sur cette route, dit Lewis d'un ton dubitatif. Je crois que c'est seulement un chemin qui mène au port.»

«Peu importe... allons-y. J'ai toujours eu un faible pour les chemins de traverse... les choses hors des sentiers battus, perdues, vertes et solitaires. Respire l'odeur de l'herbe humide, Lewis. De plus, mon petit doigt m'assure qu'il y a une maison ici... un certain genre de maison... une maison très photogénique.»

Son petit doigt ne l'avait pas trompée. Une maison apparut bientôt... et c'était en effet une maison très photogénique. Elle était pittoresque, de style ancien; ses avant-toits étaient bas, ses fenêtres carrées, à petits carreaux. De grands saules étiraient au-dessus d'elle leurs bras patriarcaux et elle était entourée d'une apparente jungle de plantes vivaces et d'arbrisseaux qui se bousculaient. Elle était délabrée et délavée par les intempéries, mais les granges derrière étaient confortables et d'aspect prospère, absolument de dernier cri à tous les égards.

«J'ai toujours entendu dire, Mlle Shirley, que lorsque les granges d'un homme sont plus belles que sa maison, cela indique que ses revenus sont supérieurs à ses dépenses», remarqua Lewis pendant qu'ils montaient nonchalamment l'allée envahie d'herbe haute.

«J'aurais cru que c'était parce qu'il pensait davantage à ses chevaux qu'à sa famille, répondit Anne en riant. Je ne compte pas recevoir ici de souscription pour notre club, mais c'est la maison la plus apte à remporter un prix dans un concours de photographies. Sa couleur grise ne la déparera pas sur la photo.»

«Cette allée ne semble pas très fréquentée, fit Lewis en haussant les épaules. Les gens qui habitent ici n'ont pas l'air des plus sociables. J'ai bien peur qu'ils ne sachent même pas ce qu'est un club d'art dramatique. En tout cas, je vais faire ma photo avant que nous ne tombions sur un des habitants de cette tanière.»

La maison semblait déserte, mais, après avoir pris la photo, ils ouvrirent une petite barrière blanche, traversèrent la cour et frappèrent à la porte de la cuisine d'un bleu fané, la porte d'en avant étant de façon évidente, comme celle du Domaine des Peupliers, davantage pour l'apparence que pour l'usage... si on pouvait parler d'apparence dans le cas d'une porte littéralement cachée sous une vigne vierge.

Ils s'attendaient à au moins la civilité qu'ils avaient rencontrée dans leurs visites, qu'elle soit suivie ou non de générosité. C'est pourquoi ils reculèrent décidément lorsque la porte s'ouvrit brusquement et qu'apparut sur le seuil, non pas l'épouse ou la fille souriante d'un fermier qu'ils s'attendaient à voir, mais un homme d'une cinquantaine d'années grand et aux épaules larges, aux cheveux gris et aux sourcils en broussailles, qui demanda sans cérémonie :

«Qu'est-ce que vous voulez?»

«Nous sommes venus avec l'espoir de vous intéresser au Club d'art dramatique de notre école», commença Anne, d'un ton plutôt humble.

Mais tout effort supplémentaire lui fut épargné, car l'homme l'interrompit sans compromis :

«Jamais entendu parler. Pas envie d'en entendre parler. Pas de mes affaires», avant de leur fermer la porte au nez.

«Je crois que nous venons d'essuyer une rebuffade», constata Anne pendant qu'ils rebroussaient chemin.

«Un individu charmant, sourit Lewis. Je plains sa femme, si toutefois il en a une.»

«Je ne pense pas qu'il puisse en avoir, sinon elle l'aurait civilisé un tantinet, répondit Anne, essayant de recouvrer son assurance secouée. J'aimerais que Rebecca Dew le mette à sa main. Mais nous avons au moins sa maison, et j'ai le pressentiment qu'elle va remporter le prix. Zut! J'ai un caillou dans ma chaussure et je vais m'asseoir sur le remblai de pierre de ce monsieur, avec ou sans sa permission, pour l'enlever.»

«C'est heureusement hors de vue de la maison», dit Lewis.

Anne venait de délacer sa chaussure lorsqu'ils entendirent un bruit léger venant de la jungle d'arbustes à leur droite. Puis un garçonnet d'environ huit ans apparut et resta à les regarder timidement, tenant serré dans ses mains potelées un gros chausson aux pommes. C'était un bel enfant aux cheveux bruns bouclés et luisants, aux grands yeux marron pleins de confiance et aux traits délicatement modelés. Il y avait en lui quelque chose de raffiné même s'il était tête et jambes nues, et ne portait qu'une chemisette de cotonnade bleue délavée et des knickerbockers de velours usé jusqu'à la corde. Il avait pourtant l'air d'un petit prince déguisé.

Un gros chien terre-neuve noir, dont la tête arrivait presque à la hauteur de l'épaule du garçonnet, se tenait derrière lui.

Anne lui adressa ce sourire qui lui avait toujours gagné le cœur des enfants.

«Bonjour, petit, le salua Lewis. Qui es-tu?»

L'enfant s'avança en répondant à leur sourire et en tendant son chausson.

«Voici quelque chose à manger, commença-t-il timidement. C'est papa qui l'a fait pour moi, mais je préfère vous le donner. J'ai plein de choses à manger.»

Lewis, d'une façon plutôt indélicate, s'apprêtait à refuser de prendre le goûter du gamin, mais Anne le poussa vivement du coude. Saisissant ce qu'elle voulait dire, il l'accepta gravement et le tendit à Anne qui, tout aussi gravement, le rompit en deux et lui en remit la moitié. Ils savaient qu'ils devaient le manger; ils se demandaient avec appréhension si «papa» était habile en art culinaire, mais la première bouchée les rassura. Si «papa» n'était pas très fort dans le domaine de la courtoisie, il l'était certainement dans la fabrication des chaussons.

«C'est délicieux, dit Anne. Comment t'appelles-tu, mon chou?»

«Teddy Armstrong, répondit le petit bienfaiteur. Mais papa m'appelle toujours Petit Homme. Il n'a que moi, vous savez. Papa m'aime terriblement et moi aussi je l'aime terriblement. J'ai peur que vous pensiez que papa est impoli parce qu'il a refermé la porte si vite, mais il ne voulait pas l'être. Je vous ai entendu demander quelque chose à manger.»

(«Nous ne l'avons pas fait, mais c'est sans importance», pensa Anne.)

«J'étais dans le jardin derrière les roses trémières, alors j'ai tout simplement pensé que je vous apporterais mon chausson parce que j'ai toujours de la peine pour les pauvres gens qui n'ont pas assez à manger. Moi, j'en ai toujours assez. Mon papa est un cuisinier formidable. Vous devriez voir les poudings au riz qu'il fait.»

«Est-ce qu'il y ajoute des raisins?» s'informa Lewis, le regard pétillant.

«Plein de raisins. Il n'y a rien de mesquin en lui.»

«As-tu une maman, mon chéri?» demanda Anne.

«Non. Ma mère est morte. M^me^ Merrill m'a dit une fois qu'elle était allée au paradis, mais papa dit que ça n'existe pas, le paradis, et j'imagine qu'il doit le savoir. Mon papa est un homme rudement intelligent. Il lit des milliers de livres. J'ai l'intention d'être 'xactement comme lui quand je serai grand... sauf que je donnerai à manger à ceux qui m'en demanderont. Mon papa n'aime pas beaucoup les gens, vous savez, mais il est rudement bon avec moi.»

«Vas-tu à l'école?» interrogea Lewis.

«Non. Mon papa m'enseigne à la maison. Les commissaires lui ont dit que je devrais y aller l'an prochain. Je pense que j'aimerais aller à l'école et jouer avec d'autres garçons. 'videmment, j'ai Carlo et même papa est un compagnon de jeu formidable quand il a le temps. Mon papa est plutôt occupé, vous savez. Il doit s'occuper de la ferme et entretenir la maison, aussi. C'est pour ça qu'il ne peut pas se faire déranger par des gens, voyez-vous. Quand je serai plus grand, je pourrai l'aider beaucoup et il aura alors plus de temps pour être poli avec les autres.»

«Ce chausson était juste ce qu'il nous fallait, Petit Homme», déclara Lewis en avalant la dernière miette.

Les yeux de Petit Homme brillèrent.

«Je suis si content que vous l'ayez aimé», dit-il.

«Aimerais-tu faire prendre ta photo?» demanda Anne, qui avait l'impression qu'il ne fallait surtout pas offrir de l'argent à ce petit cœur généreux. «Si oui, Lewis la prendra.»

«Si j'aimerais ça! s'écria avidement Petit Homme. Carlo aussi?»

«Certainement, Carlo aussi.»

Anne les fit poser joliment devant un bouquet d'arbrisseaux, le garçonnet debout, le bras entourant le cou de son gros et frisé compagnon de jeu, tous deux paraissant également ravis, et Lewis fit la photo avec la dernière plaque qui restait.

«Si elle sort bien, je te l'enverrai par la poste, promit-il. Comment dois-je l'adresser?»

«Teddy Armstrong, aux soins de M. James Armstrong, Chemin Glencove, répondit Petit Homme. Oh! quel plaisir ce sera de recevoir quelque chose par la poste spécialement pour moi! Je vous assure que je serai rudement fier. Je n'en parlerai pas à papa pour que ce soit une merveilleuse surprise pour lui.»

«Eh bien! attends-toi à recevoir un colis dans deux ou trois semaines», fit Lewis comme ils lui disaient au revoir. Mais Anne s'arrêta brusquement et embrassa le petit visage basané. Il y avait quelque chose en lui qui lui pinçait le cœur. Il était si gentil... si galant... si orphelin de mère!

Ils se retournèrent pour le regarder avant de s'engager dans le dernier tournant de l'allée et le virent debout sur le remblai, avec son chien, leur envoyant la main.

Rebecca Dew était bien entendu au courant de tout ce qui concernait les Armstrong.

«James Armstrong ne s'est jamais remis de la mort de sa femme survenue il y a cinq ans, expliqua-t-elle. Il n'était pas si mal avant cela... même plutôt agréable, bien qu'un peu ermite. Il était fait comme ça. Il mangeait tout simplement dans la main de sa petite femme... elle avait vingt ans de moins que lui. On m'a raconté que sa mort lui a causé un choc épouvantable... on dirait que ça a complètement changé sa nature. Il est devenu amer et sauvage. Il ne veut même pas avoir une femme de ménage... s'occupe tout seul de la maison et de l'enfant. Il a été célibataire pendant des années avant de se marier, alors il est pas mal habitué.»

«Mais ce n'est pas une vie pour un enfant, commenta Tante Chatty. Son père ne l'amène jamais à l'église ni à aucun endroit où il pourrait rencontrer des gens.»

«Il vénère cet enfant, m'a-t-on dit», ajouta Tante Kate.
«Vous ne devez pas avoir d'autres dieux que moi», cita tout à coup Rebecca Dew.

# 3

Cela prit presque trois semaines avant que Lewis trouve le temps de développer ses photos. Il les apporta au Domaine des Peupliers le premier dimanche où il vint souper. Celles de la maison et du Petit Homme étaient toutes deux magnifiquement réussies. Sur la photo, Petit Homme souriait «comme dans la vraie vie», déclara Rebecca Dew.

«Ma foi, c'est qu'il te ressemble, Lewis!» s'exclama Anne.

«C'est la vérité», acquiesça Rebecca Dew en l'examinant d'un œil critique. «Dès que je l'ai vu, le visage m'a rappelé quelqu'un, mais je n'arrivais pas à savoir qui.»

«Oui, les yeux... le front... toute l'expression... sont les tiens, Lewis», continua Anne.

«C'est difficile d'imaginer que j'ai déjà été un si joli petit garçon, fit Lewis en haussant les épaules. J'ai une photo de moi quelque part, prise quand j'avais huit ans. Il faudra que je la cherche pour les comparer. Vous ririez si vous la voyiez, Mlle Shirley. Je suis l'enfant aux yeux les plus sérieux, avec de longues boucles et un collet de dentelle, l'air aussi raide qu'une baguette. Je suppose que j'avais la tête serrée dans un de ces machins à trois griffes qu'on avait l'habitude d'utiliser. Si ce portrait me ressemble vraiment, ce doit être une simple coïncidence. Je n'ai plus aucun parent sur l'Île.»

«Où êtes-vous né?» demanda Tante Kate.

«Au Nouveau-Brunswick. Mes parents sont morts quand j'avais dix ans et je suis venu ici vivre chez une cousine de ma mère... que j'appelais Tante Ida. Elle est morte elle aussi, vous savez... il y a trois ans.»

«Jim Armstrong venait du Nouveau-Brunswick, leur apprit Rebecca Dew. Il n'est pas un véritable insulaire... ne serait pas un tel hurluberlu s'il l'était. Nous avons peut-être nos bizarreries, mais nous sommes *civilisés.*»

«Je ne suis pas certain d'avoir envie de me découvrir un lien de parenté avec l'aimable M. Armstrong», déclara Lewis avec un sourire, s'attaquant à une des rôties à la cannelle de Tante Chatty. «Je crois pourtant que quand la photo sera terminée et montée, je l'apporterai en personne à Glencove et je mènerai ma petite enquête. Il est peut-être un cousin éloigné ou quelque chose comme ça. Je ne sais absolument rien de ma parenté du côté de ma mère, ni même si elle a des parents en vie. J'ai toujours eu l'impression qu'elle n'en avait pas. Je sais que c'était le cas pour papa.»

«Si vous apportez la photo en personne, le Petit Homme ne sera-t-il pas un peu déçu d'être privé du plaisir de recevoir quelque chose par la poste?» dit Anne.

«J'arrangerai cela pour lui... je lui enverrai autre chose par la poste.»

Le samedi après-midi suivant, Lewis arriva dans le Chemin du Revenant conduisant un antique boghei derrière une jument plus antique encore.

«Je vais à Glencove porter la photo à Teddy Armstrong, M^lle^ Shirley. Si mon élégant équipage ne vous donne pas une attaque cardiaque, j'aimerais que vous veniez aussi. Je ne pense pas qu'aucune des roues risque de tomber.»

«Où dans le monde avez-vous déniché cette relique, Lewis?» s'exclama Rebecca Dew.

«Ne vous moquez pas de mon galant coursier, M^lle^ Dew. Ayez quelque respect pour son grand âge. M. Bender m'a prêté la jument et le boghei à la condition que je fasse une course pour lui dans le Chemin Dawlish. Je n'avais pas le temps de faire l'aller-retour à pied à Glencove aujourd'hui.»

«Le temps! s'écria Rebecca Dew. Je pourrais m'y rendre et revenir plus vite que cet animal.»

«Et rapporter un sac de pommes de terre pour M. Bender? Quelle femme extraordinaire vous êtes!»

Les joues de Rebecca Dew devinrent encore plus rouges.

«Ce n'est pas gentil de rire de vos aînés», fit-elle d'un ton de reproche. Puis, tout en mettant du charbon dans le feu... «Prendriez-vous quelques beignes avant de partir?»

La jument blanche démontra cependant d'étonnants pouvoirs de locomotion une fois qu'ils furent de nouveau dans la campagne. Anne rigolait toute seule pendant qu'ils trottaient sur la route. Qu'est-ce que Mme Gardiner ou même Tante Jamesina diraient si elles pouvaient la voir maintenant? Eh bien! cela lui était égal. C'était une journée formidable pour se promener dans un lieu qui gardait son vieux et charmant rituel d'automne, et Lewis était un bon compagnon. Lewis réaliserait ses ambitions. Personne d'autre de sa connaissance, pensait-elle, n'aurait l'idée de lui demander de monter dans le boghei Bender derrière le cheval Bender. Mais jamais Lewis ne s'était aperçu que cela comportait quelque chose d'étrange. Quelle importance avait le moyen de transport, pour autant qu'on arrivait à destination? Les calmes bords des collines en haut étaient aussi bleus, les chemins aussi rouges, les érables aussi fantastiques, quel que fût le véhicule qui vous transportait. Lewis était un philosophe, et il accordait peu d'importance à ce que les gens pouvaient dire tout comme lorsque certains élèves de l'école l'appelaient «Sissy» parce qu'il faisait le ménage à sa pension. Laissez-les dire! Rirait bien qui rirait le dernier! Ses poches étaient peut-être vides, mais pas sa tête. Entre temps, l'après-midi était idyllique et ils se rendaient de nouveau chez le Petit Homme. C'est ce qu'ils confièrent au beau-frère de M. Bender au moment où celui-ci plaçait le sac de pommes de terre à l'arrière du boghei.

«Voulez-vous dire que vous avez une photo du petit Teddy Armstrong?» s'écria M. Merrill.

«J'en ai une, et elle est bonne.» Lewis la déballa et la montra fièrement. «Je ne crois pas qu'un photographe professionnel aurait pu en faire une meilleure.»

M. Merrill se donna une claque sur la cuisse.

«Eh ben! Ça parle au diable! Le petit Teddy Armstrong est mort...»

«Mort! s'exclama Anne d'un ton horrifié. Oh! M. Merrill... non... ne me dites pas... ce cher petit garçon...»

«Désolé, Mlle, mais c'est un fait. Et son père est en train de devenir fou et le pire, c'est qu'il n'a même pas un portrait de lui. Et voilà que vous arrivez avec une bonne photo. Eh ben! Eh ben!»

«Cela... cela semble impossible», reprit Anne, les yeux pleins de larmes. Elle voyait la mince petite silhouette qui leur envoyait la main depuis le remblai.

«C'est triste à dire, mais ce n'est que trop vrai. Il est mort il y a presque trois semaines. Pneumonie. A terriblement souffert, mais on dit qu'il a été aussi courageux et patient qu'on peut l'être. J'me demande ce qui arrivera de Jim Armstrong maintenant. On dit qu'il est comme fou – ne fait que se morfondre et grommeler sans arrêt "Si seulement j'avais un portrait de mon Petit Homme", répète-t-il tout le temps.»

«Je plains cet homme», fit soudainement Mme Merrill. Elle n'avait pas encore ouvert la bouche, se tenant aux côtés de son mari, une femme grise, décharnée et aux épaules carrées, dans un tablier de calicot à carreaux fouetté par le vent. «Il est à l'aise, et j'ai toujours eu l'impression qu'il nous regardait de haut parce que nous étions pauvres. Mais nous avons notre fils... et peu importe la pauvreté aussi longtemps qu'on a quelque chose à aimer.»

Anne regarda Mme Merrill avec un nouveau sentiment de respect. Mme Merrill n'était pas une beauté, mais quand ses yeux gris enfoncés rencontrèrent ceux d'Anne, une certaine parenté d'esprit se manifesta entre elles. C'était la première fois qu'Anne voyait Mme Merrill et ce fut également la dernière, mais elle s'en souvint toujours comme d'une femme ayant compris l'ultime secret de la vie. On n'était jamais pauvre aussi longtemps qu'on avait quelque chose à aimer.

Cette journée magnifique fut gâchée pour Anne. D'une certaine façon, Petit Homme l'avait conquise lors de leur brève rencontre. Elle et Lewis roulèrent en silence le long du Chemin Glencove et dans l'allée herbeuse. Carlo était couché sur la pierre devant la porte bleue. Il se leva et vint à leur rencontre tandis qu'ils descendaient du boghei, lécha la main d'Anne en levant vers elle ses grands yeux tristes comme s'il lui demandait des nouvelles de son petit compagnon de jeu. La porte était ouverte et à l'intérieur, dans la pièce sombre, ils virent un homme la tête inclinée sur la table.

Lorsque Anne frappa, il se leva et vint à la porte. Le changement survenu en lui lui donna un choc. Il avait les joues creuses, l'air hagard et n'était pas rasé, et ses yeux caves luisaient d'un feu troublé.

Elle s'attendait à se faire rabrouer, mais il parut la reconnaître car il dit d'un ton indifférent :

«Ainsi, vous êtes revenue? Petit Homme m'a raconté que vous lui aviez parlé et l'aviez embrassé. Il vous aimait. J'étais désolé de m'être montré si grossier avec vous. Que voulez-vous?»

«Nous voulons vous montrer quelque chose», répondit doucement Anne.

«Voulez-vous entrer et vous asseoir?» demanda-t-il sombrement.

Sans prononcer une parole, Lewis sortit la photo du Petit Homme de son emballage et la lui fit voir. M. Armstrong s'en saisit, la regarda d'un air stupéfait et avide, puis s'effondra sur sa chaise et éclata en sanglots. C'était la première fois qu'Anne voyait un homme pleurer autant. Elle et Lewis, pleins de sympathie, restèrent silencieux jusqu'à ce qu'il reprenne son sang-froid.

«Oh! Vous ne pouvez pas savoir ce que cela signifie pour moi, dit-il enfin d'une voix entrecoupée. Je n'avais aucun portrait de lui. Et je ne suis pas comme les autres... Je ne peux me rappeler un visage... je ne peux pas voir des visages dans ma tête comme la plupart des gens. Ça a été terrible depuis que Petit Homme est mort... Je ne pouvais même pas me rappeler de quoi il avait l'air. Et maintenant vous m'apportez ceci.... après que je vous aie traités si brutalement. Asseyez-vous... asseyez-vous. J'aimerais vous exprimer ma reconnaissance d'une manière ou d'une autre. J'imagine que vous avez sauvé ma raison... peut-être même ma vie. Oh! Mlle, n'est-ce pas tout à fait lui? On dirait qu'il va se mettre à parler. Mon cher Petit Homme. Comment vais-je pouvoir vivre sans lui? Je n'ai plus rien pour donner un sens à ma vie. D'abord, sa mère... ensuite, lui.»

«C'était un adorable petit garçon», dit Anne tendrement.

«C'est vrai qu'il l'était. Petit Teddy... Sa mère l'avait appelé Theodore... son "cadeau des dieux", comme elle disait. Et il était si patient et ne se plaignait jamais. Une fois, il m'a souri et il a dit: "Papa, je pense que tu t'es trompé pour une chose... juste une. Je pense que le paradis existe. N'est-ce pas qu'il existe, papa?" Je lui ai répondu que oui, il existait... Que Dieu me pardonne d'avoir essayé de lui enseigner autre chose. Il a souri de nouveau, l'air satisfait, puis il a dit : "Eh bien! papa, c'est là que je m'en vais, et maman et Dieu y sont aussi, alors je serai en bonne compagnie. Pourtant, je m'inquiète de toi, papa. Tu seras terriblement seul sans moi. Mais fais seulement de ton mieux, sois poli avec les gens et viens nous rejoindre un peu plus tard." Il m'a fait promettre d'essayer, mais quand il n'a plus été là, je n'ai plus supporté ce vide. Je serais devenu fou si vous ne m'aviez pas apporté ceci. Ce sera moins difficile maintenant.»

Il parla de Petit Homme encore quelque temps, comme si cela le soulageait et lui faisait plaisir. Il semblait avoir perdu sa réserve et ses manières bourrues. Lewis sortit enfin sa petite photographie pâlie et la lui montra.

«Avez-vous déjà vu quelqu'un qui ressemblait à cet enfant, M. Armstrong?» demanda Anne.

M. Armstrong l'examina d'un air perplexe.

«Cela ressemble terriblement à Petit Homme, dit-il enfin. Qui cela peut-il bien être?»

«C'est moi, répondit Lewis, quand j'avais sept ans. C'est à cause de son étrange ressemblance avec Teddy que Mlle Shirley m'a demandé de l'apporter pour vous la faire voir. J'ai pensé que vous et moi ou Petit Homme étions peut-être des parents éloignés. Je m'appelle Lewis Allen et mon père était George Allen. Je suis né au Nouveau-Brunswick.»

James Armstrong hocha la tête. Puis il demanda :

«Quel était le nom de votre mère?»

«Mary Gardiner.»

James Armstrong le regarda quelques instants en silence.

«C'étaient ma demi-sœur, déclara-t-il finalement. Je ne l'ai presque pas connue... ne l'ai vue qu'une seule fois. J'ai été élevé par la famille d'un oncle après la mort de mon père. Ma mère s'était remariée et était déménagée. Elle est venue me voir une fois et avait amené sa petite fille. Elle est morte peu après et je n'ai jamais revu ma demi-sœur. Quand je suis venu vivre à l'Île, j'ai perdu toute trace d'elle. Vous êtes donc mon neveu et le cousin de Petit Homme.»

C'étaient là de surprenantes nouvelles pour un garçon qui s'était cru seul au monde. Lewis et Anne passèrent toute la soirée avec M. Armstrong et découvrirent en lui un homme cultivé et intelligent. D'une certaine façon, ils le trouvèrent tous deux attachant. Ils oublièrent complètement son premier accueil inhospitalier et ne virent que la valeur réelle de son caractère et de son tempérament sous la carapace décourageante qui les cachait auparavant.

«Petit Homme n'aurait certainement pas autant aimé son père s'il n'avait pas été un homme de bien», dit Anne pendant qu'elle et Lewis s'en retournaient au Domaine des Peupliers au coucher du soleil.

Lorsque Lewis alla rendre visite à son oncle la semaine suivante, ce dernier lui dit :

«Mon garçon, viens vivre avec moi. Tu es mon neveu et je peux t'aider... comme je l'aurais fait pour mon Petit Homme s'il avait vécu. Tu es seul au monde et moi aussi. J'ai besoin de toi. Je redeviendrai dur et amer si je reste seul ici. Je veux que tu m'aides à tenir la promesse que j'ai faite à Petit Homme. Sa place est vide. Viens l'occuper.»

«Merci, mon oncle. Je vais essayer», répondit Lewis en lui tendant la main.

«Et invite ton institutrice de temps en temps. J'aime bien cette fille. Petit Homme l'aimait aussi. "Papa, m'a-t-il dit, je n'aurais jamais cru que j'aimerais être embrassé par quelqu'un d'autre que toi, mais quand elle l'a fait, cela m'a plu. Il y avait quelque chose dans ses yeux, papa."»

# 4

«Le vieux thermomètre du porche indique zéro et le nouveau à la porte de côté dit qu'il fait dix degrés au-dessus», remarqua Anne, par un soir frileux de décembre. «Alors je me demande si je dois ou non prendre mon manchon.»

«Mieux vaut se fier au vieux thermomètre, lui conseilla prudemment Rebecca Dew. Il est probablement plus habitué à notre climat. D'ailleurs, où allez-vous par un soir si froid?»

«Je vais rue Temple inviter Katherine Brooke à passer les vacances de Noël à Green Gables avec moi.»

«Alors vos vacances seront gâchées, déclara solennellement Rebecca Dew. Elle irait même jusqu'à regarder les anges de haut, celle-là, si jamais elle condescendait à entrer au paradis. Et le pire c'est qu'elle est fière de ses mauvaises manières... pense sans aucun doute que cela démontre sa force de caractère.»

«Si mon esprit est d'accord avec chaque mot que vous dites, mon cœur ne peut tout simplement pas l'être, répondit Anne. J'ai l'impression, en dépit de tout, que sous son écorce rugueuse, Katherine Brooke n'est qu'une fille timide et malheureuse. Il m'est impossible de lui faire des avances à Summerside, mais si j'arrive à l'amener à Green Gables, je crois que cela la dégèlera.»

«Vous n'y arriverez pas. Elle n'ira pas, prédit Rebecca Dew. Elle prendra probablement votre invitation pour une insulte... pensera que vous lui offrez la charité. Nous l'avons une fois invitée à notre dîner de Noël... l'année avant votre arrivée... vous vous rappelez, Mme MacComber, l'année où l'on nous avait donné deux dindes et que nous ne savions pas quoi en faire... et sa seule réponse a été: "Non, merci. S'il y a une chose au monde que je déteste, c'est le mot Noël."»

«Mais c'est tellement épouvantable... de détester Noël! Il faut faire quelque chose, Rebecca Dew. Je vais l'inviter et mon petit doigt me dit qu'elle va venir.»

«D'une certaine façon, admit Rebecca Dew avec réticence, quand vous dites que quelque chose va arriver, on est porté à le croire. Vous n'avez pas le don de voyance, n'est-ce pas? La mère du Capitaine MacComber l'avait. Cela me donne la chair de poule.»

«Je ne pense pas avoir quoi que ce soit qui puisse vous donner la chair de poule. C'est seulement que... j'ai depuis quelque temps la sensation que la solitude est en train de rendre Katherine Brooke presque folle sous son apparence amère, et que mon invitation arrivera au moment psychologique, Rebecca Dew.»

«Je ne suis pas une diplômée d'université, dit Rebecca Dew avec une terrible humilité, et j'admets que vous avez le droit d'utiliser des mots que je ne comprends pas toujours. J'admets aussi que vous êtes capable de faire manger les gens dans votre main. Regardez comment vous avez réussi avec les Pringle. Mais je persiste à dire que j'aurai pitié de vous si vous amenez ce mélange d'iceberg et de gratte à muscade avec vous pour Noël.»

Anne n'était pas tout à fait aussi sûre d'elle qu'elle en avait l'air lorsqu'elle se rendit rue Temple. Katherine Brooke avait réellement été insupportable ces derniers temps. Après chacune des nombreuses rebuffades qu'elle avait essuyées, Anne avait pensé «jamais plus» aussi sombrement que le corbeau de Poe. Encore le mercredi précédent, Katherine s'était montrée tout simplement insultante lors d'une réunion du personnel. Mais pendant un instant où elle n'était pas sur ses gardes, Anne avait surpris quelque chose dans le regard de cette fille vieillissante... quelque chose de passionné, de quasi frénétique qui la faisait ressembler à une créature en cage folle d'insatisfaction. Anne passa la première moitié de la nuit à essayer de décider si elle inviterait ou non Katherine Brooke à Green Gables. Quand elle s'était finalement endormie, sa décision était irrévocablement prise.

La logeuse de Katherine l'introduisit au salon et haussa une épaule grasse lorsqu'elle demanda à voir Mlle Brooke.

«J'vais lui dire qu'vous êtes là, mais j'sais pas si elle va descendre. Elle boude. J'lui ai dit au souper ce soir que Mme Rawlins trouvait sa façon de s'habiller scandaleuse pour une institutrice de l'école secondaire de Summerside, et elle l'a pris de haut et s'est offusquée comme de coutume.»

«À mon avis, vous n'auriez pas dû dire cela à Mlle Brooke», fit Anne d'un ton de reproche.

«Mais j'pensais qu'il fallait qu'elle le sache», objecta Mme Dennis avec une certaine hargne.

«Avez-vous aussi pensé qu'il fallait qu'elle sache que l'inspecteur a dit qu'elle était l'un des meilleurs professeurs des provinces Maritimes? demanda Anne. Ou peut-être n'étiez-vous pas au courant?»

«Oh! J'en ai entendu parler. Mais elle a la tête assez enflée comme ça. Orgueilleuse n'est pas le mot... même si j'me demande de quoi elle est si fière. Elle était évidemment en colère ce soir parce que j'lui ai dit qu'elle pouvait pas avoir de chien. Elle s'est mis dans la tête qu'elle aimerait avoir un chien. Dit qu'elle paierait pour sa nourriture et verrait à ce qu'il dérange pas. Mais qu'est-ce que j'ferais d'lui quand elle serait à l'école? J'y ai mis le holà. "J'tiens pas une pension pour chiens", que j'lui ai dit.»

«Oh! Mme Dennis, pourquoi ne pas lui permettre d'avoir un chien? Il ne vous dérangerait pas... beaucoup. Vous pourriez le garder dans la cave pendant qu'elle serait à l'école. Et un chien offre une telle protection durant la nuit. J'aimerais tant que vous acceptiez... *s'il vous plaît.*»

Les gens avaient toujours de la difficulté à résister aux yeux d'Anne quand elle disait «s'il vous plaît». Mme Dennis, malgré des épaules grasses et une langue indiscrète, avait bon cœur. C'était simplement que Katherine Brooke lui tapait parfois sur les nerfs avec ses manières peu affables.

«J'me d'mande pourquoi vous devriez vous inquiéter d'savoir si elle peut avoir un chien. J'savais pas que vous étiez d'si bonnes amies. Elle a pas d'amis. J'ai jamais eu de pensionnaire si peu sociable.»

«Je crois que c'est pour cela qu'elle désire un chien, Mme Dennis. Personne ne peut vivre sans une forme quelconque de camaraderie.»

«Ma foi, c'est bien la première chose humaine qu'j'ai remarquée chez elle, fit Mme Dennis. C'est pas que j'aie vraiment des objections à avoir un chien, mais c'est sa façon sarcastique de me l'demander qui m'a quelque peu vexée... "Je suppose que vous ne consentiriez pas si je vous demandais la permission d'avoir un chien, Mme Dennis?" qu'elle a dit, d'un air hautain. J'lui ai cloué le bec. "Vous supposez bien", que j'lui ai dit, aussi hautaine qu'elle. J'aime pas ravaler mes paroles plus que les autres, mais vous pouvez lui dire qu'elle peut avoir un chien si elle garantit qu'il ne s'échappera pas dans le salon.»

Selon Anne, le salon ne pourrait avoir pire apparence, même si le chien s'y «échappait». Elle lorgna en frissonnant les rideaux de dentelle miteuses et les hideuses roses violettes sur le tapis.

«Je plains la personne qui doit passer Noël dans une pension comme celle-ci, songea-t-elle. Je ne suis pas surprise que Katherine haïsse le monde. J'aimerais bien aérer cette pièce... l'odeur de milliers de repas l'imprègne. Katherine touche un bon salaire, alors pourquoi loge-t-elle dans cette pension?»

«Elle a dit que vous pouviez monter», fut le message que Mme Dennis lui transmit, d'un air plutôt sceptique, car Mlle Brooke avait escamoté l'étiquette.

L'escalier étroit et raide était repoussant. Il ne voulait pas de vous. Personne n'y monterait à moins d'y être obligé. Le linoléum du corridor était usé à la corde. La chambrette au bout du couloir où Anne se retrouva était encore plus morne que le salon. Elle était éclairée par un aveuglant brûleur à gaz sans abat-jour. Elle contenait un lit de fer creusé d'une vallée au centre et une fenêtre étroite, aux draperies ajourées avec vue sur la cour où fleurissait une abondante récolte de boîtes de conserve. Mais on apervevait au-delà un ciel magnifique et une rangée de peupliers dressant leurs silhouettes devant de lointaines collines longues et violettes.

«Oh! Mlle Brooke, regardez ce coucher de soleil», s'écria brusquement Anne, de la berçante grinçante et nue que Katherine lui avait désignée de mauvaise grâce.

«J'ai déjà vu pas mal de couchers de soleil», répondit cette dernière d'un ton froid, sans bouger. («Elle se montre condescendante envers moi avec ses couchers de soleil!» songeait-elle amèrement.)

«Vous n'avez pas vu celui-ci. Il n'existe pas deux couchers de soleil identiques. Asseyez-vous ici et laissons-le pénétrer nos cœurs», dit Anne, tout en pensant : «Vous arrive-t-il de dire quelque chose d'aimable?»

«Ne soyez pas ridicule, je vous en prie.»

Les paroles les plus injurieuses du monde! Et le ton méprisant de Katherine ajoutait encore à l'injure. Anne se détourna du coucher de soleil et regarda Katherine, ayant plus qu'envie de se lever et de partir. Mais les yeux de Katherine avaient un petit quelque chose d'étrange. Avait-elle pleuré? Sûrement pas... on ne pouvait imaginer Katherine Brooke en train de pleurer.

«Vous ne vous arrangez pas pour que je me sente très bienvenue», prononça lentement Anne.

«Je ne fais jamais semblant. Je ne possède pas votre don remarquable d'agir comme une reine... de dire exactement la chose qui convient à chacun. Vous n'êtes *pas* la bienvenue. Quelle sorte de chambre est-ce pour accueillir qui que ce soit?»

Katherine désigna d'un geste dédaigneux les murs fanés, les chaises minables et nues et la table de toilette branlante recouverte d'un jupon de mousseline terne.

«Ce n'est pas une jolie chambre, mais pourquoi y restez-vous si vous ne l'aimez pas?»

«Oh!... Pourquoi... Pourquoi?... Vous ne pourriez comprendre. C'est sans importance. Ce que les gens pensent m'est complètement égal. Mais qu'est-ce qui vous a amenée ici ce soir? J'imagine que ce n'est pas seulement pour vous tremper dans le soleil couchant.»

«Je suis venue vous inviter à passer les vacances de Noël à Green Gables avec moi.»

(«Maintenant, pensa Anne, je vais recevoir une autre bordée de sarcasmes! J'aimerais bien qu'elle s'assoie au moins. Elle reste debout comme si elle attendait simplement mon départ.»)

Il y eut quelques moments de silence. Puis Katherine dit lentement :

«Pourquoi m'invitez-vous? Ce n'est pas parce que vous m'aimez... même vous ne pourriez prétendre cela.»

«C'est parce que je ne puis supporter l'idée qu'un être humain passe Noël dans un endroit comme celui-ci», répondit candidement Anne.

Le sarcasme vint alors.

«Oh! Je vois. Un sursaut de charité saisonnière. Je ne suis pas encore candidate pour cela, Mlle Shirley.»

Anne se leva. Cette créature bizarre et distante était venue à bout de sa patience. Elle traversa la pièce et regarda Katherine droit dans les yeux. «Katherine Brooke, que vous le sachiez ou non, c'est une bonne fessée que vous voulez.»

Elles se dévisagèrent quelques instants.

«Vous devez vous sentir soulagée d'avoir dit cela», fit Katherine. Mais en tout cas, son ton n'avait plus cette nuance injurieuse. On percevait même une légère torsion aux coins de sa bouche.

«C'est vrai, admit Anne. Il y a quelque temps que je voulais vous en parler. Je ne vous ai pas invitée à Green Gables par charité... vous le savez parfaitement. Je vous ai donné la raison véritable. *Personne* ne devrait passer Noël ici. L'idée même en est indécente.»

«Vous m'avez invitée seulement parce que vous étiez désolée pour moi.»

«Je le suis, c'est vrai. Vous avez chassé la vie... et maintenant c'est la vie qui vous chasse. Ouvrez-lui votre porte... et elle entrera.»

«La version d'Anne Shirley du vieil adage "Si on approche un visage souriant du miroir, on rencontrera un sourire"», fit Katherine en haussant les épaules.

«Comme tous les adages, il est absolument vrai. À présent, est-ce que, oui ou non, vous venez à Green Gables?»

«Que diriez-vous si j'acceptais?... À vous-même, je veux dire, pas à moi.»

«Je dirais que c'est la première petite étincelle de bon sens que je détecte en vous», rétorqua Anne.

Contre toute attente, Katherine éclata de rire. Elle marcha jusqu'à la fenêtre, fit la grimace à la raie de feu qui était tout ce qui subsistait du coucher de soleil méprisé puis se retourna.

«Très bien... j'irai. À présent, vous pouvez jouer à me déclarer que vous êtes ravie et que nous nous amuserons follement.»

«Je *suis* ravie. Mais je ne sais pas si oui ou non vous aurez du plaisir. Cela dépendra en grande partie de vous, M^lle^ Brooke.»

«Oh! Je me conduirai convenablement. Vous en serez étonnée. Je présume que vous ne trouverez pas que je suis une invitée très exubérante, mais je vous promets de ne pas manger avec mon couteau ni d'insulter les gens qui me diront qu'il fait beau temps. Je vais vous l'avouer franchement: j'y vais uniquement parce que je ne peux me faire à l'idée de passer mes vacances ici toute seule. M^me^ Dennis va passer la semaine de Noël chez sa fille à Charlottetown. L'idée que je devrai préparer mes repas m'ennuie vraiment. Je suis une épouvantable cuisinière. Voilà le triomphe de la matière sur l'esprit. Mais me donnerez-vous votre parole d'honneur que vous ne me souhaiterez pas un joyeux Noël? Je ne veux tout simplement pas me faire souhaiter joyeux Noël.»

«Je vous le promets. Mais je ne peux répondre pour les jumeaux.»

«Je ne vous demanderai pas de vous asseoir ici... vous gèleriez... mais je vois qu'une très belle lune a remplacé votre soleil couchant et je vous raccompagnerai chez vous et vous aiderai à l'admirer si vous voulez bien.»

«J'aimerais, répondit Anne. Mais je veux que vous vous mettiez dans la tête que nous avons de bien plus belles lunes à Avonlea.»

«Comme ça, elle y va?» s'exclama Rebecca Dew en remplissant la bouillotte d'Anne. «Eh bien! Mlle Shirley, j'espère que vous n'essaierez jamais de me convaincre de devenir musulmane... parce que vous réussiriez sûrement. Où est Ce Chat? En train de vagabonder dans Summerside quand il fait zéro degré.»

«Pas au nouveau thermomètre. Et Dusty Miller est couché en boule dans la berçante à côté du poêle dans ma chambre, ronflant de bonheur.»

«Ah! bon», fit Rebecca Dew, qui frissonna légèrement en refermant la porte de la cuisine. «Je voudrais que tout le monde soit aussi au chaud et à l'abri que nous ce soir.»

# 5

Anne ne savait pas qu'une petite Elizabeth mélancolique la contemplait d'une des fenêtres de la mansarde d'Evergreens tandis qu'elle s'éloignait du Domaine des Peupliers... une Elizabeth aux yeux noyés de larmes qui se sentait plus Lizzie que jamais, ayant l'impression que tout ce qui valait la peine d'être vécu s'était à présent envolé de son existence. Mais quand le traîneau de louage eut disparu de sa vue au tournant du Chemin du Revenant, Elizabeth alla s'agenouiller près de son lit.

«Cher bon Dieu, murmura-t-elle, je sais qu'il est inutile de vous demander de me donner un joyeux Noël parce que ni grand-mère ni La Femme ne sauraient être joyeuses, mais faites que celui de M^lle^ Shirley soit très, très heureux et qu'elle me revienne saine et sauve quand ce sera terminé.»

«À présent, dit Elizabeth en se relevant, j'ai fait tout ce que j'ai pu.»

Quant à Anne, elle goûtait déjà le bonheur de Noël. Elle rayonnait lorsque le train quitta la gare. Les rues laides glissaient derrière... elle s'en allait chez elle... chez elle à Green Gables. Dehors dans la campagne ouverte, le monde était blanc doré et mauve pâle, parsemé çà et là de la magie sombre des épinettes et de la délicatesse des bouleaux dénudés. Le soleil bas derrière les forêts nues semblait se propulser à travers les arbres comme un dieu superbe, tandis que roulait le train. Katherine était silencieuse, mais ne paraissait pas de mauvaise humeur.

«Ne vous attendez pas à ce que je parle», avait-elle averti Anne.

«Non. J'espère que vous ne me prenez pas pour une de ces terribles personnes qui vous font sentir que vous devez leur faire la conversation sans arrêt. Nous ne parlerons que quand nous en aurons envie. J'admets que pour ma part j'en ai envie la plupart du temps, mais vous n'êtes aucunement obligée de prêter attention à ce que je raconte.»

Davy vint les chercher à Bright River dans un gros traîneau à deux sièges plein de manteaux de fourrure... et un gros câlin pour Anne. Les deux filles se blottirent sur le siège arrière. Le trajet de la gare jusqu'à Green Gables avait toujours constitué pour Anne un des aspects agréables de ses fins de semaine à la maison. Cela lui rappelait toujours quand elle était venue de Bright River avec Matthew pour la première fois. Cela s'était passé au printemps et on était en décembre, mais tout ce qu'elle voyait le long du chemin lui chuchotait: "Te souviens-tu?" La neige crissait sous les roues; la musique des clochettes résonnait parmi les rangées de hauts sapins effilés, couverts de neige. De petites guirlandes d'étoiles étaient accrochées aux arbres du Blanc Chemin du Plaisir. Et derrière l'avant-dernière colline, on apercevait le golfe immense, blanc et mystérieux sous la lune mais pas encore gelé.

«Il y a un endroit sur ce chemin où je sens toujours que tout à coup je suis arrivée chez moi, dit Anne. C'est le sommet de la prochaine colline, d'où nous allons apercevoir les lumières de Green Gables. Je n'arrête pas de penser au souper que Marilla nous aura préparé. Je crois que je peux déjà en respirer les arômes. Oh! Comme c'est bon... comme c'est bon... d'être de retour chez nous!»

À Green Gables, chacun des arbres de la cour avait l'air de lui souhaiter la bienvenue... chacune des fenêtres éclairées faisait signe d'entrer. Et comme la cuisine de Marilla embaumait quand ils ouvrirent la porte! Il y eut des accolades, des exclamations et des rires. Et, d'une certaine façon, même Katherine n'avait pas l'air d'être étrangère, mais semblait faire partie de la famille. Mme Rachel Lynde avait placé sa chère petite lampe de boudoir sur la table du souper et l'avait allumée. C'était une chose vraiment hideuse avec un hideux globe rouge, mais quelle chaude lumière rosée elle projetait sur toute chose! Comme les ombres étaient chaleureuses et amicales! Comme Dora devenait ravissante en grandissant! Et Davy avait presque l'air d'un homme.

On avait des nouvelles à raconter. Diana avait donné naissance à une petite fille... Josie Pye sortait actuellement avec un jeune homme... et on racontait que Charlie Sloane était fiancé. C'était tout aussi excitant à apprendre que s'il s'était agi des nouvelles de l'empire. La nouvelle courtepointe de Mme Lynde, qu'elle venait de terminer et qui était constituée de cinq mille pièces, était exposée et reçut son dû d'éloges.

«Quand tu viens à la maison, Anne, dit Davy, on dirait que tout reprend vie.»

«Ah! C'est comme ça que la vie devrait être», ronronna Dora comme un petit chat.

«J'ai toujours trouvé difficile de résister à l'attrait d'un clair de lune, déclara Anne après le repas. Qu'est-ce que vous diriez d'une randonnée en raquettes, Mlle Brooke? Je crois avoir entendu dire que vous faisiez de la raquette.»

«Oui... c'est la seule chose que je *peux* faire... mais il y a six ans que je n'en ai pas fait», dit Katherine en haussant les épaules.

Anne alla chercher ses raquettes dans le grenier et Davy courut à Orchard Slope emprunter pour Katherine une vieille paire ayant appartenu à Diana. Elles s'engagèrent dans le Chemin des amoureux peuplé d'ombres charmantes, traversèrent des champs où de petits sapins bordaient les clôtures, des bois pleins de secrets qu'ils semblaient toujours sur le point de vous chuchoter sans jamais le faire... et des marais ouverts qui avaient l'air de surfaces d'argent.

Elles ne parlaient pas et ne désiraient pas parler. C'était comme si elles craignaient que le fait de parler ne gâte cette splendeur. Jamais auparavant Anne ne s'était sentie aussi *près* de Katherine. La magie de ce soir d'hiver les avait réunies... c'est-à-dire *presque* réunies.

Lorsqu'elles arrivèrent à la route principale et aperçurent l'éclat d'un traîneau, entendirent le tintement des clochettes et les rires, toutes deux poussèrent un soupir involontaire. Il leur semblait qu'elles laissaient derrière elles un monde qui n'avait rien en commun avec celui vers lequel elles revenaient... un monde où le temps n'existait pas... un monde jeune d'une immortelle jeunesse... où les âmes communiaient ensemble sans avoir besoin de rien d'aussi trivial que les mots.

«C'était formidable», déclara Katherine, et c'était si ostensiblement à elle-même qu'elle s'adressait qu'Anne ne fit aucune réponse.

Elles descendirent le chemin et s'engagèrent dans l'allée conduisant à Green Gables, mais, juste avant d'atteindre la barrière de la cour, elles s'arrêtèrent toutes deux comme sous l'effet d'une impulsion commune et restèrent en silence, penchées sur la vétuste clôture moussue, contemplant la vieille maison qui avait un air si maternel, et dont on percevait la forme à travers son écran d'arbres. Comme Green Gables était splendide dans la nuit hivernale!

Au-dessous, le Lac aux Miroirs était pris dans la glace, et les ombres des arbres ornaient ses rives. Le silence était partout, sauf sur le pont où l'on entendait trotter un cheval. Anne sourit en se remémorant combien de fois elle avait entendu ce bruit quand elle était couchée dans la chambre du pignon et qu'elle prétendait que c'était le galop de chevaux féeriques traversant la nuit.

Un autre bruit brisa tout à coup le silence.

«Katherine... vous... mon Dieu, ne me dites pas que vous pleurez?»

D'une certaine façon, il était impossible d'imaginer Katherine pleurant. Pourtant, elle pleurait. Et ses larmes l'humanisèrent soudain. Anne cessa de la craindre.

«Katherine... chère Katherine... que se passe-t-il? Puis-je vous aider?»

«Oh! Vous ne pouvez pas comprendre! bafouilla Katherine. Les choses ont toujours été si faciles pour *vous*. Vous... vous avez l'air de vivre dans un petit cercle enchanté de beauté et de romantisme. "Je me demande quelle merveilleuse découverte je ferai aujourd'hui"... semble être votre attitude envers la vie, Anne. Pour ma part, j'ai oublié comment vivre... non, je ne l'ai jamais su. Je suis... je suis comme une créature prise au piège. Je ne peux m'en sortir... et j'ai l'impression qu'il y a toujours quelqu'un en train de me pousser des bâtons à travers les barreaux. Et vous... vous avez tant de bonheur que vous ne savez quoi en faire... des amis partout, un amoureux! Ce n'est pas que je désire un amoureux... je déteste les hommes... mais si je mourais cette nuit, personne ne me regretterait. Comment aimeriez-vous n'avoir absolument aucun ami au monde?»

La voix de Katherine se brisa dans un autre sanglot.

«Katherine, vous dites que vous aimez la franchise. Je vais être franche. Si vous êtes aussi seule que vous le dites, c'est votre propre faute. Je voulais devenir votre amie. Mais vous vous êtes montrée pleine d'épines et d'aiguillons.»

«Oh! Je sais... je sais. Comme je vous haïssais quand vous êtes arrivée! Affichant votre anneau de perles...»

«Katherine, je ne l'"affichais" pas!»

«Oh! J'imagine que non. Ce n'est que mon penchant naturel à la haine. Mais il avait l'air de s'afficher tout seul... ce n'est pas que je vous envie d'avoir un soupirant... je n'ai jamais voulu me marier... j'ai vu suffisamment ce qu'était le mariage avec mon père et ma mère... mais j'avais horreur de vous voir au-dessus de moi alors que vous étiez ma cadette... J'étais contente que les Pringle vous causent des ennuis. Vous aviez l'air de posséder tout ce que je n'avais pas... le charme... l'amitié... la jeunesse. La jeunesse! Je n'ai rien eu d'autre qu'une jeunesse affamée. Vous ne savez rien de cela. Vous ne savez pas... vous n'avez pas la moindre idée de ce que cela peut être de n'être voulue par personne... personne!»

«Oh! C'est ce que vous croyez?» s'écria Anne.

En quelques phrases poignantes, elle lui résuma son enfance avant son arrivée à Green Gables.

«Si seulement j'avais su cela, dit Katherine, les choses auraient été différentes. À mes yeux vous aviez l'air d'une privilégiée du destin. Je me dévorais le cœur de jalousie. Vous occupiez le poste que je convoitais... oh! je sais que vous êtes plus qualifiée que moi, mais quand même. Vous êtes jolie... du moins vous vous organisez pour que les gens le croient. Mon souvenir le plus ancien est d'avoir entendu quelqu'un dire: "Que cette enfant est laide!" Vous entrez magnifiquement dans une pièce... oh! je me souviens de la façon dont vous êtes arrivée à l'école le premier matin. Mais je crois que la véritable raison pour laquelle je vous haïssais tant, c'est que vous paraissiez toujours avoir quelque plaisir secret... comme si chaque jour de la vie était une aventure. Malgré ma haine, il m'arrivait de reconnaître que vous veniez peut-être d'une étoile lointaine.»

«Vraiment, Katherine, vous me coupez le souffle avec tous ces compliments. Mais vous ne me détestez plus, n'est-ce pas? Nous pouvons être des amies à présent?»

«Je ne sais pas... je n'ai jamais eu aucune espèce d'ami, encore moins quelqu'un de mon âge. Je n'ai rien en commun avec rien... je n'ai jamais rien eu en commun avec quoi que ce soit. Je ne pense pas savoir comment faire pour *être* une amie. Non, je ne vous déteste plus... Je ne sais pas ce que je ressens à votre égard... oh! je suppose que votre charme bien connu commence à opérer sur moi. Je sais seulement que j'aimerais vous confier ce qu'a été ma vie. Je n'aurais jamais pu vous le dire si vous ne m'aviez pas raconté ce qu'avait été la vôtre avant d'arriver à Green Gables. Je veux que vous compreniez ce qui m'a fait devenir ce que je suis. Je ne sais pas pourquoi je voudrais que vous compreniez... mais c'est ainsi.»

«Racontez-moi, chère Katherine. Je veux vraiment vous comprendre.»

«Vous savez ce que c'est que ne pas être désirée, je l'admets... mais non de savoir que vos parents ne veulent pas de vous. C'était mon cas. Ils m'ont détestée dès ma naissance... et avant... ils se détestaient. C'est la vérité. Ils se querellaient continuellement... mesquineries, harcèlements, méchancetés. Mon enfance a été un cauchemar. J'avais sept ans quand ils sont morts et je suis allée vivre dans la famille de mon oncle Henry. Là non plus, on ne voulait pas de moi. Ils me méprisaient parce que je "vivais de leur charité". Je me souviens de toutes les rebuffades que j'ai endurées... toutes. Mais jamais on ne m'a adressé une seule parole gentille. Je devais porter les vieux vêtements de mes cousines. Je me souviens d'un chapeau en particulier... qui me donnait l'air d'un champignon. Et ils se moquaient de moi chaque fois que je le mettais. Un jour, je l'ai déchiré et jeté au feu. J'ai dû porter le plus affreux vieux béret pour aller à l'église tout le reste de l'hiver. Je n'ai même jamais eu un chien... alors que j'en avais tellement envie. J'avais une certaine intelligence... je voulais tant aller à l'université... mais naturellement, j'aurais aussi bien pu demander la lune. Oncle Henry a toutefois accepté de m'envoyer à Queen's à condition que je le rembourse une fois que j'aurais commencé à enseigner. Il paya ma pension dans un misérable établissement de troisième classe où j'avais une chambre au-dessus de la cuisine, glaciale en hiver et suffocante en été, et pleine de relents de cuisine rance en toute saison. Et les vêtements que je devais porter à Queen's! Mais j'ai obtenu mon diplôme et on m'a confié la deuxième classe à Summerside... c'est l'unique petite chance que j'aie jamais eue. Depuis, je gratte et économise sur tout pour payer oncle Henry... pas seulement ce qu'il a dépensé pour me permettre d'aller à Queen's, mais ce que ma pension lui a coûté pendant toutes les années où j'ai vécu chez lui. J'étais déterminée à ne pas lui devoir un sou. C'est pourquoi j'habite chez M^me^ Dennis et je suis si mal attifée. Et je viens tout juste de finir de le rembourser. Pour la première fois de ma vie, je me sens *libre*. Mais entre temps, j'ai développé le mauvais côté. Je sais que je suis asociale... que je ne peux jamais penser à ce qu'il convient de dire. Je sais que c'est ma propre faute si je suis toujours négligée et oubliée lors des événements sociaux. Je sais que je maîtrise l'art d'être désagréable. Je sais que je suis sarcastique. Je sais que mes élèves me trouvent tyrannique. Je sais qu'ils me haïssent. Croyez-vous que je ne souffre pas de le savoir? Ils ont toujours l'air d'avoir peur de moi... je déteste les gens qui ont l'air d'avoir peur de moi. Oh! Anne... la haine est devenue ma maladie. Je veux vivre comme les autres... et je ne le pourrai jamais plus. C'est *cela* qui me rend si amère.»

«Oh! Mais vous le pouvez!» Anne mit son bras autour des épaules de Katherine. «Vous pouvez chasser la haine de votre esprit... vous en guérir. La vie ne fait que commencer pour vous maintenant... depuis que vous êtes enfin libre et indépendante. Et vous ne pouvez jamais savoir ce que vous allez trouver au prochain tournant de la route.»

«Je vous ai déjà entendue dire cela... votre "tournant de la route" me faisait bien rire. Mais le problème, c'est que mon chemin ne comporte pas de tournant. Je peux le voir s'étirer devant moi, en ligne droite jusqu'à l'horizon... d'une interminable monotonie. Oh! la vie ne vous terrifie-t-elle pas parfois, avec son *vide*... ses masses de gens froids et sans intérêt? Non, bien sûr que non. *Vous* n'aurez pas à continuer à enseigner tout le reste de votre existence. Et vous paraissez trouver tout le monde intéressant, même cette petite, ronde et rougeaude personne que vous appelez Rebecca Dew. La vérité, c'est que je déteste enseigner... et que c'est la seule chose que je puisse faire. Une institutrice n'est rien de plus qu'une esclave du temps. Oh! Je sais que cela vous plaît... mais je ne vois pas comment c'est possible. Je veux voyager, Anne. C'est la seule chose que j'ai toujours désirée. Je me souviens de l'unique image qui était suspendue au mur de ma chambre au grenier, chez oncle Henry... une vieille reproduction pâlie qu'on avait rejetée avec mépris des autres chambres. Elle représentait des palmiers autour d'une source dans le désert, et il y avait une file de chameaux qui s'en allaient au loin. J'étais littéralement fascinée. J'ai toujours voulu partir à sa découverte... Je veux voir la Croix du Sud et le Taj Mahal et les piliers de Karnak. Je veux *savoir*... pas seulement *croire*... que la terre est ronde. Et ce n'est pas mon salaire de professeur qui pourra un jour me le permettre. Je devrai simplement continuer à pérorer sur les huit épouses d'Henri VIII et les inépuisables ressources du Dominion.»

Anne se mit à rire. Elle pouvait à présent le faire sans danger, car l'amertume avait disparu de la voix de Katherine. Elle paraissait seulement triste et impatiente.

«En tout cas, nous allons devenir des amies... et nous allons passer dix jours heureux ici pour commencer notre amitié. J'ai toujours désiré votre amitié, Katherine... épelé avec un K! J'ai toujours eu l'impression que, sous toutes vos épines, quelque chose se cachait qui faisait de vous quelqu'un dont l'amitié était précieuse.»

«C'est donc ce que vous pensiez réellement de moi? Je me le suis souvent demandé. Ma foi, ce serait comme demander au léopard de redisposer ses taches, si c'est possible. Ce l'est peut-être. Je peux quasiment croire à tout dans votre Green Gables. J'aimerais être davantage comme les autres... s'il n'est pas trop tard. Je vais même me composer un sourire ensorcelant pour accueillir votre Gilbert qui arrive demain soir. J'ai évidemment oublié comment il faut parler aux jeunes hommes... si jamais je l'ai su. Il me prendra seulement pour un vieux chaperon. Je me demande si, quand j'irai me coucher cette nuit, je me sentirai furieuse contre moi-même pour avoir ainsi retiré mon masque et vous avoir laissée voir mon âme frémissante.»

«Non, vous ne serez pas furieuse. Vous vous direz: "Je suis contente qu'elle ait découvert un être humain en moi." Nous allons nous blottir sous les moelleuses et chaudes couvertures, avec probablement deux bouillottes, car il ne fait aucun doute que Marilla et M^me^ Lynde nous en auront mis chacune une de peur que l'autre ait oublié de le faire. Et vous aurez délicieusement sommeil après cette randonnée dans la nuit froide... et la première chose que vous saurez, ce sera le matin et vous aurez l'impression d'être la première personne à s'apercevoir que le ciel est bleu. Et vous apprendrez l'art de confectionner les plum-puddings parce que vous allez m'aider à en faire un pour mardi... un beau gros plein de fruits.»

Anne fut stupéfaite de voir combien Katherine avait belle apparence lorsqu'elles entrèrent. Son teint était radieux après cette longue marche dans l'air vif et la couleur faisait toute la différence du monde dans son cas.

«Mon Dieu, Katherine serait belle si elle portait le type de robes et de chapeaux qui lui convient», songea-t-elle, essayant d'imaginer Katherine coiffée d'un certain chapeau de velours d'un rouge foncé qu'elle avait vu dans une boutique de Summerside; la riche nuance conviendrait à merveille à ses cheveux noirs et ses yeux ambre. «Je dois simplement voir ce qui peut être fait à ce sujet.»

# 6

Les journées du samedi et du lundi à Green Gables furent occupées par des tâches amusantes. Le plum-pudding fut concocté et l'arbre de Noël apporté à la maison. Katherine, Anne, Davy et Dora allèrent le chercher dans la forêt... un beau petit sapin; Anne ne se réconcilia avec l'idée de le couper que parce qu'il se trouvait dans une petite clairière qui appartenait à M. Harrison et qui devait de toute façon être labourée au printemps.

Ils se promenèrent un peu partout, ramassant des petits pins et des courants verts pour faire des guirlandes... et même quelques fougères qui restaient vertes tout l'hiver dans un certain creux profond de la forêt... jusqu'à ce que le jour rende son sourire à la nuit au-delà des collines à la poitrine blanche et revinrent à Green Gables en marche triomphale... pour y rencontrer un grand jeune homme aux yeux noisette et à la lèvre supérieure ornée d'un début de moustache, ce qui lui donnait un air tellement plus vieux et mûr que, pendant un instant terrible, Anne se demanda s'il s'agissait de Gilbert ou d'un étranger.

Katherine, avec un petit sourire qui essayait vainement d'être sarcastique, les laissa seuls dans le salon et passa la soirée à jouer avec les jumeaux dans la cuisine. À sa grande stupéfaction, elle y prit même plaisir. Et comme ce fut amusant de descendre à la cave avec Davy pour y découvrir qu'il y avait encore dans le monde des choses comme des pommes sucrées.

N'y ayant jamais mis les pieds avant, Katherine n'avait aucune idée de l'endroit délicieux, mystérieux et plein d'ombres qu'une cave de campagne pouvait paraître à la lueur d'une chandelle. La vie semblait déjà plus *chaude*. Pour la première fois, Katherine songea que la vie pouvait être belle, même pour elle.

Davy fit suffisamment de bruit pour réveiller tous les fantômes à une heure vraiment inhumaine le matin de Noël, montant et descendant l'escalier en faisant sonner une vieille cloche à vache. Marilla fut horrifiée de cette conduite alors qu'on avait une invitée à la maison, mais Katherine descendit en riant. D'une certaine façon, une étrange complicité était née entre elle et Davy. Elle confia candidement à Anne que, si elle n'était pas portée vers l'impeccable Dora, elle et Davy avaient en quelque sorte des atomes crochus.

On ouvrit le salon et les petits présents furent distribués avant le déjeuner sans quoi les jumeaux, même Dora, auraient été incapables d'avaler une bouchée. Katherine, qui ne s'était pas attendue à recevoir quoi que ce soit sauf, peut-être, un cadeau qu'Anne se serait sentie obligée de lui offrir, en reçut de tout le monde. Une gaie couverture crochetée de Mme Lynde... un sachet de racine d'iris de Dora... un couteau à papier de Davy... un plein panier de minuscules pots de confiture et de gelée de Marilla... et même, de Gilbert, une figurine de bronze représentant un chat et pouvant servir de presse-papiers.

Et enfin, attaché sous l'arbre, couché en boule sur un bout de chaude couverture de laine, un adorable chiot aux yeux bruns, avec d'alertes oreilles soyeuses et une queue pateline. Une carte à son cou portait la légende: «De la part d'Anne, qui ose, après tout, vous souhaiter un joyeux Noël.»

Katherine prit dans ses bras le petit corps palpitant et prononça d'un ton saccadé:

«Anne... c'est un trésor! Mais jamais Mme Dennis ne me permettra de le garder. Je lui ai demandé si je pouvais avoir un chien et elle a refusé.»

«J'ai réglé cela avec Mme Dennis. Vous verrez qu'elle ne

s'opposera pas. Et d'ailleurs, Katherine, vous ne resterez plus là bien longtemps. Vous *devez* trouver un endroit décent où habiter maintenant que vous avez acquitté ce que vous considériez comme vos dettes. Regardez la jolie boîte de papier à lettres que Diana m'a envoyée. N'est-ce pas fascinant de regarder des pages blanches en se demandant ce qu'on y écrira?»

Mme Lynde était contente qu'on eût un Noël blanc... les cimetières ne seraient pas gras puisque Noël avait été blanc... mais aux yeux de Katherine, il était violet, écarlate et doré. Et la semaine qui suivit fut tout simplement merveilleuse. Katherine s'était souvent demandé avec amertume à quoi cela pouvait bien ressembler d'être heureux, et à présent elle le savait. Elle s'épanouit d'une façon vraiment stupéfiante. Anne découvrit qu'elle se plaisait en sa compagnie.

«Quand je pense que j'avais peur qu'elle ne gâche mes vacances de Noël!» songea-t-elle avec étonnement.

«Quand je pense, se dit Katherine, que j'ai failli refuser lorsque Anne m'a invitée!»

Elles firent de longues promenades... dans le Chemin des amoureux, où même le silence semblait amical... dans les collines où la neige légère tourbillonnait dans un ballet hivernal de lutins... dans les vieux vergers peuplés d'ombres violettes... dans la splendeur des bois au soleil couchant. Aucun oiseau ne chantait ni ne gazouillait, aucune source ne glougloutait, aucun écureuil ne commérait. Mais le vent jouait à l'occasion une musique qui avait en qualité ce qui manquait en quantité.

«On peut toujours trouver quelque chose de joli à regarder ou à écouter», affirma Anne.

Elles bavardaient à propos de tout et de rien, et se laissaient emporter par le rêve, et revenaient à la maison avec un appétit qui mettait à l'épreuve même le garde-manger de Green Gables. Un jour, une tempête les empêcha de sortir. Le vent d'est soufflait avec rage autour des avant-toits et le golfe tout gris rugissait. Mais à Green Gables, même une tempête avait ses charmes. C'était agréable de s'asseoir près du poêle et de contempler rêveusement la lueur du feu trembloter au plafond tout en grignotant des pommes et des bonbons. Comme le souper était joyeux quand dehors hurlait le vent!

Un soir, Gilbert les amena voir Diana et sa nouvelle petite fille.

«Je n'avais jamais tenu un bébé dans mes bras», leur confia Katherine sur le chemin du retour. Tout d'abord, parce que je ne le voulais pas, et aussi parce que j'aurais craint que mon étreinte ne le disloque. Vous ne pouvez pas savoir ce que j'ai ressenti... si grande et maladroite avec cette chose minuscule et exquise dans mes bras. Je sais que M^me^ Wright pensait que j'allais l'échapper à tout moment. Je pouvais la voir tenter héroïquement de dissimuler sa terreur. Mais cela m'a fait quelque chose... le bébé, je veux dire... et je ne suis pas encore fixée sur ce que c'est.»

«Les bébés sont des créatures si fascinantes, dit rêveusement Anne. Ils sont ce que j'ai entendu quelqu'un à Redmond appeler de "formidables paquets de possibilités". Pensez-y, Katherine... Homère a dû être un bébé, un jour... un bébé avec des fossettes et de grands yeux pleins de lumière... il n'était évidemment pas aveugle à ce moment-là.»

«Quel dommage que sa mère n'ait pas su qu'il allait être Homère», fit Katherine.

«Mais je crois que je suis contente que la mère de Judas n'ait pas su qu'il allait être Judas, répondit doucement Anne. Et j'espère qu'elle ne l'a jamais su.»

Il y eut un concert à la salle municipale un soir, suivi d'une fête chez Abner Sloane, et Anne persuada Katherine de l'y accompagner.

«Je voudrais que vous nous fassiez une lecture, Katherine. On m'a dit que vous lisiez merveilleusement.»

«J'avais coutume de réciter... je pense que cela me plaisait assez. Mais il y a deux étés, j'ai fait une lecture à un concert sur la plage organisé par un groupe de vacanciers... et ensuite je les ai entendus rire de moi.»

«Comment savez-vous qu'ils riaient de vous?»

«Ils le devaient sûrement. De qui d'autre auraient-ils ri?»

Anne réprima un sourire et persista à lui demander de lire.

«Donnez *Genevra* pour être bissée. On m'a dit que vous le rendiez à la perfection. Mme Stephen Pringle m'a affirmé n'avoir pas fermé l'œil de la nuit après vous avoir entendue l'interpréter.»

«Non, je n'ai jamais aimé *Genevra*. Comme cela fait partie du cours de lecture, j'essaie à l'occasion d'enseigner aux élèves à le lire. Je n'ai vraiment aucune patience avec Genevra. Pourquoi n'a-t-elle pas crié quand elle s'est aperçue qu'elle était enfermée? Comme on l'a cherchée partout, quelqu'un l'aurait certainement entendue.»

Katherine promit finalement de lire mais resta sceptique au sujet de la fête. «J'irai, bien entendu. Mais personne ne me demandera pour danser et je me sentirai sarcastique, pleine de préjugés et humiliée. Je suis toujours misérable aux fêtes... les rares où je sois jamais allée. Personne n'a l'air de penser que je puisse danser... et vous savez que je m'en tire plutôt bien, Anne. Je l'ai appris chez oncle Henry, parce qu'une pauvre petite servante qu'ils avaient désirait aussi apprendre et que nous avions coutume de danser ensemble le soir dans la cuisine, au son de la musique qui venait du salon. Je pense que cela me plairait... avec un partenaire convenable.»

«Vous ne vous sentirez pas misérable à cette fête, Katherine. Vous ne serez pas en dehors en train de regarder à l'intérieur. C'est complètement différent, vous savez, d'être à l'intérieur en train de regarder au dehors et d'être dehors en train de regarder à l'intérieur. Vous avez une si belle chevelure, Katherine. Aimeriez-vous que j'essaie de vous coiffer différemment?»

Katherine haussa les épaules.

«Oh! Allez-y. Je présume que mes cheveux ont vraiment l'air du diable... mais je n'ai pas le temps d'être toujours en train de me pomponner. Je n'ai pas de tenue de soirée. Est-ce que ma robe de taffetas verte fera l'affaire?»

«Il faudra bien... bien que le vert soit, de toutes les couleurs, celle que vous ne devriez jamais porter, ma chère Katherine. Mais vous y épinglerez ce collet de chiffon rouge que j'ai fait pour vous. Oui, oui, vous le ferez. Vous devez avoir une robe rouge, Katherine.»

«J'ai toujours détesté le rouge. Quand j'habitais chez oncle Henry, tante Gertrude m'obligeait toujours à porter des tabliers d'un éclatant rouge tomate. Les autres élèves de l'école avaient l'habitude de crier au feu lorsque j'arrivais avec un de ces tabliers. De toute façon, je ne veux pas me préoccuper de ma tenue vestimentaire.»

«Mieux vaut être sourd qu'entendre cela! Les vêtements sont très importants, Katherine», dit sévèrement Anne, tout en soutachant et enroulant le collet. Puis elle examina son travail et le trouva satisfaisant. Elle passa son bras autour des épaules de Katherine et la tourna vers le miroir.

«Vous ne trouvez pas que nous formons une paire de filles plutôt attrayantes? fit-elle en riant. Et n'est-ce pas agréable de penser que les gens éprouveront un certain plaisir à nous regarder? Tellement de personnes sans charme auraient vraiment belle apparence si elles s'en donnaient un peu la peine. Il y a trois semaines, à l'église, un dimanche... vous vous rappelez le jour où ce pauvre vieux M. Milvain a fait le sermon et qu'il avait un si terrible rhume de cerveau que personne ne comprenait un mot de ce qu'il disait?... Eh bien! j'ai passé le temps à embellir les gens autour de moi. J'ai doté Mme Brent d'un nouveau nez, ondulé les cheveux de Mary Addison et donné un traitement au citron à ceux de Jane Marden... J'ai habillé Emma Dill en bleu plutôt qu'en brun... et Charlotte Blair d'un tissu rayé plutôt que carreauté... J'ai fait disparaître plusieurs grains de beauté... et rasé les longs favoris cendrés de Thomas Anderson. Vous ne les auriez pas reconnus lorsque j'en ai eu terminé avec eux. Et, sauf peut-être en ce qui concerne le nez de Mme Brent, ils auraient tous pu faire eux-mêmes ce que j'ai fait. Mon Dieu, Katherine, vos yeux ont exactement la couleur du thé... un thé ambré. À présent, soyez à la hauteur de votre nom, ce soir... un ruisseau[1] devrait être brillant... limpide... joyeux.»

«Tout ce que je ne suis pas.»

«Tout ce que vous avez été cette semaine. Alors, vous *pouvez* l'être.»

«C'est seulement dû à la magie de Green Gables. Quand je serai de retour à Summerside, le douzième coup de minuit aura sonné pour Cendrillon.»

«Vous rapporterez la magie avec vous. Regardez-vous... Pour une fois, vous ressemblez à ce que vous devriez toujours être.»

Katherine contempla son reflet dans la glace comme si elle doutait de sa propre identité.

«C'est vrai que j'ai l'air beaucoup plus jeune, admit-elle. Vous aviez raison... les vêtements y sont pour quelque chose. Oh! Je sais que j'avais l'air plus vieille que mon âge. Cela m'était égal. Pourquoi y aurais-je accordé de l'importance? Personne ne s'en préoccupait. Et je ne suis pas comme vous, Anne. Apparemment, vous êtes née en sachant comment vivre. Et moi, je n'en sais rien... même pas l'ABC. Je me demande s'il n'est pas trop tard pour apprendre. Il y a si longtemps que je suis sarcastique que je ne sais pas si je puis être autrement. Le sarcasme me paraissait la seule façon de faire quelque impression sur les gens. Et il me semble aussi avoir toujours eu peur quand j'étais en compagnie d'autres personnes... peur de dire quelque chose de stupide... peur qu'on se moque de moi.»

«Katherine Brooke, regardez-vous dans la glace; portez cette image de vous-même avec vous... votre chevelure magnifique encadrant votre visage au lieu d'être tirée vers l'arrière... vos yeux brillant comme des étoiles sombres... une touche de couleur sur vos joues... et vous n'aurez plus peur. Venez, maintenant. Nous serons en retard, mais heureusement tous les interprètes ont ce que j'ai entendu Dora appeler des sièges "préservés".»

---

1. Brook signifie ruisseau.

Gilbert les conduisit à la salle. Comme cela ressemblait au bon vieux temps... sauf que Katherine était avec elle au lieu de Diana. Anne soupira. Diana avait tellement d'autres intérêts maintenant. Plus de concerts ni de fêtes pour elle.

Mais quelle soirée ce fut! Quelles routes de satin argenté sous un ciel vert pâle à l'ouest après une légère chute de neige. Orion tissait sa marche majestueuse dans les cieux, tandis que les collines, les champs et les bois s'étalaient autour d'eux dans un silence nacré.

La lecture de Katherine captiva l'auditoire dès la première ligne, et à la fête elle n'eut pas assez de danses pour tous les partenaires qui lui en demandèrent. Elle se retrouva tout à coup en train de rire sans amertume. Ensuite, à Green Gables, réchauffant leurs orteils devant le feu du salon à la lueur de deux amicales chandelles sur le manteau de la cheminée; et Mme Lynde arrivant dans leur chambre sur la pointe des pieds, malgré l'heure tardive, pour leur demander si elles aimeraient une autre couverture et pour informer Katherine que son petit chien était douillettement au chaud dans un panier derrière le poêle de la cuisine.

«J'ai appris une nouvelle façon de voir la vie, songea Katherine en s'abandonnant au sommeil. Je ne savais pas qu'il existait des gens comme ça.»

«Vous reviendrez», lui dit Marilla lorsqu'elle partit.

Marilla n'avait jamais fait une telle invitation à qui que ce soit à moins de le penser sincèrement.

«Bien sûr qu'elle reviendra, dit Anne. Passer des fins de semaine... et des semaines complètes à l'été. Nous ferons des feux de camp et sarclerons le jardin... et cueillerons des pommes et irons aux vaches... et ramerons sur l'étang et nous égarerons dans la forêt. Je veux vous montrer le petit jardin d'Hester Gray, Katherine, et le Pavillon de l'Écho, et le Vallon des violettes lorsqu'il est plein de fleurs.»

# 7

Le Domaine des Peupliers<br>Le 5 janvier<br>La rue où devraient errer les fantômes

Mon ami estimé,

Ce n'est pas tiré d'une lettre de la grand-mère de Tante Chatty. Mais elle l'aurait sûrement écrit si seulement elle y avait pensé.

J'ai pris comme résolution du jour de l'An d'écrire des lettres d'amour sensées. Crois-tu qu'une telle chose soit possible?

J'ai quitté mon bien-aimé Green Gables, mais je suis revenue à mes chers Peupliers. Rebecca Dew avait allumé un feu dans ma chambre et placé une bouillotte dans mon lit.

Je suis si contente d'aimer le Domaine des Peupliers. Ce serait épouvantable de vivre dans un endroit qui ne me plairait pas... qui ne me semblerait pas amical... qui ne me dirait pas «Je suis heureux que tu sois de retour». Le Domaine des Peupliers me le dit. Il est un tantinet démodé et guindé, mais il a de l'affection pour moi.

Et j'étais contente de revoir Tante Kate, Tante Chatty et Rebecca Dew. Je ne peux m'empêcher de voir leurs côtés amusants, mais cela fait beaucoup partie de leur charme.

Rebecca Dew m'a dit quelque chose de très gentil hier.

«Le Chemin du Revenant est différent depuis que vous y habitez, Mlle Shirley.»

Je suis contente que Katherine t'aies plu, Gilbert. Elle t'a manifesté une gentillesse étonnante. C'est renversant de constater combien elle peut être aimable quand elle essaie. Et je crois que cela l'étonne elle-même tout autant que les autres. Elle ne se doutait pas que ce serait si facile.

La situation sera si différente à l'école, maintenant que j'aurai une vice-directrice avec laquelle je pourrai vraiment travailler. Elle va déménager, je l'ai déjà convaincue d'acheter ce chapeau de velours et je n'ai pas encore abandonné l'espoir de la faire chanter dans la chorale.

Le chien de M. Hamilton est venu jusqu'ici hier et il a pourchassé Dusty Miller. «Ça, *c'est* le bouquet», s'est écriée Rebecca Dew. Et, les joues plus rouges que jamais, son dos grassouillet frémissant de colère, et tellement pressée qu'elle mit son chapeau sens devant derrière sans même s'en apercevoir, elle remonta le chemin et alla dire à M. Hamilton sa façon de penser. Il me semble voir son air idiot et affable pendant qu'il l'écoutait.

«Je n'aime pas Ce Chat, m'a-t-elle confié, mais il nous appartient et il n'est pas question qu'un chien Hamilton vienne le narguer jusque dans sa propre cour. "C'est seulement pour jouer qu'il a poursuivi votre chat", m'a objecté Jabez Hamilton. "Les Hamilton n'ont pas la même conception du plaisir que les MacComber, les MacLean et même les Dew", que je lui ai répondu. "Tut, tut, tut, vous avez sûrement mangé du chou au dîner, Mlle Dew", qu'il m'a dit. J'ai répondu que non, mais que j'aurais pu. Mme Capitaine MacComber n'a pas vendu tous ses choux l'automne dernier en en privant sa famille sous prétexte qu'on pouvait en avoir un bon prix. "Il y a des gens", que je lui ai dit, "qui n'entendent pas d'autre son que le tintement des pièces de monnaie dans leurs poches." Sur ce, je l'ai laissé mariner dans son jus. Mais à quoi pourrait-on s'attendre de la part d'un Hamilton? C'est un salaud.»

Il y a une étoile écarlate suspendue très bas au-dessus du

Roi Tempête blanc. Si seulement tu étais ici avec moi pour la regarder! Si tu y étais, je crois vraiment que nous passerions plus qu'un moment d'estime et d'amitié.

Le 12 janvier

Petite Elizabeth est venue il y a deux soirs pour me demander si je pouvais lui dire quelles bêtes terribles pouvaient bien être les bulles papales[1] et pour me confier, en larmes, que son institutrice lui avait demandé de chanter à un concert préparé par l'école mais que Mme Campbell s'était interposée et avait prononcé un «non» catégorique. Lorsque Elizabeth tenta de plaider sa cause, Mme Campbell l'interrompit:

«Aie l'obligeance de ne pas répliquer, Elizabeth.»

Petite Elizabeth versa quelques larmes amères ce soir-là et déclara qu'à cause de cela elle se sentirait Lizzie pour toujours. Elle ne pourrait plus jamais être un des autres noms.

«La semaine dernière, j'aimais Dieu, cette semaine je ne l'aime plus», dit-elle d'un air provocateur.

Toute sa classe participait au spectacle et elle se sentait «comme un léopard». Je crois que la petite chérie voulait dire qu'elle se sentait comme une lépreuse et c'était bien assez épouvantable. Petite Elizabeth ne doit pas avoir le sentiment d'être une lépreuse.

J'ai donc inventé une course à faire aux Evergreens hier soir. La Femme... qui pourrait bien avoir vécu avant le déluge tellement elle paraît vieille... me dévisagea avec de grands yeux gris, froids et sans expression en me faisant entrer, d'un air lugubre, dans le salon et alla avertir Mme Campbell que je désirais la voir.

Je ne crois pas que le soleil soit jamais entré dans cette pièce depuis que la maison a été construite. Il y avait un

1. Jeu de mots intraduisible. En anglais, *bull* signifie «taureau» et, précédé de *Papal*, il veut dire «bulle papale».

piano, mais je ne pense pas qu'on en ait jamais joué. Des chaises raides, recouvertes de brocart, contre le mur... *tout* le mobilier était contre le mur à l'exception d'une table au dessus de marbre, et aucun des meubles ne semblait avoir lié connaissance avec les autres.

M^me^ Campbell entra. C'était la première fois que je la voyais. Ses traits finement sculptés auraient pu appartenir à un homme; elle a les yeux noirs et des sourcils broussailleux également noirs sous une chevelure givrée. Elle n'a pas entièrement renoncé à toute vaine parure du corps, car elle portait de grands pendants d'oreilles en onyx qui lui arrivaient aux épaules. Elle se montra péniblement polie avec moi, et je fis de même à son égard. Nous nous sommes assises et avons, pendant quelques instants, échangé des civilités au sujet de la température... toutes deux, comme Tacite l'avait remarqué il y a quelques milliers d'années, «avec une contenance adaptée à la circonstance». Je lui ai annoncé, sincèrement, que j'étais venue lui demander de me prêter pour un court laps de temps les *Mémoires* du révérend James Wallace Campbell, parce que j'avais entendu dire qu'on y traitait beaucoup de l'histoire ancienne du comté Prince et que je désirais l'utiliser à l'école.

M^me^ Campbell se dérida sensiblement et, appelant Elizabeth, elle lui dit de monter à sa chambre chercher les *Mémoires*. On pouvait voir qu'Elizabeth avait pleuré et M^me^ Campbell condescendit à m'expliquer que c'était parce que son institutrice avait envoyé un autre petit mot la priant d'autoriser Elizabeth à chanter au concert et qu'elle, M^me^ Campbell, avait rédigé une réponse très mordante qu'Elizabeth devrait rapporter à l'école le lendemain.

«Je n'approuve pas l'idée que des enfants de l'âge d'Elizabeth se produisent en public, m'a-t-elle déclaré. Cela a tendance à les rendre hardis et insolents.»

Comme si quelque chose pouvait rendre petite Elizabeth hardie et insolente!

«Je crois que c'est peut-être très sage de votre part, M^me^ Campbell», ai-je remarqué en prenant mon air le plus condescendant. «En tout cas, Mabel Phillips va chanter et, d'après ce qu'on m'a dit, sa voix est si magnifique qu'elle va éclipser toutes les autres. Sans aucun doute, il vaut mieux qu'Elizabeth n'entre pas en compétition avec elle.»

Il fallait voir le visage de Mme Campbell! Elle est peut-être Campbell à l'extérieur, mais elle reste une Pringle dans l'âme. Elle n'a cependant rien répondu et j'ai compris que c'était le moment psychologique pour me taire. Je l'ai remerciée pour les *Mémoires* et j'ai pris congé.

Le lendemain soir, lorsque petite Elizabeth est venue à la barrière du jardin chercher son lait, son pâle petit visage de fleur rayonnait littéralement. Elle m'a raconté que Mme Campbell l'avait finalement autorisée à chanter, si elle prenait garde à ne pas se laisser enfler la tête.

Vois-tu, Rebecca Dew m'avait appris que les clans Phillips et Campbell avaient toujours rivalisé au sujet de leurs voix.

J'ai offert pour Noël à Elizabeth une petite image qu'elle pourra suspendre au-dessus de son lit... un sentier dans un paysage boisé légèrement vallonné montant dans une colline jusqu'à une pittoresque petite maison au milieu d'arbres. Petite Elizabeth m'a confié qu'elle n'a désormais plus aussi peur d'aller se coucher dans le noir parce que, dès qu'elle est dans son lit, elle imagine qu'elle marche dans le sentier jusqu'à la maison, qu'elle pénètre à l'intérieur, qu'elle est tout illuminée et que son père est là.

Pauvre trésor! Je ne peux m'empêcher de détester son père!

Le 19 janvier

Il y avait un bal chez Carry Pringle hier soir. Katherine s'y trouvait, vêtue d'une robe de soie rouge sombre avec des volants sur le côté, et elle s'était fait coiffer. Crois-le ou non, des gens qui la connaissaient depuis qu'elle enseigne à Summerside se demandaient réellement qui elle était lorsqu'elle est entrée dans la pièce. À mon avis, c'était davantage une transformation indéfinissable en elle-même que la robe et les cheveux qui faisait la différence.

Auparavant, lorsqu'elle se trouvait avec des gens, son attitude proclamait: «Ces gens m'ennuient. J'imagine et j'espère les ennuyer de même.» Mais hier soir, on aurait dit qu'elle avait mis des chandelles allumées à toutes les fenêtres de sa maison.

Cela n'a pas été facile de conquérir l'amitié de Katherine. Mais les choses précieuses ne viennent jamais facilement et j'avais toujours eu le sentiment que son amitié serait précieuse.

Tante Chatty est au lit depuis deux jours avec la fièvre et le rhume et elle pense faire venir le médecin demain au cas où elle serait en train d'attraper une pneumonie. C'est pourquoi Rebecca Dew, une serviette autour de la tête, a passé la journée à récurer la maison afin qu'elle soit en parfait ordre avant la visite possible du docteur. Elle est actuellement dans la cuisine en train de repasser la chemise de nuit de coton blanc de Tante Chatty, celle qui a un empiècement crocheté, pour qu'elle puisse la glisser par-dessus celle en flanelle. Elle était immaculée avant, mais Rebecca Dew pensait que la couleur n'était pas impeccable après avoir séjourné dans le tiroir de la commode.

Le 28 janvier

Jusqu'à présent, janvier s'est révélé un mois de journées grises et froides, avec une tempête à l'occasion tourbillonnant dans le port et amenant des coups de vent dans le Chemin du Revenant. Hier soir cependant, nous avons eu un dégel argenté et, aujourd'hui, le soleil brillait. Mon bosquet d'érables était un lieu d'une inimaginable splendeur. Même les endroits les plus ordinaires étaient devenus ravissants. Tout le grillage de la clôture était une merveille de dentelle en cristal.

Ce soir, Rebecca Dew s'est plongée dans un de mes magazines contenant un article sur les «types de blondes» illustré de photographies.

«Ne serait-ce pas merveilleux, M^lle^ Shirley, si quelqu'un pouvait juste agiter une baguette magique et rendre tout le monde beau?» demanda-t-elle mélancoliquement. «Imaginez comment je me sentirais, M^lle^ Shirley, si je me retrouvais belle tout à coup! Mais alors, poursuivit-elle avec un soupir, si nous étions toutes des beautés, qui ferait le travail?»

# 8

«Je suis si fatiguée», soupira cousine Ernestine Bugle, en s'affalant sur sa chaise à la table du souper au Domaine des Peupliers. «Il m'arrive d'hésiter à m'asseoir de peur de n'plus être capable de m'relever.»

Cousine Ernestine, une cousine au troisième degré de feu le Capitaine MacComber mais encore, aux dires de Tante Kate, beaucoup trop rapprochée, était venue de Lowvale cet après-midi-là en visite aux Peupliers. On ne pouvait pas dire que l'accueil des veuves ait été très chaleureux, malgré les liens sacrés de la famille. Cousine Ernestine n'était pas une personne très stimulante; elle était plutôt une de ces malheureuses toujours inquiètes non seulement de leurs propres affaires mais également de celles de tout le monde et incapables de laisser ni elles-mêmes ni les autres en paix. Juste à la voir, disait Rebecca Dew, on a l'impression que la vie est une vallée de larmes.

Cousine Ernestine n'était certes pas une belle femme et il était extrêmement douteux qu'elle l'eût jamais été. Elle avait un petit visage sec et pincé, des yeux d'un bleu fané, plusieurs grains de beauté mal placés et une voix geignarde. Elle était vêtue d'une robe d'un noir rouillé et d'une étole de phoque de la Baie d'Hudson qu'elle n'enlevait jamais, même à table, parce qu'elle craignait les courants d'air.

Rebecca Dew aurait pu prendre place à table avec elles si elle l'avait souhaité, car les veuves ne considéraient pas cousine Ernestine comme de la «visite» spéciale. Mais Rebecca Dew affirmait toujours qu'elle ne pourrait «déguster ses victuailles» en compagnie de ce vieux rabat-joie. Elle préférait «prendre une bouchée» à la cuisine, ce qui ne l'empêchait pas de dire ce qu'elle avait à dire en faisant le service.

«C'est probablement le printemps qui entre dans vos os», remarqua-t-elle sans sympathie.

«Ah! j'espère que c'est seulement ça, Mlle Dew. Mais j'ai bien peur d'être comme c'te pauvre Mme Oliver Gage. Elle a mangé des champignons l'été dernier, mais y devait y en avoir un de vénéneux parce qu'elle s'est jamais sentie la même après.»

«Mais vous ne pouvez pas avoir mangé de champignons à cette époque de l'année», objecta Tante Chatty.

«Non, mais j'ai peur que ce soit autre chose. N'essayez pas de me r'monter le moral, Charlotte. Vos intentions sont bonnes, mais c'est inutile. J'en ai trop vu. Vous êtes sûre qu'il y a pas une araignée dans c'pot à crème, Kate? J'ai peur d'en avoir vu une quand vous en avez versé dans ma tasse.»

«Nous n'avons jamais d'araignées dans *nos* pots à crème», décréta Rebecca Dew d'un ton menaçant, avant de claquer la porte de la cuisine.

«C'était p'tre juste une ombre, corrigea humblement cousine Ernestine. Mes yeux sont plus ce qu'ils étaient. J'suis à la veille de dev'nir aveugle, j'en ai bien peur. Ça m'rappelle... j'suis allée faire un tour chez Martha MacKay cet après-midi et elle se sentait fiévreuse et elle avait une espèce d'éruption. "D'après moi, vous avez la rougeole, que j'lui ai dit. Vous allez probablement rester pratiquement aveugle. Toute votre famille a les yeux faibles." J'ai pensé qu'elle devait être préparée. Sa mère n'est pas très en forme non plus. Le docteur dit que c'est une indigestion, mais j'ai bien peur que ce soit une tumeur. "Et si vous devez subir une opération et être chloroformée, que j'lui ai dit, j'ai bien peur que vous n'vous en sortiez pas. Rappelez-vous qu'vous êtes une Hillis et qu'les Hillis ont le cœur fragile. Votre père est mort d'une crise cardiaque, vous savez."»

«À quatre-vingt-sept ans!» rétorqua Rebecca Dew, en retirant prestement un plat.

«Et vous savez que trois fois dix plus dix est la limite fixée par la Bible», ajouta Tante Chatty avec bonne humeur.

Cousine Ernestine se servit une troisième cuillerée de sucre et remua tristement son thé.

«Ainsi parlait le roi David, Charlotte, mais le roi David était pas un homme très sympathique à bien des égards, j'en ai peur.»

Anne intercepta le regard de Tante Chatty et pouffa de rire avant d'avoir pu s'en empêcher.

Cousine Ernestine la considéra d'un air désapprobateur.

«J'ai entendu dire que vous étiez une fille au rire facile. Eh bien! j'espère que ça durera, mais j'ai bien peur que non. J'ai peur que vous vous aperceviez trop tôt qu'la vie est une chose bien mélancolique. Ah! bien, j'ai déjà été jeune, moi aussi.»

«L'avez-vous vraiment été?» interrogea Rebecca Dew d'un ton sarcastique en apportant les muffins. «À mon avis, vous devez toujours avoir eu peur d'être trop jeune. Cela prend du courage, je peux vous le dire, M^lle^ Bugle.»

«Rebecca Dew a une façon si bizarre de voir les choses, se plaignit cousine Ernestine. C'est pas que j'lui accorde de l'importance, évidemment. Ah! c'est bien d'rire quand on l'peut, M^lle^ Shirley, mais j'ai peur que vous n'provoquiez la Providence en étant si joyeuse. Vous ressemblez terriblement à la tante d'la femme de notre dernier pasteur... elle était toujours en train de rire et elle est morte d'une attaque de paralysie. La troisième vous tue. J'ai bien peur que notre nouveau pasteur à Lowvale ait tendance à être frivole. Dès l'instant où j'l'ai vu, j'ai dit à Louisy: "Un homme avec des jambes comme ça doit avoir l'habitude de danser, j'en ai bien peur." J'suppose qu'il y a renoncé depuis qu'il est devenu pasteur, mais j'ai peur que ce penchant revienne dans la famille. Sa femme est jeune et on dit qu'elle est scandaleusement amoureuse de lui. J'peux pas m'faire à l'idée d'une femme épousant un pasteur par amour. C'est terriblement irrespectueux, j'en ai peur. Il prêche bien, mais d'après ce qu'il a dit d'Élisée le commensal dimanche dernier, j'ai peur qu'il ait des idées un peu trop libérales sur la Bible.»

«J'ai lu dans le journal que Peter Ellis et Fanny Bugle se sont mariés la semaine dernière», dit Tante Chatty.

«Ah! oui. J'ai bien peur que ce soit un cas de mariage en hâte dont ils se repentiront après. Ça fait juste trois ans qu'ils se connaissent. J'ai bien peur que Peter découvre que les beaux plumages font pas toujours de bons oiseaux. Fanny est très paresseuse, j'en ai peur. Elle repasse ses serviettes de table à l'endroit d'abord et seulement. Ressemble pas beaucoup à sa sainte mère. Ah! si jamais il y a eu une femme consciencieuse, c'était bien elle. Elle portait toujours des chemises de nuit noires quand elle était en deuil. Disait qu'elle souffrait autant la nuit que le jour. J'étais chez Andy Bugle pour les aider à faire la cuisine, et quand j'suis descendue le matin des noces, si ce n'est pas Fanny que j'ai aperçue en train d'manger un œuf pour déjeuner... alors qu'elle se mariait l'même jour. J'suppose que vous l'croyez pas... moi-même j'l'aurais jamais cru si j'l'avais pas vu d'mes propres yeux. Ma pauvre sœur décédée a rien avalé pendant trois jours avant son mariage. Et quand son mari est mort, on a tous eu peur qu'elle r'mange jamais plus. Des fois, j'ai l'impression de plus pouvoir comprendre les Bugle. Avant, on savait à quoi s'attendre avec sa famille, mais c'est plus pareil maintenant.»

«Est-ce vrai que Jean Young va se remarier?» demanda Tante Kate.

«J'ai bien peur que oui. Bien entendu, Fred Young est censé être mort, mais j'ai épouvantablement peur d'le voir revenir. On n'a jamais pu lui faire confiance. Elle va épouser Ira Roberts. Il la marie uniquement pour la rendre heureuse, j'en ai bien peur. Son oncle Philip m'a demandée en mariage, une fois, mais j'lui ai dit: "J'suis née Bugle et j'mourrai Bugle. Le mariage est un saut dans l'inconnu, que j'lui ai dit, et j'ai pas l'intention d'm'y aventurer." C'est incroyable tous les mariages qu'on a vus à Lowvale cet hiver. J'ai bien peur qu'il y ait des funérailles tout l'été pour compenser. Annie Edwards et Chris Hunter se sont mariés le mois dernier. J'ai bien peur qu'ils soient pas mal moins amoureux l'un de l'autre dans quelques années. Elle s'est laissée impressionner par ses manières galantes, j'en ai bien peur. Son oncle Hiram était fou... s'est pris pour un chien pendant des années.»

«S'il arrivait à aboyer tout seul, personne n'avait à le priver de ce plaisir», dit Rebecca Dew en apportant les poires en conserve et le gâteau à étages.

«J'ai jamais entendu dire qu'il jappait, répondit cousine Ernestine. Tout ce qu'il faisait, c'était de ronger des os et les enterrer quand personne le voyait. Sa femme s'en apercevait.»

«Où est Mme Lily Hunter cet hiver?» s'informa Tante Kate.

«Elle passe l'hiver à San Francisco avec son fils, et j'ai bien peur qu'il y ait un autre tremblement de terre avant qu'elle parte de là. Si elle réussit à s'en aller, elle essaiera probablement de passer des choses en fraude et aura des problèmes à la frontière. En voyage, quand c'est pas une chose, c'en est une autre. Mais on dirait qu'les gens sont fous d'ça. Mon cousin Jim Bugle a passé l'hiver en Floride. J'ai bien peur qu'il soit en train de dev'nir riche et matérialiste. Avant qu'il parte, j'lui ai dit... j'me rappelle, c'était le soir avant la mort du chien des Coleman... ou est-ce que c'était bien ce soir-là... oui, ça l'était... "L'orgueil précède la destruction et l'esprit hautain précède la chute", que j'lui ai dit. Sa fille enseigne à l'école du Ch'min Bugle et elle arrive pas à décider lequel de ses amoureux choisir. "Y a une chose que j'peux t'assurer, Mary Annetta, que j'lui ai dit, c'est que t'auras jamais celui qu't'aimes le plus. Alors tu f'rais mieux d'prendre celui qui t'aime... si tu peux être sûre qu'il t'aime pour vrai." J'espère qu'elle f'ra un meilleur choix qu'Jessie Chipman. J'ai bien peur que celle-là s'marie avec Oscar Green seulement parce qu'il a toujours été dans les parages. "C'est *ça* qu'vous avez décroché?" que j'lui ai dit. Son frère est mort de phtisie galopante. "Et n'vous mariez pas en mai, que j'lui ai dit, parce que mai est un mois très malchanceux pour un mariage."»

«Comme vous êtes encourageante!» remarqua Rebecca Dew en apportant une assiette de macarons.

«Pouvez-vous m'dire», poursuivit cousine Ernestine en ignorant Rebecca Dew et en se servant une deuxième portion de poires, «si une calcéolaire est une fleur ou une maladie?»

«Une fleur», répondit Tante Chatty.

Cousine Ernestine eut l'air un peu déçue.

«Eh bien, peu importe c'que c'est, mais la veuve de Sandy Bugle l'a. Dimanche dernier à l'église, j'l'ai entendue dire à sa sœur qu'elle avait finalement une calcéolaire. Vos géraniums sont épouvantablement malingres, Charlotte. Vous leur mettez pas le bon engrais, j'en ai peur. Mme Sandy a arrêté de porter le deuil et ça fait juste quatre ans qu'le pauvre Sandy a rendu l'âme. Ah! Mon Dieu, les morts sont vite oubliés, de nos jours. Ma sœur a porté le crêpe pour son mari pendant trente-cinq ans.»

«Saviez-vous que votre fente de jupe était ouverte?» demanda Rebecca Dew en posant une tarte à la noix de coco devant Tante Kate.

«J'passe pas mon temps à me r'garder dans l'miroir», rétorqua cousine Ernestine d'un ton acide. «Qu'est-ce que ça peut bien faire que ma fente soit ouverte? J'ai trois jupons. On m'a dit qu'les filles aujourd'hui en portent seulement un. Le monde est en train de d'venir épouvantablement gai et écervelé. J'me demande si les gens pensent quelquefois au jour du jugement.»

«Croyez-vous qu'on nous demandera combien de jupons nous portons le jour du jugement?» demanda Rebecca Dew en s'esquivant par la porte de la cuisine avant qu'on ait le temps d'enregistrer l'horreur. Même Tante Chatty trouva que Rebecca Dew était allée un petit peu trop loin.

«J'présume que vous avez appris l'décès du vieux Alec Crowdy dans le journal la s'maine dernière? soupira cousine Ernestine. Sa femme est morte il y a deux ans, littéralement précipitée dans sa tombe, la pauv' créature. On raconte qu'il s'ennuyait affreusement depuis sa mort, mais c'est trop beau pour être vrai, j'en ai peur. Et j'ai peur qu'ils soient pas encore au bout d'leurs peines avec lui, même s'il est enterré. Il y aura de terribles réactions à la lecture du testament. On dit qu'Annabel Crowdy va se marier avec un homme à tout faire. Le premier mari d'sa mère en était un, alors c'est peut-être l'hérédité. Annabel a pas eu la vie facile, mais j'ai peur qu'elle découvre qu'c'est se sortir d'un malheur pour tomber dans un plus grand, même si finalement il a pas déjà une femme.»

«Qu'est-ce que Jane Goldwin fait cet hiver? demanda Tante Kate. Il y a longtemps que nous ne l'avons pas vue en ville.»

«Ah! Pauvre Jane! Elle est en train de dépérir mystérieusement. Personne ne sait ce qu'elle a, mais j'ai peur qu'on découvre que c'est un alibi. Qu'est-ce que Rebecca Dew a à rire comme une hyène dans la cuisine? Vous l'aurez sur les bras, j'en ai peur. Il y a pas mal de débiles mentaux chez les Dew.»

«J'ai appris que Thyra Cooper a eu un bébé», reprit Tante Kate.

«Ah! oui, pauvre petite. Un seul, grâce à Dieu. J'avais peur qu'elle ait des jumeaux. Il y a tellement de jumeaux chez les Cooper.»

«Thyra et Ted forment un si beau couple», dit Tante Kate, comme déterminée à sauver quelque chose du naufrage de l'univers.

Mais cousine Ernestine n'aurait pas admis que Lowvale ait davantage connu un baume que Galaad.

«Ah! Elle a été chanceuse de l'avoir finalement. Pendant un certain temps, elle a eu peur qu'il revienne pas de l'ouest. Je l'ai prévenue: "Vous pouvez être sûre qu'il va vous décevoir, que j'lui ai dit. Il a toujours déçu tout l'monde. Tout l'monde pensait qu'il mourrait avant d'avoir un an, mais vous voyez qu'il est toujours vivant." Quand il a acheté la terre des Holly, j'l'ai encore avertie: "Ce puits est plein de typhoïde, j'en ai peur, que j'lui ai dit. L'engagé des Holly est mort là d'la fièvre typhoïde il y a cinq ans." J'serai pas à blâmer s'il arrive quelque chose. Joseph Holly a des problèmes avec son dos. Il appelle ça un lumbago, mais j'ai bien peur que ce soit un début de méningite spinale.»

Le vieux Joseph Holly est un des meilleurs hommes qui existent», dit Rebecca Dew, apportant une théière resplendissante.

«Ah! ça oui, il est bon, admit lugubrement cousine Ernestine. Trop bon! J'ai bien peur qu'ses fils tournent mal. On voit ça arriver trop souvent. On dirait qu'il faut qu'il y ait une moyenne. Non, merci, Kate, j'prendrai pas d'autre thé... bien... p'tre un macaron. Ils tombent pas dans l'estomac comme une roche, mais j'ai beaucoup trop mangé, j'en ai peur. J'dois filer à l'anglaise, parce que j'ai peur qu'il fasse noir avant qu'j'arrive chez moi. J'veux pas me mouiller les pieds; j'ai tellement peur d'attraper une ammonie. Y a queque chose qui s'est promené tout l'hiver entre mon bras et mes poumons. Ça m'tenait réveillée nuit après nuit. Ah! Personne sait c'que j'ai enduré, mais j'suis pas du genre à m'plaindre. J'étais décidée à v'nir vous voir encore une fois, parce que j'serai p'tre plus ici au printemps prochain. Mais comme vous avez toutes les deux épouvantablement faibli, vous allez p'tre partir avant moi. Ah! ma foi, c'est mieux d'partir pendant qu'il reste encore quelqu'un pour vous enterrer. Mon Dieu! comme le vent s'lève! J'ai bien peur qu'le toit d'notre grange s'envole si ça d'vient une tempête. Nous avons eu tellement de vent ce printemps-ci; le climat est en train d'changer, j'en ai peur. Merci, M^lle^ Shirley»... comme Anne l'aidait à endosser son manteau... «Prenez garde à vous. Vous avez l'air complètement épuisée. J'ai bien peur qu'les roux n'aient jamais eu une très forte constitution.»

«Je ne pense pas avoir de problèmes avec ma constitution», répondit Anne avec un sourire, tendant à cousine Ernestine un indescriptible bibi orné d'une plume d'autruche filiforme pendant à l'arrière. «J'ai un tout petit peu mal à la gorge ce soir, M^lle^ Bugle, rien de plus.»

«Ah!» Une nouvelle funeste prédiction vint à cousine Ernestine. «Vous devez faire attention à un mal de gorge. Les symptômes de la diphtérie et de l'amygdalite sont exactement identiques jusqu'au troisième jour. Mais il y a une consolation... vous vous épargnerez tout un tas d'ennuis si vous mourez jeune.»

# 9

«Chambre de la tour<br>Domaine des Peupliers<br>Le 20 avril

Pauvre cher Gilbert,

«J'ai dit du rire qu'il est fou, et de la gaiété, que fait-elle?» J'ai peur de grisonner jeune... j'ai peur de finir mes jours à l'hospice... j'ai peur qu'aucun de mes élèves ne passe ses examens... le chien de M. Hamilton a jappé après moi samedi soir et j'ai peur d'avoir l'hydrophobie... j'ai peur que mon parapluie ne tourne à l'envers quand j'irai à mon rendez-vous avec Katherine ce soir... j'ai peur que Katherine m'aime tant à présent qu'elle ne pourra jamais plus m'aimer autant... j'ai peur que mes cheveux ne soient pas auburn finalement... j'ai peur d'avoir un grain de beauté sur le bout du nez quand j'aurai cinquante ans... j'ai peur que mon école soit une trappe à feu... j'ai peur de trouver une souris dans mon lit cette nuit... j'ai peur que tu ne te sois fiancé avec moi que parce que j'étais toujours dans les parages... j'ai peur de bientôt m'en prendre à la courtepointe.

Non, mon chéri, je ne suis pas folle... pas encore. C'est seulement que la maladie de cousine Ernestine Bugle était contagieuse.

Je sais à présent pourquoi Rebecca Dew l'a toujours appelée «Mademoiselle Bien Peur». La pauvre âme a tant emprunté de problèmes qu'elle doit être désespérément en dette envers le destin.

Il y a tant de Bugle dans le monde... il n'y en a peut-être pas tant qui sont rendus si loin dans le buglisme que cousine Ernestine, mais tant de rabat-joie, craignant de profiter d'aujourd'hui à cause de ce que demain peut apporter.

Gilbert mon chéri, n'ayons jamais peur de rien. C'est un si terrible esclavage. Soyons audacieux, aventureux et pleins d'espoir. Dansons pour rencontrer la vie et tout ce qu'elle nous apporte, même si elle nous apporte des foules d'ennuis, de typhoïdes et de jumeaux!

Aujourd'hui, c'était une journée de juin en avril. La neige a complètement disparu et les prairies fauves et les collines dorées chantent le printemps. Je sais avoir entendu Pan jouer du pipeau dans le petit creux vert de mon bois d'érables et mon Roi Tempête était entouré des plus légères vapeurs mauves. Nous avons eu beaucoup de pluie ces derniers temps, et j'ai aimé m'asseoir dans ma tour durant les heures immobiles et humides des soirées de printemps. Mais cette nuit est une nuit de grand vent, une nuit impatiente... même les nuages courant dans le ciel sont pressés et le clair de lune qui jaillit entre eux a hâte de se répandre sur le monde.

Imagine, Gilbert, que nous sommes ce soir en train de marcher main dans la main sur une des longues routes d'Avonlea!

Gilbert, j'ai peur d'être scandaleusement amoureuse de toi. Tu ne trouves pas cela irrespectueux, n'est-ce pas? Mais c'est que tu n'es pas un pasteur.

# 10

«Je suis *tellement* différente», soupira Hazel.

C'était vraiment catastrophique d'être à ce point différente des autres... et pourtant plutôt merveilleux, en même temps, comme si vous veniez d'une autre étoile. Hazel n'aurait pour *rien au monde* fait partie de la horde commune... peu importait ce qu'elle devait souffrir en raison de sa différence.

«Tout le monde est différent», répondit Anne d'un ton amusé.

«Vous souriez.» Hazel joignit une paire de petites mains très blanches, très potelées, et regarda Anne avec adoration. Elle accentuait au moins une syllabe de chacun des mots qu'elle prononçait. «Vous avez un sourire si fascinant... si *ensorcelant*... Dès le premier instant que je vous ai vue, j'ai su que vous pouviez *tout* comprendre. Nous sommes au *même niveau*.. Parfois, je pense que je dois être *psychique*, Mlle Shirley. Dès que je rencontre quelqu'un, je sais toujours *instinctivement* si je vais l'aimer ou non. En vous voyant, j'ai su que vous étiez *sympathique*... que vous *comprendriez*. C'est si bon d'être comprise, Mlle Shirley. Personne ne me comprend, Mlle Shirley... *personne*. Mais quand je vous ai vue, une voix intérieure m'a murmuré: "*Elle* va comprendre... avec elle, tu peux être vraiment *toi-même*." Oh! Mlle Shirley, soyons *nous-mêmes*... soyons *toujours* nous-mêmes. Oh! Mlle Shirley, m'aimez-vous un tout tout petit peu?»

«Je pense que vous êtes un chou», dit Anne avec un petit rire, en ébouriffant les boucles dorées d'Hazel avec ses doigts fins. Ce n'était pas très difficile d'aimer Hazel.

Hazel avait fait ses confidences à Anne dans la chambre de la tour, d'où elles pouvaient voir une jeune lune suspendue au-dessus du port et le crépuscule d'un soir de fin de mai remplir les coupes cramoisies des tulipes sous les fenêtres.

«N'allumons pas tout de suite», avait supplié Hazel, et Anne avait répondu :

«Non... c'est charmant ici lorsque l'obscurité est notre amie, n'est-ce pas? Lorsqu'on allume la lumière, le noir devient notre ennemi... et il nous regarde de travers avec rancune.»

«Je peux *penser* des choses comme celles-ci, mais jamais je ne peux les exprimer si joliment», gémit Hazel avec un ravissement angoissé. «Vous parlez la langue des violettes, Mlle Shirley.»

Hazel n'aurait pu expliquer le moindrement ce qu'elle voulait dire par cela, mais quelle importance! Cela sonnait *tellement* poétique.

La chambre de la tour était la seule pièce paisible de toute la maison. Rebecca Dew avait déclaré ce matin-là, avec un air égaré: «Nous *devons* tapisser le salon et la chambre d'ami avant la réunion des Dames Patronnesses» et avait par conséquent enlevé tous les meubles des deux pièces afin de faire de la place pour le tapissier qui avait ensuite refusé de venir avant le lendemain. Le Domaine des Peupliers était dans un état de désordre total, avec une seule oasis, la chambre de la tour.

Hazel Marr éprouvait un «penchant» évident pour Anne. Les Marr étaient de nouveaux venus à Summerside, ils y avaient déménagé de Charlottetown durant l'hiver. Hazel était une «blonde d'octobre», comme elle aimait elle-même se décrire, avec une chevelure d'un bronze doré et des yeux bruns et, c'était du moins l'avis de Rebecca Dew, elle n'avait jamais rien fait de bon dans la vie depuis qu'elle avait découvert qu'elle était jolie. Mais Hazel était populaire, surtout auprès des garçons qui trouvaient irrésistible la combinaison de ses yeux et de ses cheveux.

Anne l'aimait bien. Si, plus tôt au cours de la soirée, elle s'était sentie un peu fatiguée et pessimiste, à cause de l'épuisement qu'on ressent à la fin de l'après-midi dans une salle de classe, elle était à présent reposée; cela était-il dû à la brise de mai qui soufflait par la fenêtre, embaumant le parfum des fleurs de pommiers, ou au bavardage d'Hazel, elle n'aurait pu le dire. Peut-être aux deux. D'une certaine façon, Hazel rappelait à Anne ses propres jeunes années, avec toutes ses extases, ses idéaux et ses visions romantiques.

Hazel saisit la main d'Anne et y pressa ses lèvres avec vénération.

«Je *déteste* toutes les personnes que vous avez aimées avant moi, Mlle Shirley. Je déteste toutes celles que vous aimez *présentement*, je veux vous posséder *exclusivement*.»

«N'êtes-vous pas un peu déraisonnable, mon chou? *Vous* aimez bien d'autres personnes que moi. Que dire de Terry, par exemple?»

«Oh! Mlle Shirley! C'est de cela que je voulais vous entretenir. Je ne peux le supporter en silence davantage... Je ne peux *pas*. Je *dois* en parler à quelqu'un... quelqu'un qui *comprend*. Je suis sortie avant-hier soir et j'ai passé toute la nuit à tourner autour de l'étang... c'est-à-dire presque toute... jusqu'à minuit, en tout cas. J'ai tout souffert... *tout*.»

Hazel prit un air aussi tragique que sa ronde figure rose et blanche, ses yeux ombrés de longs cils et son halo de boucles pouvaient le lui permettre.

«Mon Dieu, ma chère Hazel, je croyais que vous et Terry étiez si heureux... que tout était réglé.»

On ne pouvait blâmer Anne de le penser. Au cours des trois semaines précédentes, Hazel n'avait cessé de lui faire l'éloge de Terry Garland et toute son attitude proclamait: «À quoi sert-il d'avoir un amoureux si on ne peut pas parler de lui avec quelqu'un?»

«C'est ce que *tout le monde* croit», rétorqua Hazel avec une incommensurable amertume. «Oh! Mlle Shirley, la vie semble si pleine de problèmes compliqués. J'ai parfois l'impression que je voudrais me coucher quelque part... *n'importe où*... joindre mes mains et ne plus jamais *penser*.»

«Que s'est-il donc passé, ma chère petite?»

«Rien... et *tout*. Oh! M^lle^ Shirley, *puis-je* tout vous raconter... *puis-je* mettre mon âme à nu devant vous?»

«Bien sûr, ma chérie.»

«Il n'y a nulle part où je puisse mettre mon âme à nu, reprit Hazel d'un ton pathétique. Sauf dans mon journal, bien entendu. Me permettrez-vous de vous montrer mon journal un jour, M^lle^ Shirley? C'est une auto-révélation. Et pourtant, il m'est impossible d'écrire ce qui me brûle le cœur. Cela... cela *m'étouffe*!»

Hazel porta dramatiquement ses mains à sa gorge.

«Bien entendu, j'aimerais le voir si vous le désirez. Mais quel est le problème entre Terry et vous?»

«Oh! Terry! M^lle^ Shirley, le croirez-vous si je vous dis que Terry me semble un *étranger*? Un étranger! Quelqu'un que je n'ai jamais vu avant», ajouta Hazel pour s'assurer qu'il n'y aurait pas de malentendu.

«Mais, Hazel... je croyais que vous l'aimiez... vous disiez...»

«Oh! Je sais. Moi aussi, je *croyais* l'aimer. Mais je sais maintenant que c'était une erreur terrible. Oh! M^lle^ Shirley, vous ne pouvez vous imaginer à quel point ma vie est *difficile*... à quel point elle est *impossible*.»

«Je sais de quoi vous voulez parler», répondit Anne avec sympathie, se rappelant Roy Gardiner.

«Oh! M^lle^ Shirley, je suis sûre de ne pas l'aimer assez pour l'épouser. C'est maintenant que je m'en aperçois... maintenant qu'il est trop tard. C'est seulement le clair de lune qui m'a donné l'illusion de l'aimer. Si la lune n'avait pas été là, je suis certaine que je lui aurais demandé du temps pour réfléchir. J'ai tout simplement perdu la tête... je le vois bien, à présent. Oh! Je vais m'enfuir... commettre un acte désespéré!»

«Mais ma chère Hazel, si vous avez le sentiment d'avoir fait une erreur, pourquoi ne pas simplement le lui dire...»

«Oh! M^lle^ Shirley, je ne pourrais pas! Cela le tuerait. Il m'adore littéralement. Il n'y a vraiment aucun moyen de m'en sortir. Et Terry qui commence à parler de mariage. Pensez-y… une enfant comme moi… je n'ai que dix-huit ans. Tous les amis à qui j'ai confié mes fiançailles sous le sceau du secret me félicitent… et c'est une telle farce. Ils pensent que Terry est un parti merveilleux parce qu'il entrera en possession de dix mille dollars à vingt-cinq ans. C'est sa grand-mère qui lui a légué cette somme. Comme si j'accordais de l'importance à une chose aussi sordide que l'*argent*! Oh! M^lle^ Shirley, *pourquoi* est-ce un monde si mercenaire… *pourquoi*?»

«Je suppose qu'il est mercenaire à certains égards, mais pas dans tout, Hazel. Et si c'est ce que vous ressentez pour Terry… nous commettons tous des erreurs… c'est parfois très difficile de se comprendre soi-même…»

«Oh! N'est-ce pas? Je *savais* que vous comprendriez. Je *pensais* l'aimer, M^lle^ Shirley. La première fois que je l'ai vu, je suis restée assise à le dévisager toute la soirée. Des *vagues* me submergeaient quand nos yeux se rencontraient. Il était *si* beau… bien que même alors je trouvais qu'il avait les cheveux trop frisés et les cils trop blancs. *Cela* aurait dû me mettre en garde. Mais je mets toujours tout mon cœur dans ce que je fais… je suis si intense. J'avais de petits frissons d'extase quand il s'approchait de moi. Et maintenant, je ne ressens plus rien… *rien*! Oh! J'ai vieilli pendant ces dernières semaines, M^lle^ Shirley… vieilli! Je n'ai presque rien mangé depuis que je suis fiancée. Maman pourrait vous le confirmer. Je suis convaincue de ne pas l'aimer suffisamment pour l'épouser. Je doute peut-être de tout le reste, mais cela, je le sais.»

«Alors vous ne devriez pas…»

«Même ce soir de pleine lune où il m'a fait sa proposition, je me demandais quelle robe je devrais porter à la fête costumée de Joan Pringle. Je pensais que ce serait charmant d'y aller en Reine de Mai en vert pâle, avec une large ceinture d'un vert plus foncé et un bouquet de roses rose pâle dans les cheveux. Et je pensais à un mât décoré de minuscules roses et duquel pendent des rubans roses et verts. Cela aurait été ravissant, n'est-ce pas? Puis il a fallu que l'oncle de Joan meure et Joan n'a finalement pas pu faire sa fête, alors tout cela a été pour rien. Mais là où je veux en venir, c'est que... je ne pouvais pas être réellement amoureuse de lui si mes pensées vagabondaient comme cela, non? »

«Je ne sais pas... nos pensées nous jouent parfois de drôles de tours.»

«Je pense vraiment que je n'ai pas envie de me marier du tout, Mlle Shirley. Auriez-vous par hasard un bâtonnet à la portée de la main? Mes lunules sont croches. Je peux me faire les ongles en parlant. N'est-ce pas plaisant de s'échanger des confidences comme ça? On en a si rarement l'occasion... le monde force notre porte. Bien, de quoi étais-je en train de parler?... Oh! oui, de Terry. Que vais-je faire, Mlle Shirley? Je veux votre avis. Oh! Je me sens comme une créature prise au piège!»

«Mais Hazel, c'est vraiment très simple...»

«Oh! Ce n'est pas simple du tout, Mlle Shirley! C'est affreusement compliqué. Maman est si outrageusement ravie, mais tante Jane ne l'est pas. *Elle* n'aime pas Terry et tout le monde dit qu'elle a un si bon jugement. Je ne veux épouser personne. J'ai de l'ambition... je veux faire une carrière. Parfois, je pense que j'aimerais être religieuse. Ne serait-ce pas formidable d'être une épouse du ciel? Je crois que l'Église catholique est *tellement* pittoresque, vous ne trouvez pas? Mais, bien entendu, je ne suis pas catholique... et d'ailleurs, on peut difficilement appeler cela une carrière. J'ai toujours eu le sentiment que j'aimerais être infirmière. C'est une profession si romantique, n'est-ce pas? Rafraîchir des fronts fiévreux et tout cela... et un beau patient millionnaire tombant amoureux de vous et vous emmenant passer votre lune de miel dans une villa sur la Riviera, devant le soleil du matin et la Méditerranée bleue. Je me suis vue dans cela. Ce sont peut-être des rêves fous, mais, oh! ils sont si doux! Je ne peux y renoncer pour la prosaïque réalité d'épouser Terry Garland et de m'établir à *Summerside*!»

Hazel frémit à cette pensée et examina un de ses ongles d'un œil critique.

«Je suppose... » commença Anne.

«Nous n'avons *rien* en commun, vous savez, Mlle Shirley. La poésie et les choses romantiques ne l'intéressent pas, et c'est ce qui constitue ma *vie*. Il m'arrive de penser que je suis la réincarnation de Cléopâtre... ou peut-être s'agit-il d'Hélène de Troie?... en tout cas, une de ces créatures langoureuses et séductrices. J'ai des pensées et des sensations si *extraordinaires*... je ne sais pas d'où elles peuvent venir si ce n'est pas l'explication. Et Terry est si affreusement terre à terre... il ne peut être la réincarnation de qui que ce soit. Ce qu'il a répondu quand je lui ai parlé de la plume de Vera Fry le prouve bien, n'est-ce pas?»

«Mais je n'ai jamais entendu parler de la plume de Vera Fry», dit patiemment Anne.

«Oh! c'est vrai? Je croyais vous en avoir parlé. Je vous ai confié tant de choses. Le fiancé de Vera lui a offert une plume pour écrire faite avec la plume tombée de l'aile d'un corbeau. Il lui a dit: "Que ton esprit s'envole vers le ciel quand tu t'en serviras, tout comme l'oiseau à qui elle appartenait avant." N'était-ce pas tout simplement *merveilleux*? Mais Terry a répondu que la plume serait vite usée, surtout si Vera écrivait autant qu'elle parlait, et que, de toute façon, il ne croyait pas que les corbeaux s'envolaient vers les cieux. Il n'a tout simplement rien compris... il a raté l'essence même de la chose.»

«Et qu'est-ce que cela signifiait?»

«Oh! Mon Dieu... mais... *s'envoler*, vous savez... s'éloigner des choses terrestres. Avez-vous remarqué la bague de Vera? Un saphir. À mon avis, les saphirs sont trop sombres pour convenir à une bague de fiançailles. Je préférerais avoir votre adorable et romantique anneau de perles. Terry voulait me donner ma bague sur-le-champ... mais je lui ai demandé d'attendre... ce serait comme une chaîne... si *irrévocable*, voyez-vous. Je n'aurais pas ressenti cela si je l'avais réellement aimé, n'est-ce pas?»

«Non, j'ai peur que non...»

«Cela a été si merveilleux de confier à quelqu'un mes

sentiments véritables. Oh! M^lle^ Shirley, si je pouvais seulement retrouver ma liberté... être de nouveau libre de chercher le sens profond de la vie! Terry ne me comprendrait pas si je lui disais cela. Et je sais qu'il a mauvais caractère... comme tous les Garland. Oh! M^lle^ Shirley... si vous pouviez seulement lui parler... lui dire ce que je ressens... il vous trouve si extraordinaire... il se laisserait guider par vos paroles.»

«Hazel, ma chère petite fille, comment pourrais-je faire une telle chose?»

«Je ne vois pas pourquoi vous ne le pourriez pas.» Hazel termina son dernier ongle et laissa tragiquement tomber le bâtonnet. «Si vous ne le pouvez pas, je ne trouverai de l'aide *nulle part*. Mais je ne pourrai jamais, *jamais*, JAMAIS épouser Terry Garland.»

«Si vous n'aimez pas Terry, vous devez aller le lui dire... peu importe l'effet que cela lui fera. Un jour, vous rencontrerez quelqu'un que vous pourrez vraiment aimer, ma chère Hazel... vous n'aurez plus aucun doute, alors... vous *saurez*.»

«Je n'aimerai plus jamais *personne*», déclara Hazel avec un calme imperturbable. «L'amour n'apporte que du chagrin. Malgré mon jeune âge, j'ai appris *cela*. Ce serait une intrigue fantastique pour une de vos histoires, n'est-ce pas, M^lle^ Shirley? Je dois partir... je ne me doutais pas qu'il était si tard. Je me sens *tellement* mieux depuis que je me suis confiée à vous.... "que j'ai touché votre âme dans le domaine de l'ombre", comme l'a dit Shakespeare.»

«Je pense qu'il s'agissait de Pauline Johnson», corrigea gentiment Anne.

«Eh bien! je savais que quelqu'un l'avait dit... quelqu'un qui avait *vécu*. Je pense que je vais dormir, cette nuit, M^lle^ Shirley. Je n'ai presque pas fermé l'œil depuis que je me suis retrouvée fiancée à Terry sans avoir le *moindrement* compris comment cela était arrivé.»

Hazel ébouriffa ses cheveux et mit son chapeau, un bibi à doublure rose et entouré de fleurs de la même couleur. Elle était si éblouissante ainsi qu'Anne ne put s'empêcher de l'embrasser. «Vous êtes si jolie, ma chérie», dit-elle avec admiration.

Hazel resta immobile.

Puis elle leva les yeux et regarda à travers le plafond de la chambre de la tour, à travers le grenier au-dessus et chercha les étoiles.

«Jamais, *jamais*, je n'oublierai cet instant *merveilleux*, M^lle^ Shirley, murmura-t-elle avec ravissement. J'ai l'impression que ma beauté... si je suis belle... a été *consacrée*. Oh! M^lle^ Shirley, vous ne pouvez pas savoir comme c'est absolument terrible d'avoir la réputation d'être belle et de toujours avoir, quand vous rencontrez des gens, le sentiment qu'ils ne vous trouvent pas aussi jolie qu'on le leur a dit. C'est une *torture*. Parfois, je suis si mortifiée que j'en mourrais, parce que j'imagine qu'ils sont déçus. Ce n'est peut-être que mon imagination... j'ai *tellement* d'imagination... beaucoup plus que je le devrais, je le crains. J'ai *imaginé* que j'étais amoureuse de Terry, vous voyez. Oh! M^lle^ Shirley, *pouvez*-vous sentir le parfum des fleurs de pommiers?»

Dotée d'un nez, Anne le pouvait.

«N'est-ce pas *divin*? J'espère que le paradis sera *rempli* de fleurs. On pourrait être bon si on vivait dans un lis, n'est-ce pas?»

«J'aurais peur qu'on soit un peu à l'étroit», fit Anne d'un ton pervers.

«Oh! M^lle^ Shirley, ne soyez pas... ne *soyez* pas sarcastique envers votre petite adoratrice. Le sarcasme me flétrit comme une feuille.»

«Je vois qu'elle ne vous a pas complètement assommée de paroles», commenta Rebecca Dew lorsque Anne revint, après avoir raccompagné Hazel au bout du Chemin du Revenant. «Je ne comprends pas comment vous pouvez la supporter.»

«Je l'aime bien, Rebecca, c'est vrai. J'étais moi-même un terrible moulin à paroles dans mon enfance. Je me demande si les gens qui m'écoutaient trouvaient mes propos aussi idiots que ceux d'Hazel le paraissent parfois.»

«J'vous ai pas connue quand vous étiez enfant, mais j'suis sûre que non, dit Rebecca Dew. Parce que vous *pensiez* ce que vous disiez, peu importe comment vous l'exprimiez, et ce n'est pas le cas pour Hazel Marr. Elle n'est rien de plus que du lait écrémé qui prétend être de la crème.»

«Oh! Elle dramatise un peu sur son sort comme la plupart des filles, mais je crois qu'elle pense certaines des choses qu'elle dit», répondit Anne en pensant à Terry. C'était peut-être parce qu'elle-même ne pensait pas grand bien dudit Terry qu'elle crut Hazel sincère. Anne pensa que Hazel voulait s'éloigner de Terry malgré les dix mille dollars dont il entrait en possession. Anne considérait Terry comme un beau jeune homme plutôt velléitaire qui tomberait amoureux de la première jolie fille qui lui ferait les yeux doux et tomberait aussi facilement amoureux de la suivante si la première le laissait tomber ou le laissait seul trop longtemps.

Anne l'avait beaucoup vu ce printemps-là, Hazel ayant souvent insisté pour qu'elle leur serve de chaperon; et elle était destinée à le voir encore davantage, car Hazel alla visiter des amis à Kingsport et, pendant son absence, Terry sembla s'attacher à Anne, l'amenant en promenade et la raccompagnant chez elle. Comme ils avaient à peu près le même âge, ils s'appelaient par leur prénom, même si Anne se sentait plutôt maternelle avec lui. Terry se sentait immensément flatté que l'«intelligente Mlle Shirley» parût se plaire en sa compagnie et il devint si sentimental le soir de la réception chez May Connelly, dans le jardin au clair de lune, où les ombres des acacias dansaient follement, qu'Anne lui rappela Hazel absente d'un ton amusé.

«Oh! Hazel! s'écria Terry. Cette enfant!»

«N'êtes-vous pas fiancé à "cette enfant"?» demanda sévèrement Anne.

«Pas vraiment fiancé... rien de plus que des folies de jeunes. Je... j'imagine que c'est le clair de lune qui m'a fait perdre la tête.»

Anne pensa rapidement. Si Terry s'intéresse vraiment si peu à Hazel, la petite ferait beaucoup mieux de se libérer de lui. C'était peut-être le ciel qui leur envoyait la possibilité de se délivrer de l'engrenage absurde dans lequel ils s'étaient pris et duquel aucun des deux, prenant les choses avec le sérieux terrible de la jeunesse, ne savait comment s'échapper.

«Bien sûr, poursuivit Terry, interprétant mal son silence, je suis dans une situation un peu délicate. J'ai peur que Hazel ne m'ait pris un peu trop au sérieux, et je ne sais tout simplement pas comment lui ouvrir les yeux sur son erreur.»

L'impulsive Anne prit son air le plus maternel.

«Terry, vous êtes deux enfants jouant aux adultes. Hazel ne vous aime pas davantage que vous ne l'aimez. Apparemment, vous avez été tous deux influencés par le clair de lune. *Elle* veut reprendre sa liberté, mais craint de vous faire de la peine si elle vous le dit. Elle n'est qu'une jeune fille désorientée et romantique et vous êtes un garçon amoureux de l'amour, et un jour, vous rirez ensemble de toute cette histoire.»

(«Je pense avoir tourné cela joliment», se dit Anne, satisfaite d'elle-même.)

«Vous m'avez enlevé un poids de l'esprit, Anne. Hazel est évidemment une enfant adorable, et je détestais l'idée de lui faire de la peine, mais il y a quelques semaines que j'ai pris conscience de mon... de notre... erreur. Quand on rencontre une *femme*... *la* femme... vous ne partez pas déjà, Anne? Allons-nous donc gaspiller ce clair de lune? Vous ressemblez à une rose blanche sous la lune... Anne...»

Mais Anne avait disparu.

# 11

Anne, en train de corriger des examens dans sa chambre par un soir de juin, s'arrêta pour se moucher. Elle s'était tant essuyé le nez ce soir-là qu'il était tout rouge et plutôt douloureux. En vérité, Anne était victime d'un très sévère et très peu romantique rhume de cerveau. Cela l'empêchait de profiter du ciel vert pâle derrière les pruches des Evergreens, de la lune d'un blanc argenté suspendue au-dessus du Roi Tempête, du parfum persistant des lilas sous sa fenêtre ou des iris givrés, veinés de bleu, dans le vase sur sa table. Cela assombrissait tout son passé et son avenir encore davantage.

«Un rhume de cerveau en juin est une chose immorale», confia-t-elle à Dusty Miller qui méditait sur le rebord de la fenêtre. «Mais dans deux semaines, je serai à mon cher Green Gables au lieu de mijoter ici sur des copies d'examens truffées de bourdes et de moucher un nez complètement hors d'usage. Pense à ça, Dusty Miller.»

Apparemment, Dusty Miller y pensa. Il pensa peut-être aussi que la jeune femme se hâtant dans le Chemin du Revenant et descendant la route puis le sentier bordé de plantes vivaces avait l'air furieuse et perturbée et n'avait rien en commun avec le mois de juin. C'était Hazel Marr, de retour de Kingsport depuis une journée seulement, et apparemment c'était une Hazel Marr très bouleversée qui, quelques instants plus tard, surgit brusquement dans la chambre de la tour sans attendre qu'on réponde à ses coups secs.

«Eh bien! ma chère Hazel... (*Atchou!*)... vous êtes déjà revenue de Kingsport? Je ne vous attendais pas avant la semaine prochaine.»

«Non, je suppose qu'en effet vous ne m'attendiez pas, rétorqua sarcastiquement Hazel. Oui, M^lle^ Shirley, je *suis* de retour. Et qu'est-ce que je découvre? Que vous avez fait de votre mieux pour séduire Terry et l'éloigner de moi... et que vous avez failli réussir.»

«Hazel!» (*Atchou!*)

«Oh! Je suis au courant! Vous avez dit à Terry que je ne l'aimais pas... que je voulais rompre nos fiançailles... cet engagement *sacré*!»

«Hazel... mon enfant!» (*Atchou!*)

«Oh! c'est ça, moquez-vous de moi... moquez-vous de tout, mais n'essayez pas de nier. Vous l'avez fait... et vous l'avez fait *délibérément*.»

«Bien sûr, puisque vous me l'aviez demandé.»

«Je... vous... l'ai... demandé!»

«Ici même, dans cette chambre. Vous m'avez dit que vous ne l'aimiez pas et ne vouliez pas l'épouser.»

«Oh! c'était une façon de parler, je suppose. Je n'aurais jamais imaginé que vous m'auriez prise au sérieux. Je pensais que *vous* pouviez comprendre un tempérament artistique. Vous avez évidemment des années de plus que moi, mais même *vous* ne pouvez avoir oublié comment les filles peuvent tenir des propos insensés... éprouver des sentiments insensés. *Vous* qui prétendiez être mon amie!»

«Ce doit être un cauchemar, pensa la pauvre Anne en se mouchant. Asseyez-vous, Hazel... je vous en prie.»

«M'asseoir!» Hazel arpentait fébrilement la pièce. «Comment puis-je m'asseoir... comment *quiconque* pourrait-il s'asseoir quand toute sa vie est ruinée? Oh! si c'est cela, vieillir... si cela nous rend jaloux du bonheur des plus jeunes et déterminé à l'anéantir... je prierai pour ne jamais vieillir.»

La main d'Anne éprouva tout à coup le désir primitif de frotter les oreilles d'Hazel. Elle réprima si instantanément ce désir qu'elle ne put croire par la suite l'avoir jamais ressenti.

Mais elle pensa qu'une petite réprimande gentille était indiquée.

«Si vous ne pouvez pas vous asseoir et parler intelligemment, Hazel, je préférerais que vous partiez. (Un *Atchou* très violent.) J'ai du travail à faire.» (*Snif... snif... snif...*)

«Je ne partirai pas avant de vous avoir dit ce que je pense de vous. Oh! Je sais que je suis la seule à blâmer... j'aurais dû le savoir... je le *savais*. Dès la première fois que je vous ai vue, j'ai su instinctivement que vous étiez *dangereuse*. Avec vos cheveux roux et vos yeux verts! Mais je n'aurais jamais *imaginé* que vous iriez si loin et sèmeriez la zizanie entre Terry et moi. Je pensais que vous étiez au moins *chrétienne*. Je n'ai jamais entendu parler d'une personne qui agirait ainsi. Eh bien! vous m'avez brisé le cœur, si cela peut vous apporter quelque satisfaction.»

«Espèce de petite sotte...»

«Je ne vous parlerai plus! Oh! Terry et moi étions si heureux avant que vous ne veniez tout gâcher. J'étais si heureuse... la première fille de mon groupe à être fiancée. J'avais même planifié mon mariage... quatre demoiselles d'honneur en jolies robes de soie bleu pâle aux volants ornés de rubans de velours noir. Tellement chic! Oh! Je ne sais pas si c'est davantage de la haine ou de la pitié que j'éprouve à votre égard! Oh! Comment avez-vous pu me traiter ainsi... après que je vous aie tant *aimée*... vous aie fait tellement *confiance*... aie tant *cru* en vous!»

La voix d'Hazel se brisa... ses yeux s'emplirent de larmes... et elle s'effondra dans la chaise berçante.

«Il ne doit plus vous rester de points d'exclamation, songea Anne, mais il ne fait aucun doute que votre réserve d'italiques est inépuisable.»

«Cela va tout simplement tuer ma pauvre maman, sanglota Hazel. Elle était si contente... *tout le monde* était si content... tout le monde trouvait que nous formions un couple *idéal*. Oh! Les choses pourront-elles un jour redevenir comme avant?»

«Attendez le prochain clair de lune et essayez», dit gentiment Anne.

«C'est ça, moquez-vous, Mlle Shirley... riez de ma souffrance. Je n'ai pas le moindre doute que vous trouviez cela très amusant... très amusant, en vérité! *Vous* ne savez rien de la souffrance! C'est terrible... *terrible* !»

Anne jeta un coup d'œil à l'horloge et renifla.

«Alors, ne souffrez pas», trancha-t-elle sans pitié.

«Je *souffrirai*. Mes sentiments sont *très* profonds. Évidemment, une âme *superficielle* ne souffrirait pas. Mais grâce à Dieu, je ne suis *pas* superficielle, quoique je puisse être. Avez-vous la *moindre* idée de ce que cela signifie d'être amoureuse, Mlle Shirley? Réellement, terriblement, profondément, *merveilleusement* amoureuse? Puis de faire confiance et d'être trompée? J'étais *si* heureuse quand je suis partie pour Kingsport... j'aimais le monde entier! J'ai demandé à Terry d'être gentil avec vous pendant mon absence... et de ne pas vous laisser vous ennuyer. Je suis revenue à la maison *si* heureuse hier soir. Et il m'a dit qu'il ne m'aimait plus... que c'était une erreur... une *erreur* !... et que *vous* lui aviez dit que je ne l'aimais plus et que je voulais reprendre ma liberté!»

«Mes intentions étaient honorables», fit Anne en riant. Son sens de l'humour malicieux était venu à sa rescousse et elle riait maintenant, tout autant d'elle-même que de Hazel.

«Oh! *Comment* ai-je pu survivre à cette nuit? poursuivit fiévreusement Hazel. J'ai marché de long en large sans arrêt. Et vous ne savez pas... vous ne pourrez jamais *imaginer* ce que j'ai enduré aujourd'hui. J'ai dû rester à écouter... vraiment *écouter*... les gens parler du béguin que Terry éprouve pour *vous*. Oh! Les gens vous ont regardée! *Ils* savent ce que vous avez fait! Et pourquoi... *pourquoi* ! C'est cela que je *n'arrive pas* à comprendre. Vous avez déjà un amoureux... pourquoi ne pouviez-vous pas me laisser le mien? Qu'aviez-vous contre moi? Qu'est-ce que je vous ai *fait* ?»

«Je crois, dit Anne, complètement exaspérée, que vous et Terry avez besoin d'une bonne fessée. Si vous n'étiez pas trop en colère pour entendre raison...»

«Je ne suis pas en *colère*, Mlle Shirley... je suis seulement *blessée*... terriblement blessée», répondit Hazel d'une voix littéralement voilée de larmes. «J'ai l'impression que *tout* m'a trahie... l'amitié tout autant que l'amour. Eh bien! on dit qu'une fois que notre cœur est brisé on ne souffre jamais plus. J'espère que c'est vrai, mais je crains que non.»

«Qu'est-il arrivé à votre ambition, Hazel? Et à votre patient millionnaire, et à votre lune de miel dans une villa sur la Méditerranée bleue?»

«Je suis certaine de ne pas savoir ce dont vous parlez, M^lle^ Shirley. Je ne suis absolument pas ambitieuse... je ne fais pas partie de ces épouvantables nouvelles femmes. *Ma* plus grande ambition était d'être une épouse heureuse et de donner à mon mari un foyer heureux. *Était... était...* Quand je pense qu'il me faut désormais en parler au passé! Eh bien! il ne faut jamais faire confiance à *personne*. J'ai au moins appris *cela*. Une leçon amère, très amère!»

Hazel s'essuya les yeux et Anne s'essuya le nez, tandis que Dusty Miller contemplait l'étoile du soir avec une expression de misanthrope.

«Vous feriez mieux de partir, Hazel. Je suis vraiment très occupée et je ne vois pas ce que nous pourrions gagner à prolonger cet entretien.»

Hazel se dirigea vers la porte, l'air de Marie reine d'Écosse avançant vers l'échafaud, puis se tourna dramatiquement:

«Adieu, M^lle^ Shirley. Je vous laisse avec votre conscience.»

Restée seule avec sa conscience, Anne laissa tomber sa plume, renifla trois fois et se morigéna sans ménagement.

«Tu es peut-être diplômée d'université, Anne Shirley, mais tu as encore quelques petites choses à apprendre... des choses que même Rebecca Dew aurait pu te dire... qu'elle t'a dites. Sois honnête, ma chère fille, et avale ta pilule avec courage. Admets que la flatterie t'a enflé la tête. Admets que tu aimais réellement l'adoration qu'Hazel te témoignait. Admets que tu trouvais agréable d'être vénérée. Admets que tu aimais l'idée d'être une sorte de *deus ex machina*... sauvant les gens de leur propre folie alors qu'ils ne désiraient pas le moins du monde en être sauvés. Et quand tu auras admis tout cela, que tu te sentiras plus sage, plus triste et plus vieille de quelques milliers d'années, reprends ta plume et continue à corriger tes copies d'examens, t'arrêtant pour noter en passant que selon Myra Pringle, un séraphin est un "animal qui abonde en Afrique".»

# 12

Une semaine plus tard, Anne reçut une lettre écrite sur du papier bleu pâle à bordure argentée.

Chère M$^{lle}$ Shirley,

Je vous écris pour vous dire que *tout le malentendu* a été dissipé entre Terry et moi et que nous sommes si profondément, intensément, *merveilleusement* heureux que nous avons décidé de vous pardonner. Terry dit que c'est seulement le clair de lune qui l'a influencé à vous parler d'amour, mais que jamais son cœur n'a *réellement* appartenu à quelqu'un d'autre qu'à moi. Il dit que, comme *tous les hommes*, il aime vraiment les filles *gentilles* et *simples*... et qu'il n'a que faire des *intrigantes* et des *rusées*. Nous ne comprenons pas pourquoi vous avez agi de la sorte envers nous... nous ne le comprendrons jamais. Peut-être désiriez-vous de la matière pour une nouvelle et avez-vous pensé pouvoir la trouver dans le premier amour tendre et timide d'une jeune fille. Mais nous vous remercions de nous avoir *révélés à nous-mêmes*. Terry dit que jamais auparavant il n'avait saisi le sens profond de la vie. Tout a donc vraiment été pour le mieux. Nous avons *tant* d'empathie... nous pouvons *sentir* mutuellement nos pensées. Personne d'autre que moi ne le comprend et je veux être à jamais sa *source d'inspiration*. Je ne suis pas aussi intelligente que *vous*, mais je pense pouvoir l'être, car nous sommes des *âmes sœurs* et nous nous sommes juré une *confiance* et une *constance* éternelles, qu'importe le nombre de *personnes jalouses* et de *faux amis* qui essaieront de nous mettre des bâtons dans les roues.

Nous allons nous marier dès que mon trousseau sera prêt. Je vais le chercher à Boston. On ne trouve vraiment *rien* à Summerside. J'aurai une robe de *moire blanche* et mon costume de voyage sera gris perle avec un chapeau, des gants et une blouse *bleu pied-d'alouette*. Je *suis* évidemment très jeune, mais je veux me marier pendant que je suis jeune, avant que la vie perde son *éclat*.

Terry correspond à mes rêves les plus fous et chacune des *pensées* de mon cœur lui est exclusivement réservée. Je sais que nous serons *indescriptiblement heureux*. Un jour, j'ai cru que tous mes amis se *réjouiraient* avec moi de mon bonheur, mais depuis j'ai reçu une *leçon amère*.

Avec mes sentiments cordiaux,
Hazel Marr

P.S. 1. Vous m'aviez dit que Terry avait *mauvais caractère*. Eh bien! sa sœur dit qu'il est doux comme un agneau.

P.S. 2. J'ai entendu dire que le *jus de citron* efface les taches de rousseur. Vous devriez l'essayer sur votre nez.

H. M.

«Pour parler comme Rebecca Dew, confia Anne à Dusty Miller, le post-scriptum numéro deux est le bouquet.»

# 13

Anne retourna chez elle pour ses deuxièmes vacances de Summerside avec des sentiments mitigés. Gilbert ne serait pas à Avonlea cet été-là. Il était allé dans l'ouest travailler à la construction du nouveau chemin de fer. Mais Green Gables était toujours Green Gables et Avonlea toujours Avonlea. Le Lac aux Miroirs brillait et scintillait comme par le passé. Les fougères poussaient toujours aussi abondamment près de la Source des Fées et le pont de rondins, bien qu'un peu plus effrité et moussu chaque année, continuait à mener aux ombres, aux silences et aux chansons du vent de la Forêt Hantée.

Et Anne avait convaincu M^me^ Campbell de laisser la petite Elizabeth venir passer deux semaines avec elle... pas davantage. Mais lorsqu'elle pensait aux deux semaines entières qu'elle passerait avec M^lle^ Shirley, Elizabeth n'en demandait pas plus à la vie.

«Je me sens M^lle^ Elizabeth aujourd'hui», déclara-t-elle à Anne en poussant un soupir d'excitation ravie, alors qu'elles s'éloignaient du Domaine des Peupliers. «S'il vous plaît, voulez-vous m'appeler "M^lle^ Elizabeth" quand vous me présenterez à vos amis à Green Gables? Je me sentirais tellement plus vieille.»

«D'accord», promit gravement Anne, se rappelant une petite demoiselle aux cheveux roux qui avait un jour prié qu'on l'appelât Cordelia.

Pour Elizabeth, le trajet entre Bright River et Green Gables, sur une route ne pouvant exister nulle part ailleurs qu'à l'Île-du-Prince-Édouard au mois de juin, se révéla presque aussi extraordinaire qu'il l'avait été pour Anne plusieurs années auparavant, lors de cet inoubliable soir de printemps. La terre était belle, avec des prairies ondulées par le vent de tous côtés et des surprises jaillissant dans tous les coins. Elle était avec sa bien-aimée Mlle Shirley; elle serait libérée de la Femme pendant deux semaines complètes; elle portait une robe neuve de calicot rose et une nouvelle paire de ravissantes bottines brunes. On avait presque l'impression que Demain était arrivé... et qu'il serait suivi de quatorze autres demains. Le rêve faisait briller les yeux d'Elizabeth lorsqu'elles s'engagèrent dans l'allée menant à Green Gables, où poussaient des rosiers sauvages.

Les choses semblèrent se transformer magiquement pour Elizabeth dès qu'elle fut à Green Gables. Pendant deux semaines, elle vécut dans un monde enchanté. Impossible de passer le seuil de la porte sans sauter dans quelque chose de romantique. C'était comme si les choses devaient arriver... si ce n'était pas aujourd'hui, ce serait demain. Elizabeth savait qu'elle n'avait pas encore *tout à fait* atteint Demain, mais qu'elle en était à l'orée.

On aurait dit que tout ce qui avait rapport à Green Gables lui était familier. Même le vieux service à thé de Marilla, à motif de boutons de roses, était un vieil ami. Elle avait l'impression d'avoir toujours connu et aimé les pièces de la maison; l'herbe était là plus verte que partout ailleurs; et les gens qui vivaient à Green Gables ressemblaient à ceux qui vivaient dans son Demain. Elle les aimait et ils la chérissaient. Davy et Dora l'adoraient et la gâtaient; Marilla et Mme Lynde l'approuvaient. Elle était impeccable, se conduisait comme une petite dame et se montrait polie envers ses aînés. Elles savaient qu'Anne n'approuvait pas les méthodes de Mme Campbell, mais c'était bon de constater qu'elle avait bien éduqué son arrière-petite-fille.

«Oh! Je ne veux pas dormir, Mlle Shirley», chuchota

Elizabeth un soir qu'elles étaient couchées dans la chambre au-dessus du porche, après une soirée ravissante. «Je ne veux pas dormir une seule minute de ces deux merveilleuses semaines. Si seulement je pouvais me passer de sommeil pendant mon séjour ici.»

Elle resta éveillée un certain temps. C'était féerique d'être étendue là à écouter le grondement de ce tonnerre qui, d'après Mlle Shirley, n'était autre que le bruit de la mer. Elizabeth aimait ce bruit, tout comme elle aimait entendre soupirer le vent autour des avant-toits. Elle avait toujours eu «peur de la nuit». Qui savait quelle chose bizarre il allait en jaillir pour bondir sur vous? Mais elle n'avait plus peur, désormais. Pour la première fois de sa vie, la nuit lui apparaissait comme une amie.

Elles iraient à la plage demain, Mlle Shirley l'avait promis, et se baigneraient dans ces vagues à la crête argentée qui se brisaient derrière les dunes vertes d'Avonlea et qu'elle avait aperçues en passant la dernière colline. Elizabeth les avait vues venir, l'une après l'autre. L'une d'elles était la grosse vague noire du sommeil... elle fonçait sur elle... Elizabeth s'y laissa sombrer avec un délicieux soupir d'abandon.

«C'est... si... facile... d'aimer... Dieu... ici», fut sa dernière pensée consciente.

Mais elle resta éveillée un certain temps chacune des nuits de son séjour à Green Gables, longtemps après que Mlle Shirley fut endormie, à penser à toutes sortes de choses. Pourquoi la vie aux Evergreens n'était-elle pas comme à Green Gables?

Là où elle avait vécu, elle n'avait jamais pu faire de bruit quand elle en avait envie. Aux Evergreens, tout le monde devait bouger doucement... parler doucement... et même, comme le sentait Elizabeth, *penser* doucement. Il lui arrivait parfois de désirer perversement crier fort et longtemps.

«Tu peux faire tout le bruit que tu veux, ici», lui avait dit Anne. Pourtant, c'était étrange... elle n'avait plus envie de hurler, à présent que plus rien ne l'en empêchait. Elle aimait plutôt agir calmement, folâtrer gentiment parmi les jolies choses qui l'entouraient. Mais Elizabeth apprit à rire durant son séjour à Green Gables. Et lorsqu'elle retourna à Summerside, elle apporta avec elle de délicieux souvenirs et en laissa d'également délicieux derrière elle. Pour les gens de Green Gables, l'endroit parut, pendant des mois, plein de souvenirs de la petite Elizabeth. Car pour eux, elle était «Petite Elizabeth» même si Anne l'avait solennellement présentée comme «Mlle Elizabeth». Elle était si délicate, si dorée, elle faisait tant penser à un elfe qu'ils ne pouvaient penser à elle autrement qu'en ces termes... petite Elizabeth dansant au crépuscule dans le jardin, au milieu des lis blancs de juin... blottie sur une branche du grand pommier en train de lire des contes de fées, sans être dérangée... petite Elizabeth à demi enfoncée dans un champ de boutons-d'or où sa tête dorée ressemblait à un bouton-d'or plus gros... pourchassant les papillons de nuit vert argenté ou essayant de compter les lucioles dans le Sentier des amoureux... écoutant les bourdons vrombir dans les campanules... mangeant les fraises et la crème que lui servait Dora dans le garde-manger ou des groseilles dans la cour... «Les groseilles sont si jolies, n'est-ce pas, Dora? On dirait qu'on mange des bijoux, tu ne trouves pas?»... petite Elizabeth se chantant des chansons dans le crépuscule hanté du bosquet de sapins... les doigts tout parfumés d'avoir cueilli un bouquet de ces grassouillettes roses cent-feuilles... contemplant la grosse lune suspendue au-dessus de la vallée du ruisseau... «Je pense que la lune a des yeux inquiets, vous ne trouvez pas, Mme Lynde?»... pleurant à chaudes larmes parce qu'un chapitre du feuilleton dans le magazine de Davy laissait le héros en mauvaise posture... «Oh! Mlle Shirley, je suis certaine qu'il ne survivra pas!»... petite Elizabeth couchée en boule sur le sofa de la cuisine, toute rosée et jolie comme une rose sauvage, pour son somme de l'après-midi, les chatons de Dora blottis à ses côtés... hurlant de rire en voyant le vent retrousser la queue des vieilles et dignes poules par-dessus leur dos... était-ce possible que la petite Elizabeth rie comme cela?... aidant Anne à glacer des petits fours, Mme Lynde à couper les bandes d'étoffe pour une nouvelle courtepointe à motif de «double chaîne irlandaise» et Dora à frotter les vieux chandeliers de bronze jusqu'à ce qu'elles puissent y voir leur visage reflété... taillant de minuscules biscuits à l'aide d'un dé à coudre sous la supervision de Marilla. Oui, les gens de Green Gables pouvaient difficilement regarder un endroit ou une chose sans se rappeler la petite Elizabeth.

«Je me demande si je revivrai un jour deux semaines aussi heureuses», songea la fillette en s'éloignant de Green Gables. Le chemin jusqu'à la gare était aussi beau que deux semaines auparavant, mais les larmes empêchèrent Elizabeth de le voir la moitié du temps.

«Je n'aurais jamais cru qu'une enfant me manquerait autant», déclara Mme Lynde.

Après le départ d'Elizabeth, Katherine Brooke et son chien vinrent passer le reste de l'été. À la fin de l'année, Katherine avait démissionné de son poste d'institutrice à l'école secondaire de Summerside et entendait aller à Redmond à l'automne suivre un cours de secrétariat à l'université. C'était Anne qui le lui avait conseillé.

«Je sais que cela vous plaira et vous n'avez jamais aimé l'enseignement», lui dit-elle, un soir quelles contemplaient la splendeur du ciel au coucher du soleil assises dans le coin des Fougères d'un champ de trèfle.

«La vie me doit davantage que ce qu'elle m'a payé, et je vais me faire rembourser», affirma Katherine d'un ton résolu. «Je me sens beaucoup plus jeune que l'an dernier à la même époque», ajouta-t-elle en riant.

«Je suis sûre que c'est la meilleure chose que vous ayez à faire, mais j'ai horreur de penser à Summerside et à l'école sans vous. À quoi ressemblera la petite chambre de la tour l'an prochain sans nos soirées de bavardages et de discussions, et nos moments de folie, quand tout et tout le monde devenaient un sujet de plaisanterie?»

# *La troisième année*

# 1

Le Domaine des Peupliers
Chemin du Revenant
Le 8 septembre

Mon chéri,

L'été est terminé... un été où je ne t'ai vu que pendant cette fin de semaine en mai. Et me voici de retour au Domaine des Peupliers pour ma troisième et dernière année à l'école secondaire de Summerside. Katherine et moi avons passé un délicieux séjour à Green Gables et elle va terriblement me manquer cette année. Celle qui la remplace est un petit personnage jovial, potelé et rose, amical comme une poupée... mais, d'une certaine façon, il n'y a rien de plus en elle. Elle a des yeux bleus brillants et superficiels, vides de toute pensée. Je l'aime bien... je l'aimerai toujours bien... ni plus ni moins... il n'y a rien à découvrir en elle. Il y avait beaucoup plus à découvrir en Katherine, une fois qu'on avait franchi sa barrière.

Rien n'a changé au Domaine des Peupliers... ou pourtant si. La vieille vache rousse s'en est allée pour son dernier voyage, ainsi que Rebecca Dew me l'a tristement appris lorsque je suis descendue pour souper lundi soir. Les veuves ont décidé de ne pas s'encombrer d'une nouvelle, mais d'acheter le lait et la crème à M. Cherry. Cela signifie que la petite Elizabeth ne viendra plus à la clôture du jardin boire son lait frais. Mais comme Mme Campbell semble s'être faite à l'idée de la laisser venir ici lorsqu'elle le désire, cela ne fera pas une grande différence.

Et il se couve un autre changement. Tante Kate m'a confié, ce qui m'a fait beaucoup de peine, qu'elles ont décidé de donner Dusty Miller dès qu'elles lui auront trouvé un foyer convenable. Quand j'ai protesté, elle m'a dit qu'elles ne s'y sont résolues que pour avoir la paix. Rebecca Dew n'a cessé de se plaindre de lui tout l'été et il semble n'y avoir aucun autre moyen de la satisfaire. Pauvre Dusty Miller... et il est si beau, si rôdeur, si ronronneur!

Demain, comme c'est samedi, je vais garder les jumeaux de Mme Raymond pendant qu'elle assistera aux funérailles d'une parente. Mme Raymond est une veuve qui est arrivée dans notre ville l'hiver dernier. Selon Rebecca Dew et les veuves du Domaine des Peupliers... en vérité, Summerside regorge de veuves... elle est «un petit peu trop grande dame» pour Summerside, mais elle nous a vraiment été d'une immense aide, à Katherine et à moi, dans nos activités du Club d'art dramatique. Un service en attire un autre.

Gerald et Geraldine forment un couple d'enfants à l'air angélique, pourtant Rebecca Dew a «fait la baboune», pour employer une de ses expressions, quand je lui ai appris ce que j'allais faire.

«Mais j'aime les enfants, Rebecca.»

«Les enfants, oui, mais ceux-là sont de véritables terreurs, Mlle Shirley. Mme Raymond ne croit pas qu'il faille punir les enfants, quoi qu'ils fassent. Elle dit être déterminée à leur donner une "vie naturelle". Les gens se laissent prendre par leur air de sainteté, mais j'ai entendu ce que les voisins colportent à leur sujet. La femme du pasteur est allée faire un tour un après-midi... ma foi, Mme Raymond s'est montrée douce comme le miel, mais lorsqu'elle fut sur son départ, une avalanche d'oignons espagnols a déboulé l'escalier, et l'un d'eux lui a même enlevé son chapeau de la tête. "Les enfants se conduisent toujours de façon abominable quand on veut spécialement qu'ils soient sages", voilà tout ce que Mme

Raymond a trouvé à dire... et d'un ton si gentil, comme si elle était plutôt fière qu'ils soient si difficiles à contrôler. Ils viennent des États, voyez-vous»... comme si cela expliquait tout. Rebecca aime à peu près autant les Américains que Mme Lynde.

# 2

Samedi matin, Anne se rendit au joli cottage à l'ancienne situé dans une rue qui débouchait dans la campagne, là où habitaient Mme Raymond et ses fameux jumeaux. Mme Raymond était sur son départ... habillée peut-être de façon un peu voyante pour des funérailles, surtout avec ce chapeau fleuri perché sur les vagues de cheveux bruns qui ondulaient autour de sa tête... mais très belle. Les jumeaux de huit ans, qui avaient hérité de sa beauté, étaient assis dans l'escalier, et leurs visages délicats revêtaient une expression tout à fait angélique. Ils avaient le teint rose et blanc, de grands yeux d'un bleu de porcelaine et une auréole de fins et légers cheveux blond pâle.

Ils sourirent avec une gentillesse engageante lorsque leur mère les présenta à Anne et leur expliqua que la chère Mlle Shirley avait eu la bonté de venir prendre soin d'eux pendant que maman devait aller à l'enterrement de cette chère tante Ella, et que, bien entendu, ils seraient sages et ne lui causeraient pas le plus petit ennui, n'est-ce pas, mes chéris?

Les chéris hochèrent la tête et s'efforcèrent, bien que cela semblât impossible, de prendre un air plus angélique encore.

Anne accompagna Mme Raymond jusqu'à la barrière.

«Ils sont tout ce que j'ai... désormais, commença-t-elle pathétiquement. Je les ai peut-être un peu gâtés... je sais que les gens le disent... les gens savent toujours bien mieux que vous comment vous devriez élever vos enfants, avez-vous remarqué, Mlle Shirley? Mais à mon avis, l'amour vaut mieux que le fouet, vous ne pensez pas, Mlle Shirley? Je suis sûre que tout se passera bien. Les enfants savent toujours de qui ils peuvent s'amuser et de qui ils ne le peuvent pas, vous ne trouvez pas? Cette pauvre vieille Mlle Prouty qui habite un peu plus loin dans la rue... je lui avais demandé de les garder un jour, mais les pauvres chéris ne pouvaient la supporter. Alors ils l'ont évidemment un peu taquinée... *vous* savez comment sont les enfants. Elle s'est vengée en colportant dans toute la ville les fables les plus ridicules à leur sujet. Mais ils vont vous adorer littéralement et je sais qu'ils seront des anges. Bien sûr, ils sont pleins de vivacité... mais c'est ainsi que les enfants doivent être, n'est-ce pas? C'est si triste de voir des enfants qui ont l'air timoré. J'aime qu'ils soient naturels, pas vous? Les enfants trop sages n'ont pas l'air naturel, n'est-ce pas? Ne les laissez pas faire voguer leurs navires dans la baignoire ou aller barboter dans l'étang, je vous en prie. J'ai *tellement* peur qu'ils s'enrhument... leur père est mort de pneumonie.»

Les grands yeux bleus de Mme Raymond semblèrent sur le point de déborder, mais elle refoula courageusement ses larmes.

«Ne vous en faites pas s'ils se querellent un peu – les enfants se querellent toujours, n'est-ce pas? Mais si un étranger les attaque... mon Dieu! Ils se vénèrent mutuellement, vous savez. J'aurais pu amener *un* des deux aux funérailles, mais ils ne voulaient tout simplement pas en entendre parler. Ils n'ont jamais été séparés un seul jour de leur vie. Et comment aurais-je *pu* m'occuper de jumeaux à un enterrement?»

«Soyez sans inquiétude, Mme Raymond, dit gentiment Anne. Je suis certaine que nous passerons une belle journée ensemble, Gerald, Geraldine et moi. J'aime les enfants.»

«Je le sais. Dès l'instant où je vous ai vue, j'ai su que vous aimiez les enfants. Cela se sent, vous ne croyez pas? Il y a *quelque chose* qui se dégage d'une personne qui aime les enfants. La pauvre vieille Mlle Prouty les déteste. Elle cherche ce qu'il y a de pire en eux et, bien entendu, elle le trouve. Vous ne pouvez concevoir comme cela me réconforte de savoir que mes chéris sont sous la garde d'une personne qui aime et comprend les enfants. Je suis sûre que je vais profiter de ma journée.

«T'aurais pu *nous* amener aux funérailles», hurla Gerald, dont la tête surgit brusquement d'une des fenêtres à l'étage. «On n'est jamais allés à quelque chose d'amusant comme ça.»

«Oh! Ils sont dans la salle de bains! s'écria tragiquement Mme Raymond. Chère Mlle Shirley, voulez-vous aller les faire sortir? Gerald, mon trésor, tu sais que maman ne pouvait vous amener *tous les deux* à l'enterrement. Oh! Mlle Shirley, il a encore pris cette peau de coyote sur le parquet du salon pour se l'attacher par les pattes autour du cou. Il va l'abîmer. Je vous en prie, faites-la-lui enlever tout de suite. Je *dois* me hâter si je ne veux pas rater le train.»

Mme Raymond s'éloigna élégamment et Anne se précipita en haut pour découvrir que l'angélique Geraldine avait agrippé son frère par les jambes et essayait apparemment de le jeter par la fenêtre.

«Mlle Shirley, dites à Gerald d'arrêter de me tirer la langue», demanda-t-elle d'un ton féroce.

«Est-ce que cela te fait mal?» répondit Anne en souriant.

«Eh ben, je veux pas qu'il *me* tire la langue», rétorqua-t-elle en jetant à Gerald un regard torve que celui-ci lui rendit avec les intérêts.

«Ma langue m'appartient et tu peux pas m'empêcher de la tirer à qui je veux... c'est vrai, Mlle Shirley?»

Anne ignora la question.

«Mes chers petits jumeaux, il ne reste qu'une heure avant le dîner. Pourquoi n'irions-nous pas nous asseoir dans le jardin, jouer des jeux et raconter des histoires? Et toi, Gerald, ne vas-tu pas remettre cette peau de coyote sur le plancher?»

«Mais je veux jouer au loup», objecta Gerald.

«Il veut jouer au loup», cria Geraldine, prenant soudain la part de son frère.

«On veut jouer au loup!» crièrent-ils de concert.

La sonnerie de la porte trancha le dilemme d'Anne.

«Allons voir qui c'est!» s'écria Geraldine. Ils se précipitèrent en bas en glissant sur la rampe de l'escalier, ce qui leur permit d'arriver à la porte bien avant Anne, la peau de coyote s'étant détachée et étant tombée par la même occasion.

«On n'achète jamais rien aux colporteurs», dit Gerald à la dame qui se tenait sur le seuil.

«Puis-je voir ta mère?» demanda la visiteuse.

«Non, vous pouvez pas. Maman est allée aux funérailles de tante Ella. C'est Mlle Shirley qui nous garde. La voilà qui descend l'escalier. *Elle* va vous mettre dehors.»

Anne eut vraiment envie de mettre l'importune «dehors» lorsqu'elle vit qui c'était. Mlle Pamela Drake n'était pas une visiteuse très populaire à Summerside. Elle était toujours en train de vendre quelque chose, et il était généralement impossible de se débarrasser d'elle avant de l'avoir acheté, car elle était totalement imperméable aux vexations et aux insinuations, et avait apparemment tout le temps qu'il lui fallait pour arriver à ses fins.

Cette fois, elle «prenait les commandes» pour une encyclopédie... quelque chose dont une institutrice ne pouvait se passer. Anne protesta vainement qu'elle n'avait pas besoin d'une encyclopédie... l'école en possédait déjà une excellente.

«Vieille de dix ans, objecta fermement Mlle Pamela. Nous allons simplement nous asseoir sur ce banc rustique, Mlle Shirley, et je vais vous montrer mes prospectus.»

«J'ai peur de ne pas avoir le temps, Mlle Drake. Je dois m'occuper des enfants.»

«Cela ne prendra que quelques minutes. Comme j'avais l'intention d'aller vous voir, Mlle Shirley, c'est vraiment ce que j'appelle une chance que de vous trouver ici. Allez vite jouer, les enfants, pendant que Mlle Shirley et moi regardons ces beaux prospectus.»

«Maman a engagé Mlle Shirley pour nous garder», dit

Geraldine en rejetant en arrière ses boucles aériennes. Mais Gerald l'avait tirée en arrière et ils rentrèrent en claquant la porte.

«Vous voyez, Mlle Shirley, ce que *signifie* cette encyclopédie. Regardez ce beau papier... *touchez-le*... les splendides illustrations... aucune autre encyclopédie sur le marché n'a la moitié autant de gravures... la magnifique impression – même un aveugle pourrait la lire – et tout cela pour quatre-vingts dollars... huit dollars maintenant et huit dollars par mois jusqu'à ce que la somme soit payée. Jamais vous n'aurez une occasion comme celle-ci... c'est une offre d'introduction... l'an prochain, cela coûtera cent vingt dollars.»

«Mais je ne veux pas d'encyclopédie, Mlle Drake», fit Anne au désespoir.

«Bien sûr que vous voulez une encyclopédie... tout le monde en veut une... une encyclopédie *Nationale*. Je me demande comment je pouvais vivre avant de connaître l'encyclopédie *Nationale*. *Vivre!* Je ne vivais pas... c'est à peine si j'existais. *Regardez* cette gravure représentant un casoar, Mlle Shirley. Aviez-vous réellement *vu* un casoar avant?»

«Mais, Mlle Drake, je...»

«Si vous croyez que les conditions sont un peu trop onéreuses, je suis certaine que nous pouvons faire un arrangement spécial pour vous, comme vous êtes professeur... six dollars par mois au lieu de huit. Vous ne pouvez tout simplement pas refuser une telle offre, Mlle Shirley.»

Anne sentait presque que cela était en effet impossible. Six dollars par mois étaient-ils un montant raisonnable pour se débarrasser de cette terrible femme qui avait si évidemment résolu de ne pas s'en aller avant d'avoir pris sa commande? De plus, que faisaient les jumeaux? Ils étaient dangereusement tranquilles. Et s'ils étaient en train de faire flotter leurs bateaux dans la baignoire? Ou s'ils s'étaient faufilés par la porte d'en arrière pour aller patauger dans l'étang?

Elle fit un autre pitoyable effort pour s'en sortir.

«Je vais y penser, Mlle Drake, et vous le ferai savoir.»

«Il faut battre le fer quand il est chaud, Mlle Shirley», fit

M^lle^ Drake en sortant prestement son stylo. «Vous *savez* que vous allez prendre la *Nationale*, alors aussi bien signer tout de suite. On ne gagne jamais rien à laisser traîner les choses. Le prix pourrait monter n'importe quand, et vous devriez alors payer cent vingt dollars. Signez ici, M^lle^ Shirley.»

Anne sentit qu'on lui mettait de force le stylo dans la main... encore un moment... puis M^lle^ Drake poussa alors un hurlement si terrifiant qu'Anne échappa le stylo derrière le bouquet rouge doré qui flanquait le banc rustique et dévisagea sa compagne avec stupéfaction et horreur.

Était-ce vraiment M^lle^ Drake... cette chose indescriptible, sans chapeau, sans lunettes, pratiquement sans cheveux? Le chapeau, les lunettes et le toupet flottaient dans l'air au-dessus de sa tête, à mi-chemin de la fenêtre de la salle de bains, où étaient penchées deux têtes dorées. Gerald tenait une canne à pêche à laquelle étaient attachées deux cordes au bout desquelles se trouvaient un hameçon. Par quelle magie avait-il réussi à faire une triple prise, seulement lui aurait pu le dire. C'était probablement par pur hasard.

Anne monta précipitamment. Lorsqu'elle arriva dans la salle de bains, les jumeaux avaient disparu. Gerald avait laissé tomber la canne à pêche et, en jetant un coup d'œil par la fenêtre, Anne put voir une M^lle^ Drake furieuse récupérant ses biens, y compris le stylo, et se dirigeant vers la barrière. Pour la première fois de sa vie, M^lle^ Pamela Drake avait échoué à faire une vente.

Anne retrouva les jumeaux en train de manger angéliquement des pommes dans le porche arrière. C'était difficile de savoir ce qu'il fallait faire. Une telle conduite méritait sans aucun doute une réprimande... mais Gerald l'avait indubitablement sauvée d'une position difficile et M^lle^ Drake *était* une créature odieuse qui méritait une leçon. Pourtant...

«T'as mangé un gros ver, cria Gerald. J'l'ai vu disparaître dans ta gorge.»

Geraldine laissa tomber sa pomme et se mit à vomir... à vomir vraiment beaucoup. Anne ne sut où donner de la tête pendant quelque temps. Et quand Geraldine se sentit mieux, ce fut l'heure du repas et Anne décida soudainement de ne faire à Gerald qu'une réprimande très légère. Après tout, aucun tort durable n'avait été fait à M^lle^ Drake qui, dans son propre intérêt, tiendrait probablement religieusement sa langue sur l'incident.

«Penses-tu, Gerald, commença-t-elle gentiment, qu'un gentleman se conduirait de cette façon?»

«Oh! ça, non, répondit le gamin, mais j'me suis bien amusé. Wow! J'suis tout un pêcheur, pas vrai?»

Le repas était excellent. M^me^ Raymond l'avait préparé avant de partir et, si elle avait des lacunes comme éducatrice, elle était néanmoins un véritable cordon-bleu. Geraldine et Gerald, occupés à s'empiffrer, ne se disputèrent pas et ne démontrèrent pas de manières pires que celles des autres enfants à table. Après le repas, Anne lava la vaisselle et demanda à Geraldine de l'essuyer et à Gerald de la ranger soigneusement dans le vaisselier. Ils s'y prirent bien et Anne songea avec satisfaction qu'ils n'avaient besoin que d'être guidés avec intelligence et un peu de fermeté.

# 3

À deux heures, M. James Grand arriva. M. Grand était le président du conseil des commissaires de l'école et il avait des sujets importants dont il désirait discuter avant de partir lundi pour Kingsport où il devait assister à une conférence sur l'éducation. Pouvait-il venir au Domaine des Peupliers durant la soirée, demanda Anne. C'était malheureusement impossible.

M. Grand était un homme sympathique dans son genre, mais Anne avait appris depuis longtemps qu'il fallait le traiter avec des gants blancs. De plus, elle voulait vraiment l'avoir de son côté dans la bataille royale qui se dessinait au sujet du nouveau matériel. Elle alla voir les jumeaux.

«Mes chéris, voulez-vous jouer gentiment dans la cour pendant que j'ai une petite conversation avec M. Grand? Cela ne sera pas très long... et ensuite, nous ferons un pique-nique sur les rives de l'étang... et je vous montrerai à souffler des bulles de savon avec de la teinture rouge... il n'y a rien de plus joli!»

«Allez-vous nous donner un vingt-cinq cents si on est sages?»

«Non, mon Gerald, répondit-elle fermement, je n'ai pas l'intention de vous acheter. Je sais que tu seras sage, simplement parce que je te l'ai demandé, comme un gentleman le serait.»

«On s'ra sages», promit solennellement Gerald.

«Très très sages», appuya Geraldine comme un écho, d'un ton tout aussi solennel.

Ils auraient peut-être tenu parole si Ivy Trent n'était pas apparue presque aussitôt après qu'Anne se fut enfermée dans le salon avec M. Grand. Mais voilà, Ivy Trent était arrivée et les jumeaux Raymond la détestaient... cette impeccable Ivy Trent qui ne faisait jamais rien de mal et qui avait toujours l'air de sortir d'un carton à chapeaux.

Cet après-midi en particulier, il ne faisait aucun doute qu'Ivy Trent était venue montrer ses belles bottines brunes neuves, sa ceinture et ses boucles de ruban rouge. Mme Raymond, quelles qu'aient été ses lacunes dans certains domaines, avait des idées plutôt sensées sur la façon d'habiller les enfants. Ses voisins charitables insinuaient qu'elle dépensait tellement d'argent pour elle-même qu'il ne lui en restait plus pour les jumeaux... et Geraldine n'avait jamais eu la chance de se pavaner dans le style d'Ivy Trent qui avait une robe différente pour chaque après-midi de la semaine. Mme Trent s'organisait toujours pour qu'elle soit «immaculée». Elle l'était du moins toujours lorsqu'elle quittait la maison. Si elle l'était un peu moins à son retour, c'était évidemment la faute des enfants «jaloux» qui abondaient dans le voisinage.

Geraldine *était* jalouse. Elle rêvait d'une ceinture rouge, de boucles aux épaules et de robes brodées. Que n'aurait-elle pas donné pour avoir des bottines brunes boutonnées comme celles-ci?

«Comment aimez-vous ma nouvelle ceinture et mes boucles d'épaules?» demanda fièrement Ivy.

«Comment aimez-vous ma nouvelle ceinture et mes boucles d'épaules?» persifla Geraldine.

«Mais tu n'as pas de boucles d'épaules», objecta Ivy avec suffisance.

«Mais tu n'as pas de boucles d'épaules», glapit Geraldine.

Ivy eut l'air déroutée.

«J'en ai. Tu ne les vois pas?»

«J'en ai. Tu ne les vois pas?» se moqua Geraldine, très

heureuse d'avoir trouvé cette brillante idée de répéter tout ce que disait Ivy d'un ton méprisant.

«Sont pas payées», ajouta Gerald.

Ivy Trent avait du caractère. Cela parut dans son visage, qui devint aussi écarlate que ses boucles d'épaules.

«Elles le sont. *Ma* mère paie toujours ses comptes.»

«*Ma* mère paie toujours ses comptes», psalmodia Geraldine.

Ivy était mal à l'aise. Elle ne savait pas exactement comment réagir à cette situation. Elle se tourna donc vers Gerald, qui était indiscutablement le plus beau garçon de la rue. Ivy s'était fait une idée à son sujet.

«Je suis venue te dire que je veux que tu sois mon amoureux», déclara-t-elle en lui jetant un regard éloquent de ses yeux bruns dont, même à sept ans, elle avait appris l'effet dévastateur sur la plupart des petits garçons de sa connaissance.

Gerald vira au cramoisi.

«J's'rai pas ton amoureux», dit-il.

«Mais tu dois l'être», poursuivit-elle avec sérénité.

«Mais tu dois l'être», répéta Geraldine, hochant la tête dans sa direction.

«J'le s'rai pas, cria furieusement Gerald. Et j'veux plus entendre un mot de toi, Ivy Trent.»

«Tu dois l'être», insista Ivy d'un air buté.

«Tu dois l'être», dit Geraldine.

Ivy lui jeta un regard sombre.

«Toi, ferme-la, Geraldine Raymond.»

«J'imagine que j'ai le droit de parler dans ma propre cour», objecta Geraldine.

«'videmment qu'elle a le droit, appuya Gerald. Et si *toi* tu la fermes pas, Ivy Trent, j'vais aller chez vous renfoncer les yeux de ta poupée.»

«Ma mère te tapera si tu fais ça», cria Ivy.

«Oh! C'est c'que tu penses? Et sais-tu c'que *ma* mère fera à la tienne si elle me tape? Elle lui donnera un coup sur le nez.»

«Bon, eh bien! tu dois être mon amoureux», recommença Ivy, retournant calmement au sujet vital.

«J'vais... j'vais te mettre la tête dans le baril d'eau de pluie, hurla Gerald en colère... J'vais te frotter la face dans un nid de fourmis... j'vais... j'vais t'arracher tes boucles et ta ceinture...» ajouta-t-il d'un air triomphant, car la dernière menace était au moins réalisable.

«On le fait!» glapit Geraldine.

Ils foncèrent comme des furies sur la malheureuse Ivy, qui donnait des coups de pieds, hurlait et essayait de mordre mais n'était pas de taille à en affronter deux. Ensemble, ils la tirèrent à travers la cour puis dans la remise d'où on ne pouvait entendre ses hurlements.

«Vite, bafouilla Geraldine, avant que Mlle Shirley arrive.»

Il n'y avait pas une minute à perdre. Gerald tenait Ivy par les jambes pendant que Geraldine tenait ses poignets dans une main et déchirait de l'autre ses boucles d'épaules, le ruban dans ses cheveux et sa ceinture.

«On lui peinture les jambes», cria Gerald dont le regard était tombé sur une paire de boîtes de peinture qu'un ouvrier avait laissées là la semaine précédente. «J'la tiens pendant qu'tu la peintures.»

En vain Ivy hurla-t-elle de désespoir. On descendit ses bas et en quelques instants ses jambes furent ornées de larges bandes rouges et vertes. La peinture éclaboussa en même temps sa robe brodée et ses bottines neuves. Pour donner la touche finale, ils farcirent ses boucles de bogues.

Elle faisait pitié à voir quand ils la libérèrent enfin. Les jumeaux lancèrent un cri de joie en la regardant. Ils venaient de se venger des airs de condescendance avec lesquels Ivy les avait considérés pendant de longues semaines.

«Maintenant, va-t'en chez toi, dit Gerald. Ça t'apprendra à aller dire aux gens qu'ils doivent être tes amoureux.»

«J'vais l'dire à ma mère, sanglota Ivy. J'vais directement chez moi dire à ma mère c'que tu as fait, toi, horrible, horrible, méchant et laid garçon.»

«Dis pas qu'mon frère est laid, espèce de pimbêche, cria

Geraldine. Toi et tes boucles d'épaules. Tiens, prends-les. On en veut pas dans *notre* remise!»

Ivy, poursuivie par ses boucles dont Geraldine la bombarda, se précipita hors de la cour en pleurant et s'enfuit dans la rue.

«Vite! Rentrons par en arrière. Il faut qu'on aille dans la salle de bains se laver avant qu'Mlle Shirley nous voie», s'étrangla Geraldine.

# 4

M. Grand avait dit tout ce qu'il avait à dire et s'était incliné en partant. Anne resta un moment sur le seuil de la porte, se demandant, mal à l'aise, où étaient ses protégés. Une dame en colère arrivait dans la rue et franchissait la barrière, tenant par la main un atome d'humanité d'apparence désolée et qui sanglotait.

«Mlle Shirley, où est Mme Raymond?» questionna Mme Trent.

«Mme Raymond est...»

«J'insiste pour voir Mme Raymond. Elle verra de ses propres yeux ce que *ses* enfants ont fait à la pauvre, sans défense et innocente Ivy. Regardez-la, Mlle Shirley... regardez-la seulement!»

«Oh! Mme Trent... Je suis si désolée! Tout est de ma faute. Mme Raymond est absente... et j'avais promis de m'occuper d'eux... mais M. Grand est arrivé...»

«Oh! Ce n'est pas votre faute, Mlle Shirley. Je ne vous blâme pas. Personne ne peut venir à bout de ces deux enfants diaboliques. Toute la rue les connaît. Si Mme Raymond est absente, cela ne me sert à rien de rester. Je vais ramener ma pauvre enfant à la maison. Mais Mme Raymond en entendra parler... vous pouvez en être sûre. Écoutez cela, Mlle Shirley. Sont-ils en train de se mettre en pièces?»

Cela était un chœur de cris, de hurlements et d'appels dont on entendait l'écho venant de l'escalier. Anne courut en haut. Sur le parquet du couloir, elle vit une masse se tordant, gigotant, se mordant, déchirant et griffant. Avec difficulté, elle sépara les jumeaux furieux et, les tenant fermement par une épaule remuante, elle leur demanda ce que signifiait cette conduite.

«Elle dit que j'dois être l'amoureux d'Ivy Trent», rugit Gerald.

«Oui, il doit l'être!» cria Geraldine.

«J'le s'rai pas!»

«Tu dois l'être!»

«Les enfants!» dit Anne. Quelque chose dans le son de sa voix les fit rentrer sous terre. Ils la regardèrent et virent une M^lle^ Shirley qu'ils n'avaient encore jamais vue. Pour la première fois de leurs jeunes vies, ils sentirent le pouvoir de l'autorité.

«Toi, Geraldine, reprit calmement Anne, tu vas dans ta chambre pour deux heures. Toi, Gerald, tu passeras le même temps dans le placard du corridor. Plus un mot. Votre conduite abominable mérite une punition. Votre mère vous a laissés sous ma responsabilité et vous devez m'obéir.»

«Alors, punissez-nous *ensemble*, fit Geraldine en commençant à pleurer.

«C'est vrai... vous avez pas l'droit d'nous séparer... on n'a jamais été séparés», marmonna Gerald.

«À présent, vous le serez.»

Anne était encore très calme. Geraldine enleva docilement ses vêtements et alla dans un des petits lits de leur chambre. Gerald entra humblement dans le placard. Il s'agissait d'un grand placard bien aéré avec une fenêtre et une chaise, et personne n'aurait considéré cette punition comme indûment sévère. Anne ferma la porte à clef et s'assit avec un livre près de la fenêtre du couloir. Ces deux heures lui laisseraient à tout le moins un peu de répit.

Jetant un coup d'œil à Geraldine quelques minutes plus tard, elle la trouva profondément endormie, et si charmante dans son sommeil qu'Anne regretta presque sa sévérité. Ma foi, un somme ne pourrait lui faire de tort. À son réveil, elle l'autoriserait à se lever, même si les deux heures n'étaient pas écoulées.

Au bout d'une heure, Geraldine dormait toujours. Gerald avait été si tranquille qu'Anne décida qu'il avait subi sa punition comme un homme et pouvait être pardonné. Après tout, Ivy Trent était un petit singe vaniteux et s'était probablement montrée très énervante.

Anne déverrouilla la porte du placard et l'ouvrit.

Gerald ne s'y trouvait pas. La fenêtre était ouverte et le toit du porche de côté était juste en dessous. Anne serra les lèvres. Elle descendit dans la cour. Aucun signe de Gerald. Elle explora la remise et regarda dans la rue. Toujours aucun signe.

Elle traversa le jardin en courant et franchit la barrière; elle courut dans l'allée qui menait, à travers un carré de broussailles, jusqu'à l'étang se trouvant dans le champ de M. Robert Creedmore. Gerald était en train d'y ramer joyeusement dans une petite embarcation que M. Creedmore gardait là. Au moment où Anne surgit entre les arbres, l'aviron de Gerald, qu'il avait enfoncé assez profondément dans la boue, glissa d'une façon inattendue à son troisième coup et Gerald tomba la tête la première dans l'eau.

Anne poussa un cri de consternation involontaire, mais il n'y avait pas vraiment raison de s'alarmer. À son plus profond, l'étang n'atteignait pas les épaules de Gerald et là où il était tombé, l'eau arrivait un peu au-dessus de sa taille. Il avait, d'une façon ou d'une autre, réussi à se remettre sur pied et il restait bêtement là, son auréole de cheveux plaquée et dégoulinante, lorsque se fit entendre, derrière Anne, un écho à son hurlement et que Geraldine, en chemise de nuit, se précipita entre les arbres et courut jusqu'au bord de la petite plate-forme de bois où la chaloupe était habituellement attachée.

En criant un désespéré «Gerald», elle fit un vol plané qui la fit atterrir avec un extraordinaire éclaboussement à côté de son frère, ce qui lui fit presque subir une autre douche.

«Gerald, es-tu noyé? cria Geraldine. Es-tu noyé, mon chou?»

«Non... non... ma chouette», la rassura Gerald en claquant des dents.

Ils s'enlacèrent et s'embrassèrent avec passion.

«Venez immédiatement ici, les enfants», ordonna Anne.

Ils pataugèrent jusqu'à la rive. Cette journée de septembre, chaude le matin, était devenue fraîche et venteuse à la fin de l'après-midi. Ils frissonnaient terriblement... leurs visages étaient bleus. Anne, sans un mot de reproche, les ramena rapidement à la maison, leur retira leurs vêtements mouillés et les coucha dans le lit de Mme Raymond, avec des bouillottes à leurs pieds. Ils continuaient pourtant à grelotter. Avaient-ils attrapé froid? Allaient-ils avoir une pneumonie?

«Vous auriez dû vous occuper mieux de nous, Mlle Shirley», dit Gerald, claquant toujours des dents.

«C'est sûr», seconda Geraldine.

Une Anne désemparée courut en bas téléphoner au médecin. À son arrivée, les enfants étaient réchauffés et il l'assura qu'ils ne couraient aucun danger. S'ils restaient au lit jusqu'au lendemain, tout irait bien.

En s'en allant, il rencontra Mme Raymond qui revenait de la gare, et c'est une dame blême, presque hystérique qui se précipita dans la maison.

«Oh! Mlle Shirley, comment avez-vous pu laisser mes petits trésors courir un tel risque?»

«C'est exactement c'qu'on lui a dit, maman», appuyèrent les jumeaux en chœur.

«Je vous avais fait confiance... je vous avais dit...»

«Je vois difficilement comment je pourrais être blâmée», fit Anne, les yeux aussi froids qu'une brume grise. «Je crois que vous le comprendrez quand vous serez calmée. Les enfants vont bien... j'ai simplement appelé le médecin par mesure de prudence. Si Gerald et Geraldine m'avaient obéi, cela ne serait pas arrivé.»

«Je pensais qu'une *institutrice* aurait un peu d'autorité sur les enfants», reprit amèrement Mme Raymond.

«Sur des enfants, peut-être... mais pas sur de petits démons», pensa Anne. Elle dit cependant :

«Comme vous êtes arrivée, Mme Raymond, je pense que je vais retourner chez moi. Je ne crois pas pouvoir être d'une quelconque utilité et j'ai du travail à faire pour l'école ce soir.»

D'un même élan, les enfants se jetèrent en bas du lit et l'entourèrent de leurs bras.

«J'espère qu'il va y avoir un enterrement chaque semaine, cria Gerald. Parce que j'vous aime, Mlle Shirley, et j'espère que vous allez venir nous garder chaque fois que maman va sortir.»

«Moi aussi», seconda Geraldine.

«J'vous aime tellement plus que Mlle Prouty.»

«Oh! Tellement plus», renchérit Geraldine.

«Allez-vous nous mettre dans une histoire?» demanda Gerald.

«Oh! Faites-le!» supplia Geraldine.

«Je suis sûre que vous vouliez bien faire», chevrota Mme Raymond.

«Merci», dit Anne d'un ton glacial, essayant de détacher les bras des enfants qui s'agrippaient à elle.

«Oh! Je vous en prie, ne nous querellons pas pour cela», implora Mme Raymond, ses yeux immenses pleins de larmes. «Je ne *peux* supporter de me quereller avec les gens.»

«Certainement pas», dit Anne en prenant son air le plus imposant, et Anne *pouvait* être très imposante. «Je ne crois pas que nous ayons la plus petite raison de nous quereller. Je pense que Gerald et Geraldine ont assez aimé leur journée, si ce n'est pas le cas pour la petite Ivy Trent.»

Lorsque Anne rentra chez elle, elle avait l'impression d'avoir mûri de plusieurs années.

«Quand je pense que j'ai déjà trouvé Davy turbulent», se dit-elle.

Elle rencontra Rebecca dans le jardin en train de cueillir des pensées tardives au crépuscule.

«Rebecca Dew, j'avais coutume de trouver l'adage "Les enfants sont faits pour être vus mais non entendus" vraiment trop dur. Mais je vois ce que cela veut dire maintenant.»

«Ma pauvre chérie. Je vais vous préparer un bon souper», la réconforta Rebecca Dew. Et sans ajouter «Je vous l'avais bien dit».

# 5

(*Extrait d'une lettre à Gilbert.*)

M^me^ Raymond est venue hier soir et, les larmes aux yeux, elle m'a supplié de lui pardonner sa «conduite précipitée». «Si vous saviez ce qu'est le cœur d'une mère, M^lle^ Shirley, vous ne trouveriez pas difficile de pardonner.»

Cela ne m'a effectivement pas été difficile de pardonner... il y a vraiment quelque chose en M^me^ Raymond que je ne puis m'empêcher d'aimer et elle a été un amour pour notre Club d'art dramatique. Je n'ai pourtant pas dit : «N'importe quel samedi, quand vous voudrez sortir, je garderai vos rejetons.» On apprend avec l'expérience... même quand il s'agit d'une personne aussi incorrigiblement optimiste et confiante que moi.

J'ai découvert qu'une certaine partie de la société de Summerside était actuellement préoccupée par les amours de Jarvis Morrow et de Dovie Westcott... laquelle, comme le dit Rebecca, a été fiancée pendant plus d'un an mais ne peut aller plus loin. Tante Kate, qui est une cousine éloignée de Dovie... pour être exacte, je crois qu'elle est la tante d'une cousine au deuxième degré de Dovie du côté de sa mère... est profondément intéressée par cette affaire parce qu'à son avis Jarvis est un si excellent parti pour Dovie... et aussi, je le soupçonne, parce qu'elle hait Franklin Westcott et aimerait le voir en déroute, infanterie, cavalerie et artillerie. Non pas que Tante Kate admettrait qu'elle puisse «haïr» qui que ce soit, mais Mme Franklin Westcott était une de ses meilleures amies d'enfance et Tante Kate prétend qu'il l'a assassinée.

L'affaire m'intéresse, en partie parce que j'aime beaucoup Jarvis et modérément Dovie et en partie parce que, je commence à le croire, c'est dans ma nature de me mêler des affaires des autres... toujours avec des intentions excellentes, évidemment.

Je te résume la situation: Franklin Westcott est un marchand à la dent dure, grand et sombre, fermé et asocial. Il vit dans une grande maison ancienne appelée Elmcroft immédiatement à l'extérieur de la ville sur la route du port. Je l'ai rencontré une fois ou deux mais j'en sais vraiment très peu à son sujet, sauf qu'il a la troublante habitude après qu'il a dit quelque chose de partir d'un long gloussement silencieux. Il n'a jamais mis les pieds à l'église depuis qu'on a commencé à chanter les hymnes et il insiste pour ouvrir toutes ses fenêtres même pendant les tempêtes d'hiver. J'avoue ressentir une sympathie secrète à son égard pour ceci, mais je suis probablement la seule personne à Summerside à l'éprouver. Il est devenu un citoyen de premier plan, et aucune affaire municipale n'oserait se régler sans son approbation.

Sa femme est morte. D'après la rumeur, elle était une esclave, et ne pouvait même pas dire que sa propre âme lui appartenait. On raconte que Franklin lui avait déclaré, lorsqu'il l'avait conduite à la maison, qu'il serait le maître absolu.

Dovie, dont le vrai nom est Sibyl, est sa seule enfant... une jeune fille de dix-neuf ans très jolie, potelée, adorable, à la bouche rouge toujours entrouverte sur de petites dents blanches, à la chevelure brune aux reflets châtains, aux séduisants yeux bleus ombrés de cils soyeux, si longs qu'on se demande s'ils peuvent être vrais. Jen Pringle prétend que c'est de ses yeux que Jarvis est réellement amoureux. Jen et moi avons discuté de la chose sous tous ses angles. Jarvis est son cousin préféré.

(En passant, tu ne peux pas savoir combien Jen et moi nous entendons bien. Elle est absolument charmante.)

Franklin Westcott n'a jamais permis à Dovie d'avoir des amoureux et, lorsque Jarvis Morrow a commencé à lui «témoigner de l'intérêt», il lui a interdit sa porte et a dit à Dovie qu'il n'était plus question de «se promener avec ce type». Mais la gaffe était faite. Dovie et Jarvis étaient déjà tombés profondément amoureux.

Tout le monde en ville est sympathique à la cause des tourtereaux. Franklin Westcott n'est vraiment pas raisonnable. Jarvis est un jeune avocat qui réussit, il vient d'une bonne famille, il a un bel avenir, et c'est un garçon bien de sa personne à tous les égards.

«Rien ne pourrait convenir davantage, affirme Rebecca Dew. Jarvis Morrow aurait pu avoir n'importe quelle fille de son choix ici à Summerside. Franklin Westcott a tout simplement décidé que Dovie resterait vieille fille. Il veut s'assurer d'avoir une ménagère lorsque tante Maggie sera morte.»

«Personne ne peut l'influencer?» ai-je demandé.

«Personne ne peut discuter avec Franklin Westcott. Il est trop sarcastique. Et si vous avez le dessus sur lui, il pique une crise. Je ne l'ai jamais vu faire une de ces colères, mais j'ai entendu M<sup>lle</sup> Prouty décrire comment il s'est conduit un jour qu'elle faisait de la couture chez lui. Quelque chose l'avait fâché... personne n'a jamais su ce que c'était. Il a tout simplement attrapé tout ce qui se trouvait à sa portée et l'a lancé par la fenêtre. Les poèmes de Milton ont volé par-dessus la clôture pour atterrir dans l'étang de nénuphars de George Clarke. C'est comme s'il avait toujours eu une dent contre la vie. La mère de M<sup>lle</sup> Prouty lui a dit qu'elle n'avait jamais entendu de bébés hurler comme lui à sa naissance. Je suppose que si Dieu fait des hommes comme lui, c'est qu'il a ses raisons, mais on se demande. Non, je ne peux voir aucune possibilité pour Jarvis et Dovie, à moins qu'ils ne s'enfuient ensemble. C'est une chose plutôt méprisable à faire, malgré tout le romantisme absurde qui entoure l'idée de l'enlèvement. Mais dans ce cas-ci, tout le monde l'excuserait.»

Je ne sais que faire, mais il faut que je fasse quelque chose. Il m'est impossible de rester là à regarder les gens gâcher leur vie sous mon nez, peu importe le nombre de crises que fera Franklin Westcott. Jarvis Morrow ne va pas passer sa vie à attendre... on dit qu'il est déjà à bout de patience et qu'on l'a vu en train de gratter sauvagement le nom de Dovie d'un arbre où il l'avait gravé. Il paraît qu'une jolie fille Palmer se jette à sa tête et on dit que sa sœur a dit que sa mère a dit que son fils n'avait pas à être suspendu pendant des années aux cordons de tablier d'une fille.

Vraiment, Gilbert, cette histoire me désole.

C'est à présent le clair de lune, mon amour... le clair de lune sur les peupliers de la cour... des éclats de lune sur tout le port d'où s'éloigne un navire fantôme... le clair de lune sur le vieux cimetière... sur ma propre vallée privée... sur le Roi Tempête. Et la lune éclairera le Chemin des amoureux, le Lac aux Miroirs, la vieille Forêt Hantée et la Vallée des violettes. Les fées danseront certainement sur les collines, cette nuit. Pourtant, Gilbert, quand on n'a personne avec qui le partager, le clair de lune n'est rien de plus... rien de plus que la lune qui brille.

J'aimerais amener petite Elizabeth faire une promenade. Elle raffole des randonnées au clair de lune. Nous en avons fait de merveilleuses lorsqu'elle était à Green Gables. Mais chez elle, Elizabeth ne peut voir le clair de lune que de sa fenêtre.

Je commence à m'inquiéter à son sujet, aussi. Elle s'en va sur ses dix ans et ces deux vieilles dames n'ont pas la moindre idée de ce dont elle a besoin, spirituellement et émotionnellement. Pour autant qu'elle est bien nourrie et habillée, elles ne peuvent s'imaginer qu'elle ait besoin d'autre chose. Et la situation va empirer d'année en année. Quelle sorte d'adolescence la pauvre enfant va-t-elle avoir?

# 6

Jarvis Morrow, raccompagnant Anne chez elle après la cérémonie de remise des diplômes de l'école, lui confia ses soucis.

«Vous devrez vous enfuir avec elle, Jarvis, c'est ce que tout le monde dit. J'ai pour règle de ne pas approuver les enlèvements». («J'ai dit cela comme un professeur ayant quarante années d'expérience», songea Anne avec un sourire imperceptible.) «Mais toutes les règles ont des exceptions.»

«Il faut être deux pour conclure un marché, Anne. Je ne peux m'enfuir seul. Dovie a si peur de son père que je ne peux arriver à la convaincre. Et ce ne serait pas un véritable enlèvement. Elle viendrait tout simplement chez ma sœur Julia... M^me^ Stevens, vous savez... un soir. Le pasteur serait là et nous pourrions nous marier assez respectablement pour satisfaire tout le monde puis aller passer notre lune de miel chez tante Bertha à Kingsport. Aussi simple que ça. Mais Dovie ne peut s'y résoudre. La pauvre chérie fait depuis si longtemps les quatre volontés de son père qu'elle n'a plus aucun ressort.»

«Il faut que vous lui fassiez entendre raison, Jarvis.»

«Doux Jésus! Pensez-vous que je n'ai pas essayé, Anne? Je me suis époumoné à la supplier. Quand elle est avec moi, elle me le promet presque. Mais dès qu'elle est arrivée chez elle, elle m'envoie un mot pour se décommander. Cela paraît étrange, Anne, mais la pauvre petite aime vraiment son père, et elle ne peut supporter l'idée qu'il ne lui pardonnera jamais.»

«Vous devez lui donner le choix entre son père et vous.»

«Et supposez qu'elle choisisse son père?»

«Je ne crois pas qu'il y ait de danger.»

«On ne peut jamais savoir, fit sombrement Jarvis. Il faudra pourtant prendre bientôt une décision. Je ne peux pas continuer comme ça indéfiniment. Je suis fou de Dovie... tout le monde le sait à Summerside. Elle est comme une petite rose rouge inaccessible... je *dois* l'atteindre, Anne.»

«La poésie est une très bonne chose à sa place, mais elle ne vous mènera nulle part dans ce cas-ci, Jarvis, déclara Anne d'un ton froid. Cela peut ressembler à une remarque que vous ferait Rebecca Dew, mais c'est tout à fait vrai. Dans cette affaire, tout ce dont vous avez besoin, c'est de simple bon sens. Dites à Dovie que vous en avez assez de cette valse-hésitation et qu'elle doit ou vous épouser ou vous laisser. Si elle ne tient pas à vous suffisamment pour quitter son père, vous êtes aussi bien de le comprendre.»

Jarvis grogna.

«Vous n'avez pas passé votre vie sous la coupe de Franklin Westcott, Anne. Vous n'avez aucune idée de ce qu'il est. C'est bien, je vais faire un dernier effort. Comme vous le dites, si Dovie tient à moi, elle viendra... sinon, alors il vaut mieux que je sache à quoi m'en tenir. Je commence à trouver que je me suis rendu plutôt ridicule.»

«Si c'est ainsi que vous vous sentez, pensa Anne, Dovie ferait mieux de prendre garde.»

Dovie en personne se glissa au Domaine des Peupliers un soir pour consulter Anne.

«Qu'est-ce que je vais faire, Anne? Qu'est-ce que je *peux* faire? Jarvis veut que je m'enfuie... pratiquement. Père doit aller à Charlottetown un soir de la semaine prochaine, pour assister à un banquet maçonnique... et ce *serait* une bonne occasion. Tante Maggie ne se douterait de rien. Jarvis veut que je me rende chez M^me^ Stevens pour qu'on se marie là-bas.»

«Et pourquoi ne le feriez-vous pas, Dovie?»

«Oh! Anne, croyez-vous vraiment que je doive le faire?»

Dovie leva son joli visage enjôleur. «Je vous en prie, je vous en prie, décidez pour moi. Je suis tout simplement désemparée.» Un sanglot brisa sa voix. «Oh! Anne, vous ne connaissez pas père. Il déteste Jarvis... je ne comprends pas pourquoi... le pouvez-vous? Comment peut-on haïr Jarvis? La première fois qu'il est venu me voir, père lui a interdit la porte et lui a dit qu'il lancerait le chien à sa poursuite s'il s'avisait de revenir... notre gros bouledogue. Vous savez qu'ils ne lâchent jamais prise une fois qu'ils tiennent leur proie. Et jamais il ne me le pardonnera si je m'enfuis avec Jarvis.»

«Vous devez choisir entre les deux, Dovie.»

«C'est ce que dit Jarvis, sanglota Dovie. Oh! Il était si sévère... jamais je ne l'avais vu comme ça. Et je ne peux... je ne peux vi... i... i... vre sans lui, Anne.»

«Alors il faut vivre avec lui, ma chère petite. Et n'appelez pas cela un enlèvement. Aller à Summerside et vous marier au milieu de vos amis, ce n'est pas un enlèvement.»

«C'est ce que père dira, fit Dovie en ravalant un sanglot. Mais je vais suivre votre conseil, Anne. Je suis sûre que jamais *vous* ne me donneriez un mauvais conseil. Je vais dire à Jarvis de faire les arrangements et d'obtenir la licence et j'irai chez sa sœur le soir où père sera à Charlottetown.»

Jarvis annonça triomphalement à Anne que Dovie avait finalement cédé.

«Je dois la rencontrer au bout du chemin mardi soir prochain... elle ne veut pas que j'aille jusqu'à la maison au cas où tante Maggie me verrait. Puis nous allons courir chez ma sœur et nous marier en moins de deux. Comme toute ma parenté sera là, la pauvre chérie se sentira plus à l'aise. Franklin Westcott a dit que je n'aurais jamais sa fille. Je vais lui prouver qu'il s'est mis un doigt dans l'œil.»

# 7

Le mardi suivant était une journée sombre de la fin de novembre. Des averses occasionnelles, froides et venteuses balayèrent les collines. Le monde avait l'air d'un endroit lugubre et sans vie, qu'on percevait à travers un crachin gris.

«Cette pauvre Dovie n'a pas une très belle journée pour son mariage», pensa Anne. «Supposons... supposons...» elle trembla et frissonna... «supposons que cela tourne mal. Ce sera ma faute. Dovie n'aurait jamais accepté de le faire si je ne le lui avais pas conseillé. Et supposons que Franklin Westcott ne lui pardonne jamais. Anne Shirley, arrête! Tu te laisses influencer par le mauvais temps, voilà tout.»

Le soir, la pluie avait cessé, mais l'air était froid et cru, et le ciel, très bas. Anne était dans la chambre de la tour, en train de corriger des devoirs, en compagnie de Dusty Miller blotti sous le poêle, lorsque se fit entendre un violent coup à la porte d'en avant.

Anne se précipita en bas. Rebecca Dew sortit une tête inquiète de la porte de sa chambre. Anne la fit reculer.

«Il y a quelqu'un à la porte d'*en avant*!» annonça Rebecca d'une voix caverneuse.

«Tout va bien, chère Rebecca. Même si j'ai peur que tout aille mal... mais en tout cas, ce n'est que Jarvis Morrow. Je l'ai vu par la fenêtre de côté et je sais que c'est moi qu'il veut voir.»

«Jarvis Morrow!» Rebecca Dew rentra dans sa chambre et ferma la porte. «Ça, *c'est* le bouquet!»

«Jarvis, qu'est-ce qui se passe?»

«Dovie n'est pas venue, annonça-t-il avec colère. Nous avons attendu des *heures*... le pasteur est là... et mes amis... et Julia a préparé le souper... et Dovie n'est pas venue. Je l'ai attendue au bout du chemin jusqu'à devenir à moitié fou. Je n'ai pas osé me rendre chez elle parce que je ne savais pas ce qui était arrivé. Cette vieille brute de Franklin Westcott est peut-être revenue. Tante Maggie l'a peut-être enfermée. Mais je dois *savoir*. Anne, il faut que vous alliez à Elmcroft découvrir pourquoi elle ne s'est pas présentée.»

«Moi?» s'écria Anne d'un ton incrédule.

«Oui, vous. Je ne peux me fier à personne d'autre... personne d'autre n'est au courant. Oh! Anne, ne me laissez pas tomber maintenant. Jusqu'ici, vous nous avez toujours appuyés. Dovie dit que vous êtes sa seule véritable amie. Il n'est pas tard... seulement neuf heures. Allez-y.»

«Et si je me fais croquer par le bouledogue?» fit Anne d'un ton sarcastique.

«Ce vieux chien! s'écria Jarvis avec mépris. Il ne pourrait même pas aboyer après un vagabond. Vous ne pensiez quand même pas que j'avais peur du chien? D'ailleurs, il est toujours enfermé pour la nuit. Je ne veux tout simplement pas causer des ennuis à Dovie si on a découvert le pot aux roses chez elle. S'il vous plaît, Anne.»

«Je présume que je n'ai pas le choix», soupira Anne en haussant les épaules avec désespoir.

Jarvis l'accompagna jusqu'au chemin menant à Elmcroft, mais elle refusa qu'il aille plus loin.

«Comme vous dites, cela pourrait compliquer les choses pour Dovie si son père était revenu.»

Anne se hâta dans la longue allée bordée d'arbres. La lune risquait parfois un œil entre les nuages poussés par le vent, mais la nuit était surtout épouvantablement noire et Anne était loin d'être rassurée par rapport au chien.

Il semblait n'y avoir qu'une lumière à Elmcroft... venant

de la fenêtre de la cuisine. Tante Maggie en personne ouvrit la porte de côté à Anne. Tante Maggie était une sœur très âgée de Franklin Westcott, une petite femme courbée et ridée qui n'avait jamais été considérée très brillante mentalement, bien qu'elle fût une excellente ménagère.

«Dovie est-elle à la maison, tante Maggie?»

«Elle est couchée», répondit imperturbablement Tante Maggie.

«Couchée? Est-elle malade?»

«Pas que je sache. Elle avait l'air d'être dans tous ses états aujourd'hui. Après le souper, elle a dit qu'elle était fatiguée, et elle est montée se coucher.»

«Il faut que je la voie un instant, tante Maggie. Je... j'ai seulement besoin d'un petit renseignement important.»

«Vous feriez mieux de monter à sa chambre, alors. Elle est à droite après l'escalier.»

Tante Maggie lui désigna d'un geste l'escalier et retourna à la cuisine en se dandinant.

Dovie se redressa lorsque Anne entra, plutôt cavalièrement, après avoir frappé rapidement à la porte. D'après ce que l'on pouvait voir à la lumière d'une minuscule chandelle, Dovie était en larmes, mais ses larmes ne firent qu'exaspérer Anne.

«Dovie Westcott, avez-vous oublié que vous deviez épouser Jarvis Morrow ce soir... *ce soir*?»

«Non... non..., gémit Dovie. Oh! Anne, je suis si malheureuse... j'ai vécu une journée si épouvantable. Jamais vous ne pourrez savoir ce à travers quoi je suis passée.»

«Je sais ce à travers quoi le pauvre Jarvis est passé, lui, à attendre pendant deux heures au chemin, dans le froid et la bruine», répondit impitoyablement Anne.

«Est-il... est-il très fâché, Anne?»

«Autant que vous pourrez vous en rendre compte»... rétorqua-t-elle d'un ton mordant.

«Oh! Anne, j'ai simplement eu trop peur. Je n'ai pas fermé l'œil, la nuit dernière. Je ne pouvais pas me faire à l'idée... je ne le pouvais pas. Je... il y a quelque chose de disgracieux dans le fait de s'enfuir, Anne. Et je ne recevrais pas de beaux cadeaux... en tout cas, pas beaucoup. J'ai toujours désiré me m... m... marier à l'église... avec de jolies décorations... une robe et un voile blancs... et des escarpins ar... ar... gentés!»

«Dovie Westcott, sortez de ce lit... *immédiatement*... habillez-vous... et venez avec moi.»

«Anne... c'est trop tard maintenant.»

«Ce n'est pas trop tard. C'est maintenant ou jamais... vous devez le savoir, Dovie, si vous avez une graine de bon sens. Vous devez savoir que Jarvis Morrow ne vous adressera plus jamais la parole si vous le ridiculisez comme ça.»

«Oh! Anne, il me pardonnera quand il saura...»

«Non. Je connais Jarvis Morrow. Il ne vous laissera pas jouer indéfiniment avec sa vie. Dovie, voulez-vous que je vous sorte moi-même du lit?»

Dovie frémit et soupira.

«Je n'ai même pas une robe convenable...»

«Vous avez une demi-douzaine de jolies robes. Mettez la rose en taffetas.»

«Et je n'ai pas de trousseau. Les Morrow me le reprocheront toujours...»

«Vous pourrez en avoir un après. Dovie, n'aviez-vous pas pesé toutes ces choses dans la balance avant?»

«Non... non... c'est bien là le problème. Je n'ai commencé à y penser qu'hier soir. Et père... vous ne connaissez pas père, Anne...»

«Dovie, je vous donne dix minutes pour vous habiller.»

Dovie fut vêtue dans le temps prescrit.

«Cette robe est en train de d... devenir trop petite pour moi», pleurnicha-t-elle pendant qu'Anne finissait de l'agrafer. «Si j'engraisse trop, je suppose que Jarvis ne m'aimera plus. Si seulement j'étais grande et mince et pâle comme vous, Anne. Oh! Anne, que se passera-t-il si Tante Maggie nous entend?»

«Elle n'entendra rien. Elle s'est enfermée dans la cuisine et vous savez qu'elle est un peu dure d'oreille. Voici votre chapeau et votre manteau et j'ai mis quelques effets dans ce sac.»

«Oh! J'ai le cœur qui palpite. Suis-je affreuse, Anne?»

«Vous êtes adorable», répondit sincèrement Anne.

La peau satinée de Dovie était rose et crème et toutes ses larmes n'avaient pas altéré la beauté de ses yeux. Mais Jarvis ne pouvait les voir dans le noir; il était seulement un peu ennuyé par sa bien-aimée et se montra plutôt froid pendant le trajet jusqu'à la ville.

«Pour l'amour de Dieu, Dovie, n'aie pas l'air si effrayée à l'idée de m'épouser», dit-il avec impatience comme elle descendait les marches jusqu'à la maison des Stevens. «Et ne pleure pas... cela te fera enfler le nez. Il est presque dix heures et nous devons attraper le train de onze heures.»

Dovie reprit du poil de la bête aussitôt qu'elle se retrouva irrévocablement mariée à Jarvis. L'"air lune de miel", ainsi qu'Anne le décrivit plutôt ironiquement dans une lettre à Gilbert, faisait déjà rayonner son visage.

«Anne, ma chérie, c'est à vous que nous le devons. Jamais nous ne l'oublierons, n'est-ce pas, Jarvis? Et, oh! ma chère Anne, m'accorderiez-vous une dernière faveur? S'il vous plaît, annoncez la nouvelle à père. Il sera de retour demain en début de soirée... et *quelqu'un* doit le lui dire. Si quelqu'un peut l'amadouer, ce ne peut être que vous. Je vous en prie, faites de votre mieux pour l'amener à me pardonner.»

Anne avait alors l'impression d'avoir besoin d'être amadouée elle-même; mais comme elle se sentait en même temps responsable de la conclusion de l'affaire, elle promit ce qu'on lui demandait.

«Il se montrera évidemment terrible, Anne... tout simplement terrible... mais il ne peut pas vous tuer», poursuivit Dovie d'un ton réconfortant. «Oh! Anne, vous ne pouvez pas savoir... comprendre... comme je me sens en *sécurité* avec Jarvis.»

Lorsque Anne revint à la maison, Rebecca Dew en était arrivée au point où elle devait satisfaire sa curiosité ou devenir folle. Elle suivit Anne jusqu'à la chambre de la tour, vêtue de sa chemise de nuit, la tête enveloppée d'un carré de flanelle, et entendit toute l'histoire.

«Eh bien! je suppose que c'est ce qu'on peut appeler la "vie", conclut-elle sarcastiquement. Mais je suis réellement contente que Franklin Westcott ait finalement eu ce qu'il méritait, et M^me^ Capitaine MacComber pensera comme moi. Je ne vous envie pourtant pas d'avoir écopé de lui annoncer la nouvelle. Il se mettra en colère et proférera des insanités. Si j'étais dans vos souliers, M^lle^ Shirley, je ne fermerais pas l'œil de la nuit.»

«J'ai l'impression que ce ne sera pas une expérience très agréable», acquiesça Anne d'un air piteux.

# 8

Anne se rendit à Elmcroft le lendemain soir, marchant dans un paysage de rêve dans le brouillard de novembre, envahie par un sinistre pressentiment. La commission qu'elle avait à faire n'était pas exactement plaisante. Comme l'avait dit Dovie, Franklin Westcott n'allait évidemment pas l'assassiner. Anne ne craignait pas la violence physique... bien que, si toutes les histoires qu'on lui avait racontées étaient authentiques, il pouvait aussi bien lui lancer quelque objet à la tête. Bégayerait-il de rage? Anne n'avait jamais vu un homme bégayer de colère et elle imaginait que ce devait être plutôt désagréable à voir. Mais il utiliserait sans doute son fameux don pour le sarcasme et le sarcasme, venant d'un homme ou d'une femme, était une arme qui terrifiait Anne. Cela la blessait toujours... formait des plaies en elle qui la faisaient souffrir pendant des mois.

«Tante Jamesina avait coutume de dire: "Si on peut l'éviter, il ne faut jamais être le messager de mauvaises nouvelles"», songea Anne. «Elle était sage en cela comme en tout le reste. Eh bien! me voici arrivée.»

Elmcroft était une demeure de style ancien flanquée de tours à chaque coin et au toit coiffé d'une coupole bulbeuse. Et, sur le perron avant, le chien était assis.

«Ils ne lâchent jamais prise une fois qu'ils tiennent leurs proies», se rappela Anne. Devrait-elle essayer de faire le tour jusqu'à la porte de côté? Puis la pensée que Franklin

Westcott pouvait la surveiller de la fenêtre lui redonna du cœur au ventre. Elle ne lui donnerait jamais la satisfaction de s'apercevoir qu'elle avait peur de son chien. Résolument, la tête haute, elle gravit l'escalier, dépassa le chien et sonna. Le chien n'avait pas bronché. Lorsque Anne lui jeta un coup d'œil par-dessus son épaule, il était apparemment endormi.

Franklin Westcott, apprit-elle, n'était pas à la maison, mais on l'attendait d'une minute à l'autre, car le train de Charlottetown était en retard. Tante Maggie la conduisit à ce qu'elle appelait la «blibliothèque» et la laissa là. Le chien s'était levé et les avait suivies. Il entra et s'installa aux pieds d'Anne.

Anne se surprit à se plaire dans la «blibliothèque». C'était une pièce joyeuse et douillette; un feu brûlait confortablement dans l'âtre et il y avait des peaux d'ours sur le tapis rouge usé. Il était évident que Franklin Westcott ne se privait pas en matière de livres et de pipes.

Elle l'entendit venir. Il accrocha son manteau et son chapeau dans le couloir; puis elle le vit dans l'embrasure de la porte de la bibliothèque, qui fronçait les sourcils d'un air très déterminé. Anne se souvint que la première fois qu'elle l'avait vu, il lui avait fait penser à un gentilhomme pirate et elle ressentit la même impression.

«Oh! C'est vous, n'est-ce pas? dit-il d'un ton plutôt bourru. Eh bien! qu'est-ce que vous voulez?»

Il ne lui avait pas tendu la main. Des deux, Anne pensa que le chien avait décidément de meilleures manières.

«Monsieur Westcott, je vous prie de m'écouter jusqu'à la fin avec patience avant...»

«Je suis patient... très patient. Allez-y.»

Anne décida qu'il ne servait à rien de tourner autour du pot avec un homme comme Franklin Westcott.

«Je suis venue vous dire, reprit-elle fermement, que Dovie a épousé Jarvis Morrow.»

Puis elle attendit le cataclysme. Rien ne se passa. Pas un muscle ne bougea dans le maigre visage de Franklin Westcott. Il entra et s'assit dans le fauteuil aux pattes arquées en face d'Anne.

«Quand?» demanda-t-il.

«Hier soir... chez sa sœur», répondit Anne.

Franklin Westcott la considéra quelque temps de ses yeux bruns jaunes profondément enfoncés sous des auvents de sourcils grisonnants. Anne se demanda un moment à quoi il pouvait bien ressembler quand il était bébé. Puis il renversa la tête et partit d'un de ses rires muets.

«Vous ne devez pas blâmer Dovie, M. Westcott», poursuivit honnêtement Anne, recouvrant son pouvoir de parole maintenant que la terrible révélation était faite. «Ce n'était pas sa faute...»

«Tu parles que ce ne l'était pas», dit Franklin Westcott.

*Essayait-il* de se montrer sarcastique?

«Non, c'était la mienne», déclara simplement et bravement Anne. «Je lui ai conseillé de s'enf... de se marier... je l'ai *incitée* à le faire. C'est pourquoi je vous prie de lui pardonner, M. Westcott.»

Franklin Westcott choisit impassiblement une pipe et commença à la bourrer.

«Si vous êtes parvenue à ce que Sibyl s'enfuie avec Jarvis Morrow, Mlle Shirley, je vous lève mon chapeau! Je n'aurais jamais cru cela possible de qui que ce soit. Je commençais à avoir peur qu'elle n'ait jamais assez de colonne vertébrale pour le faire. J'aurais alors dû faire volte-face... et Dieu! que les Westcott détestent ça! Vous m'avez sauvé la face, Mlle Shirley, et je vous en suis profondément reconnaissant.»

Un silence très sonore suivit cette déclaration, tandis que M. Westcott tassait son tabac et regardait le visage d'Anne avec, dans les yeux, un éclair amusé. Anne était si abasourdie qu'elle ne savait que dire.

«Je suppose, reprit-il, que vous êtes venue ici tremblante de peur à l'idée de m'annoncer la terrible nouvelle?»

«Oui», répondit Anne d'un ton un peu bref.

Franklin Westcott gloussa silencieusement.

«Vous aviez tort. Vous n'auriez pu m'apprendre une

nouvelle plus agréable. C'est vrai, j'avais choisi Jarvis Morrow pour Dovie quand ils n'étaient encore que des enfants. Dès que d'autres garçons ont commencé à tourner autour de Dovie, je les ai jetés dehors. C'est comme ça que Jarvis l'a d'abord remarquée. Lui, il viendrait à bout du vieux! Mais il était si populaire auprès des filles que je pouvais à peine croire à ma chance quand il a éprouvé un authentique béguin pour elle. J'ai donc mis au point mon plan de campagne. Je connaissais les Morrow comme si je les avais tricotés. C'est une bonne famille, mais les hommes n'aiment pas ce qu'ils peuvent obtenir facilement. Et ils sont déterminés à avoir ce qu'ils croient inaccessible. Ils ont l'esprit de contradiction. Le père de Jarvis a brisé le cœur de trois filles parce que leurs familles les lui avaient jetées à la tête. Dans le cas de Jarvis, je savais exactement ce qui allait se passer. Sibyl deviendrait passionnément amoureuse de lui... et il se fatiguerait d'elle le temps de le dire. Je savais qu'il ne persisterait pas à vouloir d'elle si elle était trop facile à conquérir. Je lui ai donc interdit de s'approcher de la maison, j'ai défendu à Sibyl de lui adresser la parole et, dans l'ensemble, j'ai joué à la perfection le rôle du parent exécrable. Quand on parle du charme de ce qui n'est pas encore atteint! Ce n'est rien en comparaison du charme de l'inatteignable. Tout s'est passé conformément au plan, mais le hic, c'était le manque de caractère de Sibyl. C'est une bonne enfant, mais elle n'a aucune volonté. Je pensais qu'elle n'aurait jamais le cran de l'épouser malgré moi. À présent, si vous avez retrouvé votre souffle, ma chère jeune dame, racontez-moi tout.»

Le sens de l'humour d'Anne était une fois de plus venu à son secours. Elle ne pouvait jamais refuser une bonne occasion de rire, même si elle était le dindon de la farce. Et elle se sentit tout à coup très proche de Franklin Westcott.

Il écouta toute l'histoire en tirant de calmes et savoureuses bouffées de sa pipe. Lorsqu'elle eut terminé, il hocha la tête.

«Je vois que je vous dois plus que je ne le pensais. Sans

vous, elle n'aurait jamais eu le courage de le faire. Et Jarvis Morrow n'aurait pas risqué d'être ridiculisé une seconde fois... pas si je connais cette race. Doux Jésus! Je l'ai échappé belle! On peut dire que vous savez maîtriser les événements. Vous êtes une chic fille d'être venue ici comme ça, tout en croyant les damnés ragots qu'on vous avait colportés sur moi. On a dû vous en raconter de toutes les couleurs, n'est-ce pas?»

Anne hocha la tête. Le bouledogue avait posé la tête sur ses genoux et ronflait béatement.

«Tout le monde s'accordait à dire que vous étiez grincheux, revêche et bourru», avoua-t-elle candidement.

«Et je présume qu'on vous a raconté que j'étais un tyran, que ma pauvre femme a vécu une existence misérable et que je menais ma famille avec une baguette de fer?»

«Oui, mais j'ai vraiment pris tout cela avec un grain de sel, M. Westcott. J'avais le sentiment que Dovie n'aurait pu autant vous aimer si vous aviez été aussi épouvantable que les racontars vous dépeignaient.»

«Vous êtes une fille sensée! Ma femme était heureuse, Mlle Shirley. Et quand Mme Capitaine MacComber prétend que je l'ai tant persécutée qu'elle en est morte, passez-lui un savon de ma part. Excusez ma façon vulgaire de m'exprimer. Mollie était jolie... plus jolie que Sibyl. Ce teint rose et blanc... cette chevelure brun doré... ces yeux bleus ingénus! C'était la plus jolie femme de Summerside. Il fallait qu'elle le soit. Je n'aurais pu le supporter si un homme était entré dans l'église avec une femme plus belle que la mienne. J'ai mené mon ménage comme un homme doit le faire, mais *pas* tyranniquement. Oh! évidemment, il m'arrivait de piquer une colère, mais Mollie ne s'en est pas formalisée une fois qu'elle y a été habituée. Un homme a bien le droit de s'engueuler avec sa femme de temps en temps, non? Les femmes se fatiguent des maris monotones. D'ailleurs, je lui offrais toujours une bague, un collier ou une autre babiole quand j'étais calmé. Aucune femme à Summerside n'avait de plus beaux bijoux. Il faut que je les sorte pour les donner à Sibyl.»

Anne devint malicieuse.

«Et en ce qui concerne les poèmes de Milton?»

«Les poèmes de Milton? Oh! Ça! Il ne s'agissait pas des poèmes de Milton... mais de Tennyson. Je vénère Milton, mais je ne peux tolérer Alfred. Sa mièvrerie me rend malade. Les deux dernières lignes d'*Enoch Arden* m'ont foutu dans une telle rage, un soir, que j'ai effectivement jeté le bouquin par le fenêtre. Mais je suis allé le ramasser le lendemain à cause de *Bugle Song*. Je pardonnerais n'importe quoi à n'importe qui pour ce poème. Il n'est pas tombé dans la mare de George Clarke – ça, c'était la broderie de la vieille Prouty. Vous ne partez pas? Restez manger une bouchée avec un vieux type solitaire qui s'est fait chiper son seul rejeton.»

«Je suis vraiment désolée, mais c'est impossible, M. Westcott. Je dois aller à une réunion du personnel, ce soir.»

«Eh bien! je vous verrai au retour de Sibyl. Il faudra que je leur organise une fête, aucun doute. Bon Dieu! quel soulagement pour mon esprit! Vous ne pouvez pas savoir combien je détestais l'idée de devoir revenir sur mes pas et dire: "Prenez-la". À *présent*, je n'ai qu'à faire semblant d'avoir le cœur brisé et de me résigner à lui pardonner tristement en souvenir de sa pauvre mère. Je vais faire ça à merveille... Jarvis ne se doutera jamais de rien. Mais ne vendez pas la mèche.»

«Je vous le promets», dit Anne.

Franklin la reconduisit courtoisement à la porte. Le bouledogue s'assit sur son arrière-train et se mit à geindre.

À la porte, Franklin Westcott retira sa pipe de sa bouche et lui en donna de petits coups sur l'épaule.

«N'oubliez jamais, dit-il solennellement, qu'il y a plus d'une manière d'écorcher un chat. On peut le faire de façon à ce que l'animal ne sache jamais qu'il a perdu sa peau. Transmettez mon affection à Rebecca Dew. C'est une bonne vieille créature quand on sait s'y prendre avec elle. Et merci... merci.»

Anne retourna chez elle dans le soir calme et doux. Le brouillard s'était dissipé, le vent avait tourné et le ciel vert pâle avait un air de gel.

«Les gens me disaient que je ne connaissais pas Franklin Westcott, songea Anne. Ils avaient raison... je ne le connaissais pas. Eux non plus.»

«Comment a-t-il pris ça?» Rebecca Dew était avide de savoir. Elle avait été sur les charbons ardents pendant l'absence d'Anne.

«Tout compte fait, pas si mal, répondit Anne d'un ton confidentiel. Je *pense* qu'il pardonnera à Dovie le temps venu.»

«Je n'ai jamais vu personne qui sache comme vous dire leur fait au gens», s'écria Rebecca Dew avec admiration. «Vous avez certainement un secret.»

«Une chose tentée, une chose faite, cela mérite une nuit de repos», déclama Anne en gravissant les trois marches jusqu'à son lit cette nuit-là. «Mais que quelqu'un vienne encore me demander mon avis sur l'enlèvement!»

# 9

(*Extrait d'une lettre à Gilbert.*)

Je suis invitée à souper demain soir chez une dame de Summerside. Je sais que tu ne me croiras pas, Gilbert, quand je te dirai qu'elle s'appelle Tomgallon... Mlle Minerva Tomgallon. Tu diras que j'ai lu Dickens trop longtemps et trop tard.

N'es-tu pas content, mon chéri, de t'appeler Blythe? Je suis certaine que je ne pourrais jamais t'épouser si tu t'appelais Tomgallon. Imagine... Anne Tomgallon! Non, tu ne peux pas l'imaginer.

C'est l'ultime honneur que Summerside puisse m'accorder... une invitation au Manoir Tomgallon. Il n'a pas d'autre nom. Aucune absurdité sur les hêtres, les châtaigniers ou les fermettes pour les Tomgallon.

D'après ce qu'on m'a dit, c'était la «Famille Royale» dans le temps. Les Pringle sont des champignons comparativement à eux. Et tout ce qui en reste maintenant est Mlle Minerva, seule survivante de six générations de Tomgallon. Elle habite seule une imposante maison, rue Queen... une maison avec de grandes cheminées, des volets verts et la seule fenêtre à vitre dépolie qu'on puisse trouver dans une maison privée en ville. Assez grande pour abriter quatre familles, elle n'est habitée que par Mlle Minerva, une cuisinière et une bonne. Bien qu'elle soit très bien entretenue, quand je passe devant, j'ai le sentiment que c'est un lieu que la vie a oublié.

Mlle Minerva sort très peu; elle ne va qu'à l'église anglicane et je ne l'avais jamais rencontrée avant quelques semaines, lorsqu'elle est venue à une réunion du personnel et des commissaires offrir officiellement à l'école la précieuse bibliothèque de son père. Elle ressemble exactement à ce qu'on s'attend de quelqu'un portant le nom de Minerva Tomgallon... grande et maigre, avec un long visage étroit et blanc, un long nez mince et une longue bouche mince. Cela peut sembler guère séduisant, pourtant Mlle Minerva est assez belle dans son style majestueux et aristocratique et elle est toujours vêtue avec une grande, quoiqu'un peu désuète, élégance. D'après ce que m'a dit Rebecca Dew, elle était une véritable beauté dans ses jeunes années et ses grands yeux noirs sont encore pleins de feu et d'un éclat sombre. Elle n'a pas la langue dans sa poche, et je ne crois pas avoir jamais entendu quelqu'un prendre autant de plaisir à prononcer un discours.

Mlle Minerva s'est montrée particulièrement gentille avec moi et, hier, j'ai reçu un petit mot officiel m'invitant à souper chez elle. Quand j'ai dit cela à Rebecca Dew, elle a écarquillé les yeux comme si j'avais été conviée au Palais de Buckingham.

«C'est un grand honneur que d'être invité au Manoir Tomgallon», m'a-t-elle dit d'un ton à la fois respectueux et intimidé. «Je n'ai jamais entendu dire que Mlle Minerva ait invité aucun des directeurs d'école avant. C'était bien entendu toujours des hommes, alors je suppose que cela aurait été difficilement convenable. J'espère seulement qu'elle ne vous assommera pas de paroles, Mlle Shirley. Les Tomgallon étaient tous de vrais moulins à paroles. Et ils aimaient être en évidence. Selon certaines personnes, si Mlle Minerva vit si retirée, c'est parce que, maintenant qu'elle est vieille, elle ne peut prendre la tête comme avant et jamais elle n'accepterait de jouer le deuxième violon. Comment allez-vous vous habiller, Mlle Shirley? J'aimerais que vous portiez votre robe de gaze de soie crème avec les boucles de velours noir. C'est si chic.»

«J'aurais peur que ce soit trop "chic" pour une simple soirée tranquille en dehors», objecta-t-elle.

«M$^{lle}$ Minerva aimerait cela, je pense. Tous les Tomgallon aimaient que leurs invités soient élégants. On raconte que le grand-père de M$^{lle}$ Minerva a un jour fermé sa porte au nez d'une femme parce qu'elle n'avait pas mis sa plus belle robe. Il lui a dit que sa plus belle ne l'était pas trop pour les Tomgallon.»

«Je pense quand même que je vais porter ma robe de voile vert, et les fantômes de Tomgallon devront en prendre leur parti.»

Je vais te confesser ce que j'ai fait la semaine dernière, Gilbert. Tu vas sans doute penser que je me mêle encore des affaires des autres. Mais je *devais* faire quelque chose. Je ne serai pas à Summerside l'an prochain et je ne peux supporter l'idée de laisser petite Elizabeth à la merci de ces deux vieilles femmes sans amour qui deviennent de plus en plus âpres et étroites d'esprit chaque année. Quelle sorte de jeunesse aura-t-elle avec elles dans ce lieu sombre?

«Je me demande, m'a-t-elle dit récemment d'un air mélancolique, comment ce serait d'avoir une grand-mère dont je n'aurais pas peur.»

Voici ce que j'ai fait: *j'ai écrit à son père*. Il vit à Paris et je ne savais pas son adresse, mais comme Rebecca Dew avait déjà entendu et se rappelait le nom de la compagnie dont il dirige une succursale là-bas, j'ai pris la chance de lui adresser ma lettre aux soins de la firme. J'ai écrit une lettre aussi diplomatique que possible, tout en lui disant carrément qu'il devait prendre Elizabeth. Je lui ai dit combien elle languit et rêve de lui et que M$^{me}$ Campbell était réellement trop stricte et sévère avec elle. Cela ne donnera peut-être rien, mais, si je n'avais pas écrit, j'aurais été à jamais hantée par la certitude que j'aurais dû faire quelque chose.

Ce qui m'a poussée à faire cela, c'est qu'un jour Elizabeth m'a confié très sérieusement avoir écrit «une lettre à Dieu» lui demandant de lui ramener son père et de faire en sorte qu'il l'aime. Elle m'a raconté qu'elle s'était arrêtée en revenant de l'école, au milieu d'un terrain vague, et qu'elle l'avait lue, le regard levé vers le ciel. Je savais qu'elle avait fait quelque chose d'insolite, parce que M^lle^ Prouty en avait été le témoin et me l'avait dit quand elle était venue coudre pour les veuves le lendemain. Elle pensait qu'Elizabeth était en train de devenir «bizarre»... «à s'adresser au ciel comme ça».

J'ai questionné Elizabeth à ce sujet et elle m'a dit de quoi il s'agissait.

«J'ai pensé que Dieu accorderait peut-être plus d'attention à une lettre qu'à une prière, m'a-t-elle dit. Il y a si longtemps que je prie. Et il doit recevoir tant de prières.»

Ce soir-là, j'ai écrit à son père.

Avant de terminer, il faut que je te parle de Dusty Miller. Il y a quelque temps, Tante Kate m'a confié qu'elle pensait devoir trouver un autre foyer pour Dusty Miller parce que Rebecca Dew ne cessait de se plaindre de lui et qu'elle avait la sensation qu'elle ne pourrait l'endurer davantage. Un soir que je revenais de l'école la semaine dernière, Dusty Miller n'était pas là. Tante Chatty m'a dit qu'elles l'avaient donné à Mme Edmonds qui vit à l'autre bout de Summerside. J'avais de la peine, car Dusty Miller et moi avions été d'excellents amis. Mais au moins, me suis-je dit, Rebecca Dew sera une femme heureuse.

Rebecca était absente pour la journée, elle était allée à la campagne aider une parente à suspendre des tapis. Lorsqu'elle revint, le soir tombé, on ne lui parla de rien, mais quand, au moment d'aller au lit, elle se mit à appeler Dusty Miller du porche arrière, Tante Kate lui dit calmement:

«Inutile d'appeler Dusty Miller, Rebecca. Il n'est pas ici. Nous lui avons trouvé un foyer ailleurs. Il ne vous ennuiera plus.»

Rebecca Dew aurait pâli si cela lui avait été possible.

«Pas ici? Trouvé un foyer pour lui? Juste ciel! N'est-ce pas ici, son foyer?»

«Nous l'avons donnée à Mme Edmonds. Elle est très seule depuis que sa fille s'est mariée et elle a pensé qu'un bon chat lui tiendrait compagnie.»

Rebecca Dew rentra en claquant la porte. Elle avait l'air dans tous ses états.

«Ça, *c'est* le bouquet!» grinça-t-elle. Et cela semblait vraiment l'être. Je n'avais jamais vu les yeux de Rebecca Dew lancer de telles étincelles de rage. «Je vais partir à la fin du mois, Mme MacComber, et même avant si vous pouvez vous organiser.»

«Mais, Rebecca, s'écria Tante Kate, interloquée, je ne comprends pas. Vous n'avez jamais aimé Dusty Miller. La semaine dernière encore, vous disiez...»

«D'accord, dit amèrement Rebecca. Rabâchez-moi des choses! N'ayez aucun égard pour mes sentiments! Ce pauvre gentil chat! Je l'ai attendu, et dorloté, et je me suis levée la nuit pour lui ouvrir. Et maintenant, il s'est volatilisé derrière mon dos sans même un au revoir. Et le voilà chez Jane Edmonds qui n'achèterait jamais une bouchée de foie à la pauvre créature même si elle en mourait d'envie! La seule compagnie que j'avais dans la cuisine!»

«Mais, Rebecca, vous avez toujours...»

«Oh! C'est bon... continuez, continuez! Ne me laissez pas placer un mot, Mme MacComber. J'ai éduqué ce chat depuis qu'il était chaton... j'ai veillé sur sa santé et son moral... et pourquoi donc? Pour que Jane Edmonds ait un chat bien élevé pour lui tenir compagnie. Eh bien! j'espère qu'elle ira dans le froid l'appeler pendant des *heures* comme je l'ai fait plutôt que de le laisser geler, mais j'en doute... j'en doute sérieusement. Alors, Mme MacComber, j'espère seulement que vous n'aurez pas trop de remords de conscience la prochaine fois qu'il fera dix sous zéro. Moi, je ne pourrai fermer l'œil mais, bien entendu, tout le monde s'en fiche éperdument.»

«Rebecca, si seulement vous...»

«Mme MacComber, je ne suis ni un ver de terre ni un paillasson. Eh bien! j'aurai eu ma leçon... une leçon précieuse! Jamais plus je ne laisserai mes affections s'enrouler autour d'un animal, quel qu'il soit. Et encore si vous l'aviez fait en face et ouvertement... mais derrière mon dos... profitant de moi comme ça! Je n'ai jamais entendu parler de rien d'aussi mesquin! Mais qui suis-je pour m'attendre à ce qu'on tienne compte de *mes* sentiments!»

«Rebecca, dit Tante Kate au désespoir, si vous voulez que Dusty Miller revienne, nous pouvons le ramener.»

«Pourquoi ne le disiez-vous pas avant? demanda Rebecca Dew. Mais j'en doute. Jane Edmonds a mis le grappin sur lui. Se peut-il qu'elle y renonce?»

«Je crois que oui», répondit Tante Kate, qui semblait être tournée en gelée. «Et s'il revient, vous ne nous quitterez pas, Rebecca?»

«Je pourrais y repenser», fit Rebecca, l'air de quelqu'un qui fait une extraordinaire concession.

Le lendemain, Tante Chatty rapporta Dusty Miller à la maison dans un panier couvert. Je l'ai surprise échangeant un regard avec Tante Kate après que Rebecca eut porté Dusty Miller dans la cuisine et refermé la porte. Je me demande! S'agissait-il d'un complot ourdi par les veuves aidées et encouragées par Jane Edmonds?

Rebecca ne s'est plus jamais plainte de Dusty Miller depuis, et sa voix a une véritable intonation de triomphe lorsqu'elle l'appelle en criant avant d'aller se coucher. On dirait qu'elle veut que tout Summerside sache que Dusty Miller est revenu chez lui et qu'elle a une fois de plus eu le dessus sur les veuves!

# 10

Ce fut par une soirée sombre et venteuse de mars, quand même les nuages ont l'air pressés, filant à toute allure dans le ciel, qu'Anne gravit la triple volée de marches larges et basses, flanquée d'urnes de pierre et de lions encore plus pierreux, conduisant à la massive porte d'en avant du Manoir Tomgallon. Habituellement, lorsqu'elle passait devant après la tombée du jour, il était encore plus sombre et lugubre, une ou deux fenêtres seules étant faiblement éclairées. Mais il était à présent tout illuminé, et on avait même allumé dans les ailes des deux côtés, comme si Mlle Minerva recevait la ville entière. Anne fut plutôt saisie de voir une telle illumination en son honneur. Elle souhaita presque avoir mis sa robe de gaze crème.

Elle était néanmoins charmante en voile vert et Mlle Minerva, venant à sa rencontre dans le couloir, fut peut-être de cet avis, car son expression et sa voix étaient très cordiales. Mlle Minerva elle-même était un régal pour les yeux: vêtue de velours noir, un peigne de diamants dans ses lourds bandeaux gris fer et portant un camée massif entouré d'une mèche de cheveux de quelque Tomgallon disparu. Le costume était dans l'ensemble un tantinet démodé, mais Mlle Minerva le portait avec tant de dignité qu'il semblait aussi éternel que la royauté.

«Bienvenue au Manoir Tomgallon, ma chère», dit-elle en tendant à Anne une main osseuse également ornée de diamants. «Je suis très heureuse de vous recevoir ici.»

«Je suis...»

«Le Manoir Tomgallon a toujours été le refuge de la beauté et de la jeunesse en son temps. Nous avions coutume de faire de grandes fêtes et de recevoir toutes les célébrités de passage ici», poursuivit M^lle^ Minerva, conduisant Anne vers le grand escalier sur un tapis de velours rouge fané. «Mais tout a changé, maintenant. Je reçois très peu. Je suis la dernière des Tomgallon. C'est peut-être aussi bien. Une *malédiction* plane, ma chère, sur notre famille.»

Le ton de M^lle^ Minerva était empreint de tant de mystère et d'horreur qu'Anne frissonna presque. La Malédiction des Tomgallon! Quel titre pour une histoire!

«C'est l'escalier d'où mon arrière-grand-père Tomgallon est tombé et s'est cassé le cou le soir où on pendait la crémaillère pour célébrer l'achèvement de sa nouvelle maison. Cette demeure a été consacrée par le sang humain. Il est tombé *là*...»

M^lle^ Minerva pointa un long doigt blanc vers un tapis en peau de tigre dans le corridor, et de façon si dramatique qu'Anne put presque voir le défunt Tomgallon en train d'y rendre l'âme. Comme elle ne savait pas vraiment quoi dire, elle se contenta de pousser un inepte «Oh!»

M^lle^ Minerva la conduisit, le long du corridor où étaient suspendus des portraits et des photographies d'un charme suranné et au bout duquel se trouvait la fameuse fenêtre à vitre dépolie, vers une immense et imposante chambre d'invités à plafond très haut. Le haut lit de noyer, avec son énorme tête, était recouvert d'un édredon de soie si extraordinaire qu'Anne eut l'impression de le profaner en y déposant son manteau et son chapeau.

«Vous avez de très beaux cheveux, ma chère, fit M^lle^ Minerva d'un ton admiratif. J'ai toujours aimé les cheveux roux. Ma tante Lydia était rousse... la seule Tomgallon à avoir jamais eu les cheveux de cette couleur. Un soir qu'elle était en train de les brosser dans la chambre nord, le feu de sa bougie a pris dedans et elle s'est précipitée en hurlant dans le couloir, entourée de flammes. Tout cela fait partie de la Malédiction, ma chère... de la Malédiction.»

«Fut-elle...»

«Non, elle n'a pas été brûlée vive, mais elle a perdu toute sa beauté. Elle était très belle et vaniteuse. À partir de cette nuit-là et jusqu'à sa mort, elle n'a jamais remis le pied dehors de la maison, et elle a exigé que son cercueil soit fermé pour que personne ne puisse voir son visage cicatrisé. Voulez-vous vous asseoir pour enlever vos caoutchoucs, ma chère? Voici un fauteuil très confortable. Ma sœur y est morte d'une attaque. Elle était veuve et était revenue vivre ici après le décès de son mari. Sa petite fille a été ébouillantée dans notre cuisine par une casserole d'eau bouillante. N'était-ce pas une façon tragique de mourir pour une enfant?»

«Oh! Comment...»

«Mais au moins, nous savons *comment* elle est morte. Ma demi-tante Eliza... du moins aurait-elle été ma demi-tante si elle avait vécu... a tout simplement *disparu* à l'âge de six ans. Personne n'a jamais su ce qu'elle était devenue.»

«Mais sûrement...»

«*Toutes* les recherches ont été faites, mais on n'a jamais rien découvert. On a raconté que sa mère... ma belle-grand-mère... s'était montrée très cruelle envers une nièce orpheline de mon grand-père qui était élevée ici. Pour la punir, elle l'a enfermée dans le placard en haut de l'escalier, par une chaude journée d'été, et quand elle est revenue la délivrer, elle l'a trouvée... *morte*. Selon certaines personnes, la disparition de sa propre enfant a été son châtiment. Mais moi je pense que c'était seulement notre Malédiction.»

«Qui a mis...»

«Comme vous avez le pied cambré, ma chère! On avait coutume d'admirer aussi ma cambrure. On disait qu'un jet d'eau pouvait couler sous mon pied... le test de l'aristocratie.»

M^lle^ Minerva sortit modestement un escarpin de sous sa jupe de velours, révélant qu'elle avait indubitablement un pied ravissant.

«C'est certainement...»

«Aimeriez-vous faire le tour du propriétaire, ma chère,

avant le souper? Cette maison avait coutume d'être l'orgueil de Summerside. Je présume que tout est à présent très démodé, mais il reste peut-être encore quelques petites choses dignes d'intérêt. Cette épée suspendue en haut de l'escalier appartenait à mon arrière-arrière-grand-père qui était un officier de l'armée britannique et qui a reçu une terre à l'Île-du-Prince-Édouard en remerciement de ses services. Il n'a jamais vécu dans cette maison, mais mon arrière-arrière-grand-mère y a habité quelques semaines. Elle n'a pas survécu longtemps au décès tragique de son fils.»

M^lle^ Minerva conduisait impitoyablement Anne à travers l'immense maison, remplie de grandes pièces carrées... salle de bal, salle de musique, salle de billard, trois salles de réception, une salle à déjeuner, d'innombrables chambres à coucher et un énorme grenier. Toutes les pièces étaient splendides et lugubres.

«Voici mes oncles Ronald et Reuben», fit M^lle^ Minerva en montrant deux dignes personnages qui semblaient se regarder en chiens de faïence de chaque côté d'une cheminée. «Ils étaient jumeaux et se sont détestés dès leur naissance. La maison résonnait de leurs querelles qui ont assombri la vie de leur mère. Et durant leur dernière dispute ici même dans cette pièce, pendant un orage, Reuben a été foudroyé. Ronald ne s'en est jamais remis. À partir de ce jour-là, il a été un *homme hanté*. Sa femme, ajouta M^lle^ Minerva, évoquant un autre souvenir, avala son anneau de mariage.»

«Quelle ex...»

«Ronald pensa qu'elle avait été très négligente et ne voulut rien faire. Un rapide émétique aurait pu... mais on n'en a plus jamais reparlé. Cela a gâché sa vie. Elle s'est toujours sentie *non mariée* sans son anneau.»

«Quelle belle...»

«Oh! oui, c'était ma tante Emilia... pas ma vraie tante, bien sûr. Seulement la femme d'oncle Alexander. Elle était reconnue pour son air spirituel, mais elle a empoisonné son mari avec un ragoût de champignons... de champignons vénéneux, en fait. Nous avons toujours prétendu qu'il s'agissait d'un accident, parce qu'un meurtre n'est jamais une chose propre dans une famille, mais nous savions tous la vérité. Elle l'avait évidemment épousé contre sa volonté. Elle était une jeune fille gaie et il était beaucoup trop vieux pour elle. L'hiver et le printemps, ma chère. Mais cela ne justifie pourtant pas les champignons vénéneux. Elle s'est mise à dépérir après cela. Ils sont enterrés ensemble à Charlottetown... tous les Tomgallons sont enterrés à Charlottetown. Voici ma tante Louise. Elle a ingurgité du laudanum. Le docteur lui a fait un lavage d'estomac et l'a sauvée, mais nous avons tous senti que nous ne pourrions plus lui faire confiance. Nous avons été très soulagés lorsqu'elle est morte respectablement d'une pneumonie. Bien entendu, certains d'entre nous ne la blâmaient pas. Vous voyez, ma chère, son mari lui avait donné une claque sur les fesses.»

«Sur les fesses...»

«Exactement. Il y a vraiment des choses qu'un gentleman devrait s'abstenir de faire, ma chère, et l'une d'elles est de fesser sa femme. L'assommer... passe encore.... mais la fesser, jamais! J'aimerais bien voir, poursuivit majestueusement Mlle Minerva, un homme qui essaierait de me claquer le derrière.»

Anne eut le sentiment qu'elle aimerait bien le voir aussi. Elle s'aperçut, tout compte fait, qu'il y avait vraiment des limites à l'imagination. Aucun effort ne pouvait lui faire imaginer un mari administrant une tape sur le postérieur de Mlle Minerva Tomgallon.

«Voici la salle de bal. Nous ne nous en servons évidemment plus, maintenant. Mais il y a eu de nombreux bals, ici. Les bals Tomgallon étaient célèbres. Les gens y venaient de tous les coins de l'Île. Ce candélabre a coûté cinq cents dollars à mon père. Ma grand-tante Patience est tombée raide morte en dansant ici un soir... ici même dans ce coin. Elle s'était beaucoup tourmentée pour un homme qui l'avait déçue. Je ne peux imaginer une fille se brisant le cœur pour un homme. Les hommes», conclut Mlle Minerva en contemplant une photographie de son père... un homme aux favoris en broussaille et au nez de faucon, «m'ont toujours semblé des créatures tellement *triviales*.»

# 11

La salle à manger était en harmonie avec le reste de la maison. Elle contenait un autre chandelier tarabiscoté et un miroir, tout aussi décoré, au cadre doré, sur le manteau de la cheminée, une table magnifiquement dressée, avec de l'argenterie, du cristal et de la vieille porcelaine anglaise. Le repas, servi par une vieille servante mélancolique, était abondant et succulent, et le jeune appétit en santé d'Anne lui rendit pleinement justice. Mlle Minerva garda le silence quelques instants et Anne n'osa prononcer une parole de peur de provoquer une nouvelle avalanche de tragédies. À un moment donné, un gros chat noir et soyeux entra dans la pièce et s'assit à côté de Mlle Minerva en poussant un miaulement enroué. Mlle Minerva versa de la crème dans une soucoupe et la posa devant lui. Elle parut tellement humaine après cela qu'Anne se sentit beaucoup moins intimidée par la dernière survivante de la dynastie Tomgallon.

«Prenez encore des pêches, ma chère. Vous n'avez rien mangé... absolument rien.»

«Oh! Mlle Tomgallon, j'ai beaucoup aimé...»

«Les Tomgallon ont toujours eu une bonne table, dit Mlle Minerva avec suffisance. Ma tante Sophia confectionnait le meilleur gâteau de Savoie que j'aie jamais goûté. Je pense que la seule personne dont mon père détestait la visite était sa sœur Mary parce qu'elle avait si peu d'appétit. Elle ne faisait que picorer et goûter. Il le prenait comme une insulte personnelle. Père était un homme très implacable. Il n'a jamais pardonné à mon frère Richard de s'être marié contre son gré. Il l'a mis à la porte et ne lui a jamais permis de revenir. Père récitait toujours le Notre Père à la prière du matin en famille, mais, après que Richard eut passé outre à sa volonté, il a toujours omis la phrase "Pardonnez-nous nos offenses comme nous pardonnons à ceux qui nous ont offensés". Il me semble le voir, continua rêveusement M^lle^ Minerva, agenouillé là sans prononcer la phrase.»

Après le souper, elles allèrent dans le plus petit des trois salons... qui était encore raisonnablement grand et sombre... et passèrent la soirée devant le feu... un gros feu agréable et suffisamment amical. Anne crochetait des napperons compliqués tandis que M^lle^ Minerva tricotait un châle tout en poursuivant ce qui était pratiquement un monologue composé en grande partie de l'histoire colorée et épouvantable des Tomgallon.

«Cette demeure est remplie de souvenirs tragiques, ma chère.»

«M^lle^ Tomgallon, un événement plaisant s'est-il déjà produit dans cette maison?» demanda Anne, réussissant, par un hasard extraordinaire, à faire une phrase complète: M^lle^ Minerva avait dû cesser de parler le temps de se moucher.

«Oh! Je présume que oui», répondit-elle comme si elle avait horreur de l'admettre. «Oui, nous avions l'habitude de nous amuser ici dans ma jeunesse. On m'a dit que vous écriviez un livre sur tous les habitants de Summerside, ma chère.»

«Non... il n'y a pas un mot de vrai...»

«Oh!» M^lle^ Minerva était un peu déçue. «Ma foi, si jamais cela vous chante, vous pouvez vous servir de toutes nos histoires, en déguisant les noms peut-être. Et maintenant, que diriez-vous d'une partie de parchési?»

«J'ai peur qu'il soit l'heure de partir...»

«Oh! Ma chère, vous ne pouvez rentrer chez vous ce soir. Il tombe des clous... et écoutez le vent. Je n'ai plus de carrosse... je m'en servirais si peu... et vous ne pouvez marcher un demi-mille dans ce déluge. Vous devez être mon invitée, cette nuit.»

Anne n'était pas certaine de vouloir passer la nuit au Manoir Tomgallon. Mais elle ne désirait pas plus marcher jusqu'au Domaine des Peupliers dans une tempête de mars. Elles jouèrent donc leur partie de parchési... à laquelle Mlle Minerva prit tant d'intérêt qu'elle en oublia de raconter des horreurs... et prirent une «collation de nuit». Elles se régalèrent de rôties à la cannelle et burent du cacao dans de vieilles tasses Tomgallon merveilleusement fines et belles.

Mlle Minerva la conduisit finalement dans une chambre d'ami, laquelle, Anne en fut d'abord contente, n'était pas celle où la sœur de Mlle Minerva avait succombé à une attaque.

«C'était la chambre de tante Annabella», annonça Mlle Minerva en allumant les bougies dans les chandeliers d'argent posés sur une assez jolie coiffeuse verte et en fermant le gaz. Matthew Tomgallon avait fait sauter le gaz une nuit... d'où *exit* Matthew Tomgallon. «C'était la plus belle de toutes les Tomgallon. Son portrait est au-dessus du miroir. Remarquez-vous la bouche fière qu'elle avait? C'est elle qui a fait cet absurde couvre-lit. J'espère que vous serez confortable, ma chère. Mary a aéré le lit et y a placé deux briques chaudes. Et elle a aéré cette chemise de nuit pour vous...» ajouta-t-elle en pointant un ample vêtement de flanelle à la forte odeur de naphtaline. «J'espère qu'elle vous ira. Elle n'a jamais été portée depuis que mère est morte dedans. Oh! J'avais presque oublié de vous dire...» Mlle Minerva se retourna à la porte... «ceci est la chambre où Oscar Tomgallon est revenu à la vie – après qu'on l'eut cru mort pendant deux jours. Ils *ne voulaient pas* qu'il vive, vous savez, *voilà* la tragédie. J'espère que vous dormirez bien, ma chère.»

Anne ne savait pas si elle pourrait y fermer l'œil. Tout à coup, il sembla y avoir quelque chose de bizarre et d'étranger dans la chambre... quelque chose de vaguement hostile. Mais n'y a-t-il pas quelque chose d'étrange dans toutes les chambres ayant été occupées pendant des générations? La mort s'y est tapie... l'amour y a été rose rouge... des naissances y ont eu lieu... toutes les passions... tous les espoirs. Elles sont pleines de courroux.

Mais c'était une vieille maison plutôt terrible, peuplée des spectres de haines et de cœurs brisés, encombrée d'actions obscures n'ayant jamais été tirées au clair et qui couvaient toujours dans ses recoins et ses cachettes. Trop de femmes devaient avoir pleuré ici. Le vent gémissait de façon très inquiétante dans les épinettes près de la fenêtre. Pendant un instant, Anne eut envie de s'enfuir, tempête ou pas tempête.

Puis elle se reprit résolument en main et fit appel à son bon sens. Si des événements tragiques ou horribles s'étaient produits ici, il y avait de nombreuses années vagues, des choses amusantes et charmantes devaient être arrivées aussi. De jolies et joyeuses jeunes filles avaient dansé et s'étaient raconté leurs doux secrets; des bébés à fossettes y étaient nés; il y avait eu des mariages, des bals, de la musique et des rires. La dame au gâteau de Savoie devait avoir été une créature réconfortante et le Richard jamais pardonné un amoureux galant.

«Je vais penser à ces choses et me coucher. Quel couvre-lit hors du commun! Je me demande si je vais être aussi folle que lui demain matin. Et on appelle ça une chambre d'ami! Je n'ai jamais oublié l'émotion que j'avais l'habitude de ressentir à dormir dans une chambre d'ami.»

Anne dénoua et brossa ses cheveux sous le nez d'Annabella Tomgallon qui la dévisageait avec une expression d'orgueil et de vanité, teintée de l'insolence que confère une grande beauté. Anne eut un peu la chair de poule en se regardant dans la glace. Qui savait quels visages pouvaient s'y trouver cachés? Toutes les dames tragiques et hantées qui s'y étaient déjà mirées, peut-être. Elle ouvrit courageusement la porte du placard, s'attendant à moitié à en voir dégringoler quelques squelettes, et suspendit sa robe. Elle s'assit calmement sur une chaise rigide qui semblait prête à s'offusquer si quiconque osait y prendre place, et enleva ses chaussures. Elle revêtit ensuite la chemise de flanelle, souffla les chandelles et s'allongea dans le lit, agréablement réchauffé par les briques de Mary. Pendant quelque temps, la pluie coulant sur les volets et les hurlements du vent autour des vieux avant-toits l'empêchèrent de dormir. Puis elle oublia toutes les tragédies Tomgallon dans un sommeil sans rêves jusqu'au moment où elle se retrouva en train de regarder les sombres sapins dans le lever du soleil flamboyant.

«J'ai tellement aimé votre compagnie, ma chère», dit M^lle^ Minerva lorsque Anne la quitta après le déjeuner. «Nous nous sommes bien amusées, n'est-ce pas? J'ai si longtemps vécu seule que j'ai presque oublié comment faire la conversation. Et inutile de dire combien c'est merveilleux de rencontrer une jeune fille vraiment simple et charmante en cette époque frivole. Je ne vous l'ai pas dit hier, mais c'était mon anniversaire et ce fut un plaisir d'avoir un peu de jeunesse dans la maison. Il n'y a plus personne pour se rappeler mon anniversaire à présent...» Mlle Minerva poussa un léger soupir... «et dire qu'il fut un temps où il y en avait tant.»

«Vous avez dû entendre une chronique joliment lugubre», dit Tante Chatty ce soir-là.

«Est-ce que toutes les choses que M^lle^ Minerva m'a racontées se sont réellement produites, Tante Chatty?»

«Ma foi, le plus étrange, c'est que oui, répondit Tante Chatty. C'est une chose curieuse, M^lle^ Shirley, mais plein de malheurs horribles sont arrivés aux Tomgallon.»

«À ma connaissance, pas beaucoup plus que dans n'importe quelle grande famille au cours de six générations», objecta Tante Kate.

«Oh! Je pense que oui. Ils avaient vraiment l'air d'être sous le coup d'une malédiction. Tellement d'entre eux ont eu une mort subite ou violente... Ils ont évidemment une propension à l'aliénation mentale... tout le monde sait ça. Cela faisait partie de la malédiction... mais j'ai entendu une vieille histoire... dont j'ai oublié les détails... il paraît que le menuisier qui a construit la maison lui a jeté un sort. Quelque chose au sujet du contrat... le vieux Paul Tomgallon l'a obligé à le respecter et cela l'a ruiné, elle avait coûté tellement plus qu'il se l'était figuré.»

«Mlle Minerva paraît plutôt fière de la malédiction», remarqua Anne.

«Pauvre vieille, c'est tout ce qu'il lui reste», dit Rebecca Dew.

Anne sourit à la pensée de la majestueuse Mlle Minerva décrite comme une pauvre vieille. Mais elle alla dans sa chambre et écrivit à Gilbert :

«Je croyais que le Manoir Tomgallon était un vieil endroit endormi où rien n'était jamais arrivé. Ma foi, si rien ne s'y passe désormais, tout s'y est passé. Petite Elizabeth parle toujours de Demain. Mais la vieille demeure Tomgallon est Hier. Je suis contente de ne pas vivre dans Hier... et que Demain soit encore un ami.

Bien sûr, je pense que Mlle Minerva aime, comme tous les Tomgallon, être en vedette et que ses tragédies ne cessent de la satisfaire. Elles sont pour elle ce qu'un mari et des enfants sont pour d'autres femmes. Mais, oh! Gilbert, peu importe l'âge que nous atteindrons, ne voyons jamais la vie comme si elle était toute tragique et ne prenons pas plaisir à la tragédie. Je pense que je haïrais une maison de cent vingt ans. J'espère que quand nous trouverons la maison de nos rêves, elle sera neuve, sans fantômes ni traditions, ou, si c'est impossible, qu'elle aura du moins été occupée par des gens raisonnablement heureux. Jamais je n'oublierai ma nuit au Manoir Tomgallon. Et pour la première fois de ma vie, j'ai rencontré une personne qui pouvait me clouer le bec.»

# 12

Petite Elizabeth était née avec l'espoir que les choses arrivent. Le fait qu'elles se produisaient rarement sous le regard inquisiteur de sa grand-mère et de la Femme n'avait jamais atténué ses attentes. Les choses devaient tout simplement arriver à un moment donné... si ce n'était pas aujourd'hui, ce serait demain.

Lorsque Mlle Shirley était venue vivre au Domaine des Peupliers, Elizabeth avait eu l'impression que Demain devait être à proximité et sa visite à Green Gables lui en avait donné l'avant-goût. Mais à présent, pendant ce mois de juin de la troisième et dernière année de Mlle Shirley à l'école de Summerside, le cœur de petite Elizabeth était tombé dans les jolies bottines boutonnées que grand-mère lui faisait toujours porter. Nombreux étaient les enfants de son école qui lui enviaient ces belles bottines de cuir. Mais pour petite Elizabeth, les bottines boutonnées n'avaient aucune importance si, avec elles, elle ne pouvait marcher vers la liberté. Et voilà que sa Mlle Shirley adorée s'en allait pour toujours. À la fin de juin, elle quitterait Summerside pour retourner à ce magnifique Green Gables. Petite Elizabeth ne pouvait tout simplement pas supporter cette idée. Il était inutile que Mlle Shirley lui promette de la faire revenir à Green Gables l'été avant son mariage. Petite Elizabeth savait que grand-mère ne la laisserait pas y retourner. Petite Elizabeth savait que grand-mère n'avait jamais vraiment approuvé son intimité avec Mlle Shirley.

«Ce sera la fin de tout, Mlle Shirley», sanglota-t-elle.

«Espérons, ma chérie, que ce n'est qu'un nouveau début», répondit Anne pour lui remonter le moral. Mais elle-même se sentait à plat. Le père de petite Elizabeth ne lui avait pas répondu. Ou bien il n'avait pas reçu sa lettre, ou bien cela lui était égal. Et si cela lui était égal, qu'adviendrait-il d'Elizabeth? Son enfance avait déjà été assez pénible, qu'est-ce que ce serait plus tard?

«Ces deux vieilles dames vont la régenter à mort», avait déclaré Rebecca Dew. Anne sentait qu'il y avait davantage de vérité que d'élégance dans sa remarque.

Elizabeth savait qu'on la «régentait». Et elle avait particulièrement horreur d'être «régentée» par la Femme. L'autorité de sa grand-mère ne lui plaisait évidemment pas non plus, mais on pouvait concéder à contrecœur qu'une grand-mère pût avoir certains droits de donner des ordres à sa petite-fille. Mais quel droit avait la Femme? Elizabeth avait toujours voulu le lui demander. Elle le *ferait*... un jour... quand ce serait Demain. Et, oh! comme alors elle aimerait voir l'expression que ferait la Femme!

Grand-mère n'aurait jamais permis à petite Elizabeth d'aller se promener toute seule... de peur, disait-elle, qu'elle soit kidnappée par des bohémiens. C'était déjà arrivé à un enfant, quarante ans plus tôt. Les gitans ne venaient plus que très rarement à l'Île, et petite Elizabeth avait l'impression que c'était un prétexte. Mais pourquoi grand-mère s'inquiétait-elle qu'elle fût enlevée ou non? Elizabeth savait que ni grand-mère ni la Femme ne l'aimaient. C'est vrai, jamais même elles ne parlaient d'elle en l'appelant par son nom, si elles pouvaient l'éviter. Comme Elizabeth détestait qu'on l'appelle «l'enfant», comme on aurait dit «le chien» ou «le chat» s'il y en avait eu un. Mais quand Elizabeth avait risqué une protestation, le visage de grand-mère était devenu sombre et fâché, et petite Elizabeth avait été punie pour impertinence, tandis que la Femme la regardait, bien satisfaite. Petite Elizabeth s'était souvent demandé pourquoi la Femme la haïssait. Comment pouvait-on vous haïr quand vous étiez si petite? Pouviez-vous mériter d'être haïe? Petite Elizabeth ne savait pas que la mère dont sa naissance avait coûté la vie avait été chérie par cette vieille femme amère et, si elle l'avait su, elle n'aurait pu comprendre quelles formes perverses pouvait revêtir un amour contrarié.

Petite Elizabeth détestait ce superbe et lugubre Evergreens, où tout lui paraissait étranger même si elle y avait passé toute sa vie. Mais après que Mlle Shirley fut venue vivre au Domaine des Peupliers, tout avait changé de façon magique. Petite Elizabeth avait vécu dans un monde enchanté depuis l'arrivée de Mlle Shirley. Il y avait de la beauté partout où on regardait. Grand-mère et la Femme ne pouvaient heureusement l'empêcher de regarder, même si Elizabeth ne doutait pas qu'elles le feraient si elles le pouvaient. Les brèves promenades le long du magique chemin rouge du port que, trop rarement, elle était autorisée à partager avec Mlle Shirley, étaient les points lumineux de sa vie pleine d'ombres. Elle aimait tout ce qu'elle voyait... le phare au loin, peint d'un rouge bizarre et aux ailes blanches... les lointaines plages, bleu foncé... les petites vagues bleu argenté... les rangées de lumières qui scintillaient dans les crépuscules violacés... tout la ravissait au point de lui faire mal. Et le port avec ses îles fumeuses et ses couchers de soleil flamboyants! Elizabeth s'installait toujours à une petite fenêtre dans la mansarde pour les regarder à travers la tête des arbres... et les navires qui voguaient vers la lune. Les navires qui revenaient... et ceux qui ne revenaient jamais. Elizabeth avait tellement envie de s'embarquer sur l'un d'eux... pour un voyage à l'Île du Bonheur. Les bateaux qui ne revenaient jamais restaient là où c'était toujours Demain.

Ce mystérieux chemin rouge allait si loin, et ses pieds lui démangeaient de le suivre. Où conduisait-il? Parfois, Elizabeth se disait qu'elle éclaterait si elle ne le découvrait pas. Quand Demain viendrait vraiment, elle irait de l'avant et trouverait peut-être une île où elle et Mlle Shirley pourraient vivre seules et où jamais ne viendraient ni grand-mère ni la Femme. Toutes deux avaient horreur de l'eau et ne mettraient le pied sur un bateau pour rien au monde. Petite Elizabeth aimait s'imaginer debout sur son île en train de rire d'elles tandis qu'elles resteraient en vain à lui jeter des regards noirs depuis la grève.

«Ici, c'est Demain! les narguerait-elle. Vous ne pouvez plus m'attraper. Vous êtes seulement dans Aujourd'hui.»

Comme ce serait amusant! Comme elle aimerait voir l'expression de la Femme!

Puis, un soir de la fin de juin, il se produisit une chose stupéfiante. Mlle Shirley avait annoncé à Mme Campbell qu'elle devait se rendre le lendemain à l'île du Nuage Volant pour rencontrer une certaine Mme Thompson, présidente du comité des rafraîchissements des Dames Patronnesses, et avait demandé la permission d'amener Elizabeth. Grand-mère avait accepté avec son habituelle dureté... Elizabeth ne pouvait comprendre pourquoi elle avait accepté, car elle ignorait entièrement l'horreur qu'avaient les Pringle d'un certain petit renseignement que possédait Anne... mais elle avait néanmoins accepté.

«Nous irons directement à l'entrée du port, chuchota Anne, quand j'aurai fait ma commission à l'Île du Nuage Volant.»

Petite Elizabeth était si excitée quand elle alla se coucher qu'elle crut ne pas pouvoir fermer l'œil. Elle allait finalement répondre à l'attrait du chemin qui l'appelait depuis si longtemps. Malgré son effervescence, elle procéda consciencieusement à son petit rituel d'avant le coucher. Elle plia ses vêtements, lava ses dents et brossa ses cheveux dorés. Elle songea qu'elle avait d'assez jolis cheveux, bien qu'ils ne pussent évidemment se comparer avec la belle chevelure d'or roux de Mlle Shirley, avec ses vagues et ses accroche-cœurs autour de ses oreilles. Petite Elizabeth aurait tout donné pour avoir des cheveux comme ceux de Mlle Shirley.

Avant d'aller au lit, petite Elizabeth ouvrit un des tiroirs de la haute commode noire polie et prit soigneusement une photo cachée sous une pile de mouchoirs... une photo de Mlle Shirley découpée dans un numéro spécial du *Courrier hebdomadaire* ayant reproduit la photographie du personnel de l'école secondaire.

«Bonne nuit, très chère Mlle Shirley». Elle embrassa le portrait et le replaça dans sa cachette. Puis elle grimpa dans son lit et se blottit sous les couvertures... car cette nuit de juin était fraîche et la brise du port soufflait. En vérité, c'était plus qu'une brise, ce soir-là. Cela sifflait et cognait et secouait et giflait, et Elizabeth savait que les vagues du port s'agiteraient dans le clair de lune. Comme ce serait amusant de se faufiler tout près, sous la lune! Mais on ne pourrait faire cela que Demain!

Où se trouvait le Nuage Volant? Quel nom! Sortant directement de Demain. Cela la rendait folle d'être si près de Demain et de ne pouvoir y pénétrer. Mais si le vent apportait de la pluie pour le lendemain? Elizabeth savait qu'elle ne serait jamais autorisée à sortir sous la pluie.

Elle s'assit dans son lit et joignit les mains.

«Cher Dieu, dit-elle, je n'aime pas me mêler de ce qui ne me regarde pas, mais *pourriez-Vous* voir à ce qu'il fasse beau demain? *S'il vous plaît*, cher Dieu.»

Le lendemain après-midi était extraordinaire. Petite Elizabeth eut l'impression de s'être libérée d'invisibles chaînes quand elle et Mlle Shirley s'éloignèrent de cette maison triste. Elle prit une immense bouffée de liberté, même si la Femme fronçait les sourcils vers elles à travers la vitre rouge de la grande porte d'entrée. Comme c'était divin de marcher dans ce joli monde en compagnie de Mlle Shirley! C'était toujours tellement merveilleux d'être seule avec Mlle Shirley. Que ferait-elle quand Mlle Shirley serait partie? Mais petite Elizabeth chassa fermement cette pensée. Elle ne gâcherait pas cette journée en songeant à cela. Peut-être... un grand peut-être... Mlle Shirley et elle arriveraient-elles à Demain cet après-midi et ne seraient alors jamais plus séparées. Petite Elizabeth désirait seulement marcher tranquillement vers cette teinte bleue au bout du monde, en s'abreuvant de la beauté autour d'elle. Chacun des tournants et des détours de la route révélaient de nouveaux charmes...

et elle tournait et s'entortillait interminablement, suivant les méandres d'une petite rivière qui semblait avoir surgi de nulle part.

De chaque côté s'étalaient des champs de boutons-d'or et de trèfle où bourdonnaient les abeilles. Il leur arrivait de traverser une talle laiteuse de marguerites. Au loin, le détroit riait d'elles avec ses vagues à la crête d'argent. Le port était comme de la soie liquide. Petite Elizabeth le préférait ainsi plutôt que lorsqu'il ressemblait à du satin bleu pâle. Elles burent le vent. C'était une brise très douce. Elle ronronnait près d'elles et semblait les câliner.

«N'est-ce pas agréable de marcher dans le vent comme ça?» dit petite Elizabeth.

«Un vent doux, amical et parfumé, dit Anne, davantage pour elle-même que pour Elizabeth. C'est ainsi que j'avais coutume d'imaginer le mistral. Mistral sonne ainsi. Quelle déception quand j'ai découvert qu'il s'agissait d'un vent violent et désagréable.»

Elizabeth ne saisit pas tout à fait... elle n'avait jamais entendu parler du mistral... mais la musique de la voix bien-aimée lui suffisait. Même le ciel était de bonne humeur. Un marin avec des anneaux d'or aux oreilles... tout à fait le genre de personne qu'on pourrait rencontrer Demain... sourit en passant près d'elles. Elizabeth pensa à un verset qu'elle avait appris à l'École du dimanche... «Les petites collines se réjouissent de chaque côté». Est-ce que l'homme qui l'avait écrit avait déjà vu des collines comme les bleues qui ondulaient par-delà le port?

«Je pense que ce chemin mène directement à Dieu», dit-elle rêveusement.

«Peut-être, répondit Anne. Peut-être toutes les routes y mènent-elles, petite Elizabeth. Nous tournons ici. Nous devons nous rendre à cette île... c'est le Nuage Volant.»

Le Nuage Volant était une île longue et étroite, située à environ un quart de mille de la plage. On y apercevait des arbres et une maison. Petite Elizabeth avait toujours souhaité posséder une île, avec une petite baie de sable argenté.

«Comment nous y rendrons-nous?»

«Nous allons prendre cette chaloupe et ramer», expliqua Mlle Shirley en prenant les rames d'une petite embarcation attachée à un arbre penché.

Mlle Shirley savait ramer. Existait-il quelque chose que Mlle Shirley ne pouvait faire? Lorsqu'elles accostèrent, l'île se révéla un endroit fascinant où tout pouvait arriver. C'était évidemment Demain. Des îles comme celles-ci ne pouvaient exister ailleurs que dans Demain. Elles n'avaient rien à voir avec le banal aujourd'hui.

Une petite bonne qui leur ouvrit la porte de la maison dit à Anne qu'elle trouverait Mme Thompson à l'autre bout de l'île, en train de cueillir des fraises sauvages. Imaginez une île où poussaient des fraises sauvages!

Avant de partir à la recherche de Mme Thompson, Anne demanda si petite Elizabeth pouvait attendre au salon. Elle lui trouvait l'air fatigué après cette promenade inhabituellement longue et pensait qu'elle avait besoin de repos. Ce n'était pas l'avis de petite Elizabeth, mais le plus léger désir de Mlle Shirley était un ordre.

Le salon était splendide, plein de fleurs, et une brise sauvage y soufflait. Elizabeth aimait le miroir où se reflétaient la pièce et, à travers la fenêtre ouverte, un fragment du port, de la colline et du détroit.

Un homme entra soudain. Elizabeth éprouva, pendant un moment, un sentiment de consternation et de terreur. Était-ce un bohémien? Il ne ressemblait pas à l'idée qu'elle se faisait d'un gitan mais elle n'en avait évidemment jamais vu. Il en était peut-être un... et Elizabeth eut alors la fugitive intuition que cela lui serait égal s'il la kidnappait. Elle aimait ses yeux noisette et ses cheveux bruns crépus et son menton carré et son sourire. Car il souriait.

«Qui es-tu, dis-moi?» demanda-t-il.

«Je suis... je suis moi», bredouilla-t-elle, un peu troublée.

«Oh! bien sûr... toi. Sortie de la mer, je suppose... surgie des dunes... aucun nom connu des mortels.»

Elizabeth eut l'impression qu'il se moquait un peu d'elle.

Mais peu lui importait. En vérité, cela lui plaisait assez. Elle répondit pourtant d'un ton un tantinet guindé :

«Mon nom est Elizabeth Grayson.»

Il y eut un silence... un silence très étrange. L'homme la regarda un moment sans prononcer une parole. Ensuite, il la pria poliment de s'asseoir.

«J'attends Mlle Shirley, expliqua-t-elle. Elle est allée voir Mme Thompson au sujet du souper des Dames Patronnesses. À son retour, nous nous rendrons au bout du monde.»

Voilà pour vous, Monsieur l'Homme, si vous aviez l'intention de m'enlever!

«Bien sûr. Mais en attendant, tu peux quand même te mettre à ton aise. Et je dois faire les honneurs. Quel genre de collation légère aimeriez-vous, mademoiselle? Le chat de Mme Thompson a probablement apporté quelque chose.»

Elizabeth s'assit. Elle se sentait bizarrement heureuse et chez elle.

«Puis-je avoir exactement ce qui me plaît?»

«Certainement.»

«Alors, déclara Elizabeth d'un ton triomphant, je voudrais de la crème glacée avec de la confiture de fraises dessus.»

L'homme sonna et donna un ordre. Oui, c'était sûrement Demain... il n'y avait aucun doute. La crème glacée et la confiture de fraises n'apparaissaient pas de cette façon magique dans Aujourd'hui, qu'il y ait des chats ou non.

«Nous allons en garder une portion pour Mlle Shirley», dit l'homme.

Ils furent immédiatement de bons amis. L'homme ne parlait pas beaucoup, mais il regardait souvent Elizabeth. Son expression était tendre... d'une tendresse qu'elle n'avait jamais vue avant dans un visage, pas même dans celui de Mlle Shirley. Et elle sut qu'elle l'aimait.

Il jeta finalement un coup d'œil par la fenêtre et se leva.

«Je pense que je vais y aller maintenant», dit-il. «Je vois ta Mlle Shirley qui arrive, alors tu ne seras pas seule.»

«Vous ne voulez pas attendre pour voir Mlle Shirley?»

demanda Elizabeth, léchant sa cuiller pour recueillir le dernier vestige de confiture. Grand-mère et la Femme auraient été foudroyées d'horreur si elles l'avaient vue.

«Pas cette fois», fit l'homme.

Elizabeth sut qu'il n'avait pas la moindre intention de la kidnapper et elle éprouva la plus incompréhensible, inexplicable sensation de désappointement.

«Au revoir et merci, dit-elle poliment. C'est très beau dans Demain.»

«Demain?»

«C'est ici, Demain, expliqua Elizabeth. J'ai toujours désiré y arriver et maintenant c'est fait.»

«Oh! Je vois. Ma foi, c'est triste à dire, mais je n'accorde pas une grande importance à Demain. J'aimerais mieux retourner dans Hier.»

Petite Elizabeth fut désolée pour lui. Mais comment pouvait-il être malheureux? Comment quelqu'un vivant dans Demain pouvait-il être malheureux?

Elizabeth regarda nostalgiquement l'île du Nuage Volant pendant qu'elles s'éloignaient dans la chaloupe. Au moment où elles traversaient le bosquet d'épinettes qui séparait la plage de la route, elle se retourna pour lui jeter un autre regard d'adieu. Un attelage de chevaux au galop attachés à un chariot tourna au virage, et il était évident que le conducteur avait perdu le contrôle.

Elizabeth entendit M^lle^ Shirley pousser un hurlement...

# 13

La chambre tournait bizarrement. Les meubles ballottaient et s'agitaient. Le lit... comment était-elle arrivée dans un lit? Une personne coiffée d'un bonnet blanc était justement en train de passer la porte. Quelle porte? Comme on se sentait drôle! On entendait des voix quelque part... qui chuchotaient. Elle ne pouvait voir qui parlait, mais d'une certaine façon, elle savait qu'il s'agissait de M<sup>lle</sup> Shirley et de l'homme.

Qu'est-ce qu'ils disaient? Elizabeth entendait des bribes de phrases, surgissant de murmures confus.

«Êtes-vous réellement?» La voix de Mlle Shirley paraissait si excitée.

«Oui... votre lettre... voir par moi-même... avant de contacter Mme Campbell... L'île du Nuage Volant est le lieu de vacances de notre directeur général...»

Si seulement cette chambre voulait rester stable! Vraiment, les choses se comportaient bizarrement dans Demain. Et si seulement elle pouvait tourner la tête et voir les personnes qui parlaient... Elizabeth poussa un long soupir.

Ils s'approchèrent ensuite du lit... Mlle Shirley et l'homme. Mlle Shirley toute grande et blanche, semblable à un lis, ayant l'air d'avoir vécu une expérience terrible, bien qu'une lumière intérieure irradiât derrière tout cela... une lueur qui semblait faire partie du coucher de soleil doré qui baigna soudainement la pièce. L'homme lui souriait. Elizabeth sentit qu'il l'aimait beaucoup et qu'il y avait entre eux un secret, tendre et doux, qu'elle apprendrait dès qu'elle saurait se servir de la langue parlée dans Demain.

«Te sens-tu mieux, ma chérie?» demanda Mlle Shirley.

«Ai-je été malade?»

«Tu as été jetée à terre par des chevaux emballés sur la route du continent, répondit Mlle Shirley. Je... je n'ai pas été assez rapide. J'ai cru qu'ils t'avaient tuée. Je t'ai ramenée directement ici dans la chaloupe et ton... ce monsieur a téléphoné pour faire venir un médecin et une infirmière.»

«Vais-je mourir?» demanda petite Elizabeth.

«Pas du tout, mon trésor. Tu as seulement été assommée et tu seras bientôt sur pied. Et, Elizabeth chérie, voici ton père.»

«Mon père est en France. Suis-je aussi en France?» Elizabeth n'en aurait pas été surprise. N'était-ce pas Demain? De plus, les objets continuaient à vaciller légèrement.

«Ton père est tout à fait ici, mon cœur.» Il avait une voix si délicieuse... on l'aimait pour sa voix. Il se pencha et l'embrassa. «Je suis venu pour toi. Nous ne serons plus jamais séparés.»

La femme au bonnet blanc revenait. Elizabeth sut que ce qu'elle avait à dire devait être dit avant qu'elle soit tout à fait entrée.

«Est-ce que nous allons vivre ensemble?»

«Toujours», dit son père.

«Et est-ce que grand-mère et la Femme habiteront avec nous?»

«Non», répondit-il.

L'or du soleil couchant s'atténuait et l'infirmière montrait sa désapprobation. Mais cela était égal à Elizabeth.

«J'ai trouvé Demain», dit-elle tandis que l'infirmière accompagnait son père et Mlle Shirley à la porte.

«J'ai découvert un trésor que j'ignorais posséder», dit son père, lorsque l'infirmière referma la porte sur lui. «Et je ne pourrai jamais assez vous remercier pour cette lettre, Mlle Shirley.»

«Et c'est ainsi, écrivit Anne à Gilbert ce soir-là, que le chemin mystérieux de petite Elizabeth l'a conduite au bonheur et à la fin de son ancien monde.»

# 14

Domaine des Peupliers
Chemin du Revenant
(Pour la dernière fois)
Le 27 juin

Mon amour,

Me voici arrivée à un autre tournant de ma route. Je t'ai écrit pas mal de lettres dans cette vieille chambre de la tour au cours des trois dernières années. Je présume que celle-ci est la dernière que je vais t'écrire pour très, très longtemps. Car après ceci, nous n'aurons plus besoin de lettres. Encore quelques semaines, et nous serons pour toujours l'un à l'autre... nous serons ensemble. Penses-y seulement... être ensemble... parler, marcher, manger, rêver, planifier ensemble... partager de merveilleux moments... faire de notre maison de rêve un foyer. *Notre* maison. Cela ne sonne-t-il pas «mystique et merveilleux», Gilbert? J'ai construit des maisons de rêve toute ma vie et une va à présent devenir réalité. Et si tu veux savoir avec qui je veux vraiment partager la maison de mes rêves... eh bien! je te le dirai l'an prochain à quatre heures.

Trois années, cela paraît interminable au début, Gilbert. Et voilà qu'elles seront bientôt choses du passé. Ce furent des années très heureuses... à l'exception des quelques premiers mois avec les Pringle. Après cela, la vie a eu l'air de couler comme une agréable rivière dorée. Et ma vieille querelle avec les Pringle ressemble à un rêve. Ils m'aiment désormais pour moi-même... ils ont oublié qu'ils m'ont déjà détestée. Cora Pringle, l'une des nombreuses veuves Pringle, m'a apporté hier un bouquet de roses et autour des tiges était enroulée une bande de papier portant la légende «À l'institutrice la plus gentille du monde entier». Une Pringle m'écrire cela, imagine!

Jen a le cœur brisé à cause de mon départ. Je vais suivre sa carrière avec intérêt. Elle est brillante et assez imprévisible. Une chose est certaine... elle n'aura pas une existence banale. Ce n'est certainement pas pour rien qu'elle ressemble tant à Becky Sharp.

Lewis Allen s'en va à McGill et Sophy Sinclair, à Queen's. Elle compte ensuite enseigner jusqu'à ce qu'elle ait économisé suffisamment d'argent pour s'inscrire à l'École d'Art dramatique de Kingsport. Myra Pringle doit faire son «entrée dans le monde» à l'automne. Elle est si jolie que le fait qu'elle ne reconnaîtrait pas un participe plus-que-parfait si elle en rencontrait un dans la rue n'a vraiment aucune importance.

Et il n'y a plus de petite voisine de l'autre côté de la barrière couverte de vigne. Petite Elizabeth a quitté pour toujours cette maison sans soleil... elle est partie vers son Demain. Si je restais à Summerside, son absence me serait intolérable. Mais comme ça, je suis contente. Pierce Grayson l'a amenée avec lui. Il ne retourne pas à Paris mais vivra à Boston. Elizabeth a pleuré amèrement à notre séparation, mais elle est si heureuse avec son père que ses larmes seront bientôt séchées, j'en suis sûre. Toute cette affaire a provoqué la colère de M^me^ Campbell et de la Femme et elles rejettent le blâme sur moi... ce que j'accepte de bon cœur et sans aucun remords.

«Elle avait un bon foyer ici», a affirmé majestueusement M^me^ Campbell.

«Où elle n'a jamais entendu un seul mot d'affection», ai-je pensé sans le dire.

«Je crois que je serai désormais Betty pour toujours», ont été les dernières paroles d'Elizabeth. «Sauf, a-t-elle ajouté, quand je m'ennuierai de vous, et alors je serai Lizzie.»

«Ne sois jamais Lizzie, quoi qu'il arrive», ai-je dit.

Nous nous sommes envoyé des baisers aussi longtemps que nous avons pu nous voir, puis je suis revenue à ma tour, les larmes aux yeux. Elle avait été si gentille, la chère petite. Elle me faisait toujours penser à une harpe éolienne, vibrant au moindre souffle d'affection sur son chemin. Ce fut toute une aventure d'être son amie. J'espère que Pierce Grayson se rend compte du trésor qu' il a... et je pense que c'est le cas. Il a paru très reconnaissant et repentant.

«Je n'avais pas pris conscience qu'elle n'était plus un bébé, m'a-t-il dit, ni combien son entourage était antipathique. Merci mille fois de ce que vous avez fait pour elle.»

J'ai fait encadrer notre carte du pays des fées et je l'ai offert à petite Elizabeth en cadeau d'adieu.

Cela me fait de la peine de quitter le Domaine des Peupliers. Je suis évidemment un peu lasse de vivre dans une malle, mais j'étais si bien, ici... j'aimais ces heures fraîches, le matin, à ma fenêtre... mon lit, dans lequel je grimpais littéralement chaque soir... mon coussin en forme de beignet bleu... et tous les vents qui soufflaient. J'ai bien peur de n'être plus jamais aussi copine avec les vents que je l'ai été ici. Et aurai-je un jour une autre chambre d'où je pourrai voir et le soleil levant et le soleil couchant?

J'en ai terminé avec le Domaine des Peupliers et les années qui y furent liées. J'ai tenu mes engagements. Je n'ai jamais révélé à Tante Kate la cachette de Tante Chatty ni le secret du babeurre à aucune des deux.

Je pense qu'elles sont toutes chagrinées de mon départ... et cela me fait plaisir. Ce serait terrible de penser qu'elles sont contentes de me voir partir... ou que je ne leur manquerais pas le moindrement une fois partie. Rebecca Dew m'a préparé tous mes plats favoris depuis une semaine... elle a même, à *deux* reprises, consacré dix œufs à la confection d'un gâteau des anges... et nous avons mangé dans la vaisselle «de la visite». Et les doux yeux bruns de Tante Chatty se noient chaque fois que je mentionne mon départ. Même Dusty Miller semble me regarder avec reproche, assis sur son petit derrière.

J'ai reçu une longue lettre de Katherine la semaine dernière. Elle a un don pour écrire des lettres. Elle est devenue la secrétaire privée d'un député globe-trotter. Globe-trotter, quelle expression fascinante! Une personne disant «Nous partons pour l'Égypte» comme une autre dirait «Nous partons pour Charlottetown»... et qui le fait! Voilà une vie qui conviendra parfaitement à Katherine.

Elle persiste à m'attribuer tout son changement d'apparence et de perspectives. «Si seulement je pouvais vous dire ce que vous avez apporté dans ma vie», m'a-t-elle écrit. Je suppose que je l'ai aidée. Et ça n'a pas été facile au début. Elle disait rarement quelque chose qui n'était pas mordant et écoutait toutes les suggestions que je faisais par rapport au travail d'école avec l'air de se moquer dédaigneusement d'une lunatique. Pourtant, d'une certaine façon, j'ai tout oublié. C'était seulement causé par l'amertume secrète qu'elle nourrissait à l'égard de la vie.

Tout le monde m'a invitée à souper... même Pauline Gibson. Comme la vieille M<sup>me</sup> Gibson est morte il y a quelques mois, Pauline a osé le faire. Et je suis allée au Manoir Tomgallon pour un autre souper avec M<sup>lle</sup> Minerva du même nom et une autre conversation à sens unique. Mais je me suis bien régalée du repas délicieux que m'a servi M<sup>lle</sup> Minerva et elle a eu le plaisir de me faire connaître quelques autres tragédies. Bien qu'elle ne soit pas vraiment arrivée à cacher le fait qu'elle plaignait tous ceux qui ne sont pas des Tomgallon, elle m'a fait plusieurs beaux compliments et m'a offert une adorable bague sertie d'une aigue-marine... un mélange de clair de lune bleu et vert... que son père lui avait donnée pour son dix-huitième anniversaire... «quand j'étais jeune et belle, ma chère... *assez* belle. Je peux le dire *à présent*, je suppose.» J'étais contente qu'elle ait appartenu à M<sup>lle</sup> Minerva plutôt qu'à la femme d'oncle Alexander. Je suis certaine que je n'aurais pu la porter si cela avait été le cas. Elle est ravissante. Les pierres précieuses venant de la mer dégagent un charme mystérieux.

Le Manoir Tomgallon est certes très splendide, particulièrement maintenant que le terrain est couvert de feuilles et de fleurs. Je n'échangerais pourtant pas la maison encore inconnue de mes rêves contre le Manoir Tomgallon et son terrain avec tous les fantômes qui s'y promènent.

Non pas qu'un fantôme ne puisse être un genre de créature sympathique et aristocrate. Ma seule querelle avec le Chemin du Revenant concernait le fait qu'il n'y avait pas de revenants.

Je suis allée faire une dernière promenade à mon vieux cimetière hier soir... j'en ai fait le tour en me demandant s'il arrivait à Herbert Pringle de pouffer de rire dans sa tombe. Et ce soir, je dis au revoir au vieux Roi Tempête, le soleil se couchant sur son front, et à ma petite vallée venteuse nimbée de crépuscule.

Je me sens un tantinet fatiguée après un mois d'examens et d'adieux et de «choses de dernière minute». Après mon retour à Green Gables, je vais être paresseuse pendant une semaine... ne ferai absolument rien d'autre que courir librement dans un vert paysage empreint de la splendeur de l'été. Je vais rêver près de la Source des fées au clair de lune. Je vais voguer sur le Lac aux Miroirs dans une chaloupe faite dans un rayon de lune... ou dans celle de M. Barry, si les chaloupes de rayon de lune sont hors saison. Je vais cueillir des primevères et des campanules dans la Forêt Hantée. Et trouver des talles de fraises sauvages dans le pré de M. Harrison sur la colline. Je me joindrai à la danse des lucioles dans le Sentier des amoureux et ferai une visite au vieux jardin oublié d'Hester Gray... et m'assoirai sur le seuil de la porte sous les étoiles et écouterai la mer appeler dans son sommeil.

Et quand la semaine sera terminée, *tu* seras de retour... et je ne désirerai rien d'autre.

Le lendemain, quand le moment fut venu pour Anne de dire au revoir aux gens du Domaine des Peupliers, Rebecca Dew n'était pas dans les parages. Au lieu, Tante Kate tendit gravement une lettre à Anne.

«Chère M^lle^ Shirley, écrivait Rebecca Dew, je vous écris pour vous faire mes adieux parce que je ne peux me faire confiance pour vous les dire de vive voix. Pendant trois ans, vous avez séjourné sous notre toit. Heureusement dotée d'un esprit enthousiaste et d'un goût naturel pour les gaiétés de la jeunesse, vous ne vous êtes jamais compromise dans les vains plaisirs de la foule étourdie et volage. Vous vous êtes conduite, en toute occasion et envers tout le monde, en particulier la personne qui écrit ces lignes, avec la délicatesse la plus raffinée. Vous avez toujours tenu on ne peut plus compte de mes sentiments et mon esprit est considérablement assombri à la pensée de votre départ. Mais nous ne devons pas nous plaindre de ce que la Providence a ordonné. (Premier Samuel, 29 et 18.)

Tous les habitants de Summerside ayant eu le privilège de vous connaître vous regretteront, et l'hommage d'un cœur loyal, quoique humble, sera à jamais vôtre, et je prierai toujours pour votre bonheur et votre bien-être en ce monde et votre félicité éternelle dans celui qui est à venir.

Quelque chose me chuchote que vous ne serez plus "M^lle^ Shirley" très longtemps encore et que vous serez dans un avenir prochain liée dans une union des âmes à l'élu de votre cœur, lequel, d'après ce que j'ai entendu dire, est un jeune homme très exceptionnel. L'auteur de ces lignes, possédant peu de charmes personnels et commençant à sentir le poids de l'âge (tout en étant encore bonne pour encore quelques années), ne s'est jamais permis de chérir quelque aspiration matrimoniale. Elle ne renie pourtant pas le plaisir qu'elle éprouve dans les projets nuptiaux de ses amis et puis-je exprimer le vœu fervent que votre vie matrimoniale soit une bénédiction constante et ininterrompue? (Ne vous attendez cependant pas à beaucoup de la part d'un homme.)

Mon estime et, puis-je me permettre de le dire, mon

affection pour vous ne seront jamais amoindries et à l'occasion, quand vous n'aurez rien de mieux à faire, ayez l'obligeance de vous souvenir d'une personne comme

votre servante obéissante
Rebecca Dew

P. S. Que Dieu vous bénisse.»

Les yeux d'Anne étaient noyés de larmes quand elle replia la lettre. Tout en soupçonnant fortement Rebecca Dew d'avoir tiré la plupart de ses expressions de son livre préféré, le *Manuel de comportement et d'étiquette*, Anne ne les crut pas moins sincères et le post-scriptum venait certainement du cœur aimant de Rebecca Dew.

«Dites à la chère Rebecca Dew que je ne l'oublierai jamais et que je reviendrai vous voir chaque été.»

«Nous aurons des souvenirs de vous que rien ne pourra nous enlever», sanglota Tante Chatty.

«Rien», appuya Tante Kate avec emphase.

Mais comme Anne s'éloignait du Domaine des Peupliers, le dernier message qu'elle en reçut fut une grande serviette de bain blanche flottant frénétiquement à la fenêtre de la tour. C'était Rebecca Dew qui l'agitait.

Marquis imprimeur inc.

Québec, Canada
2008